新編 怪奇幻想の文学 1

怪物

【監修】紀田順一郎・荒俣宏
【編】牧原勝志（『幻想と怪奇』編集室）

Tales of Horror and Supernatural 1
Monsters

新紀元社

新編 怪奇幻想の文学 1 怪物

Tales of Horror and Supernatural
1
Monsters

山深く潜む、古来から言い伝えられるもの。身を蝕み、
人間としての記憶さえ呪わしく変えるもの。そして、見て
はならず、語りえないもの。何ものなのか知るすべもない
かれらを、せめてこう呼ぼう――怪物、と。

目次

新編 怪奇幻想の文学 1

怪物

編者序文

牧原勝志

入門書として手にし、その一冊を機に一つの分野に長らく親しんで年月を経ても、折々に書棚から取り出して読み返す――そんな本は、何ものにも代えがたい。

海外幻想文学でいえば、そんな本としてまず挙げられるのが、今から約半世紀前の一九六九年に出版された、東京創元社の『怪奇小説傑作集』全五巻（創元推理文庫）だ。同社の〈世界大ロマン全集〉『怪奇小説傑作集』（二巻。一九五七～五八）と〈世界恐怖小説全集〉（全十二巻。一九五九～六〇）を母体とするこのアンソロジーは、イギリス・アメリカ編三巻と、フランス編、ドイツ・ロシア編各一巻という国・地域別の編集をし、海外怪奇小説の地図を読者に示している。のちの白水社Uブックス〈幻想小説傑作集〉シリーズ（一九八五―九二）や、河出文庫〈怪談集〉シリーズ（一九八八―九〇）の先駆とも言えるだろう。

そして、それに続くものが、新人物往来社の『怪奇幻想の文学』である。こちらは巻ごとにテーマ別の編纂がなされた、いわば怪奇幻想の進化系統図と呼ぶべきアンソロジーだ。吸血鬼の『真紅の法悦』、黒魔術の『暗黒の祭祀』、ウォルポール『オトラント城綺譚』とラヴクラフト『チャールズ・ウォードの奇怪な事件』の二長編を中心にしたゴシックの『戦慄の創造』、題名どおりの恐怖の精粋である『恐怖の探究』と、テーマ別に四巻を構成したこちらの刊行開始も、同じ一九六九年。読者がジャンルの地図と進化系統図を得ることができ、この分野にとっては記念すべき年になった。

『怪奇幻想の文学』は全四巻でいったん完結した後、八年後に『怪物の時代』『啓示と奇蹟』『幻影の領域』の三巻の増補を得て進化系統図が補完され、全七巻の錚々たるアンソロジーとなった。が、今は書店の店頭から姿を消して久しい。その後も怪奇幻想の分野で優れたアンソロジーは数多く出版されているのだが、そのほとんどが同様の運命をたどっている。

そんな中、二〇一四年に荒俣宏氏の労作〈怪奇文学大山脈〉全三巻（東京創元社）が刊行された。長文の解説が幻想文学論となっているこのアンソロジーは、同時に怪奇幻想文学史の年表であり、地図、進化系統図と並んできわめて重要な位置を占めている。

先達の偉業に倣《なら》い、ここに始めるのは、『怪奇幻想の文学』のテーマを活かし、六巻に新編したものである。古典はもとより、準古典と呼ぶべき二〇世紀前半までのものを視野に入れ、さらには伝説のように題名だけが知られる未訳作も収録した。進化系統図を大幅に変えるものではないが、新たな角度から見ることができるはずだ。雑誌形式のアンソロジー『幻想と怪奇』は古典から現代作品までを広く捉えており、こちらとは相互補完的なアンソロジーになることを企図している。

不動の名作の数々を通し、怪奇幻想の真髄に触れていただきたい。本シリーズは、自由な想像力が創りだす豊かな世界への、恰好の入口となることだろう。

変化《へんげ》

メアリ・シェリー
和爾桃子 訳

Transformation
by Mary Shelley

これなる我と我が身はたちどころに
すさまじい痛苦に責めさいなまれ
責め苦に音を上げて話しだせば
やがて痛みは引いてゆく
爾来《じらい》いつとは知れぬ時に
同じ痛苦がまたも訪れ
忌むべき次第を語り尽くすまで
内なる心臓を焼き焦がす

――コウルリッジ*「老水夫の歌」

人智を超えた神変妖異にみまわれた人間は、いくらひた隠しにしようとも、いずれ理性が揺さぶられて、おさまりがつかずに魂の奥底までさらけ出さずにはいられなくなるという。事実その通り、わたしが生き証人だ。増上慢《ぞうじょうまん》にもほどがあるせいで恐ろしい目に遭った過去は決して口外するまいぞと厳《きび》しく自戒してきた。その告解を受けてふたたび信徒に迎え入れてくださった司祭も亡くなった。知る者は皆無だ、昔のあれを――

ならば、そっとしておけばいいではないか？　不敬にも神意に逆らい、ねじ伏せられて恐れ入った顚末《てんまつ》をわざわざ語るいわれがあろうか。どういうわけで？　答えてくれ、人情の機微に通じた賢人よ！　そうせずにはいられないとしか、わたしにはわからない。あれほど自戒しても――この度し難いほどの自尊心を傷つけ、同胞からの爪弾《つまはじ》きを恥じ、いっそ恐怖すら覚えても――まだ語らずにはいられないのだから。

ジェノヴァ！　誇り高きわがふるさと！　地中海の青き波に臨む町よ――わが少年時代を覚えているか、そなたの崖や岬、晴れた空と陽気にひらけたぶどう畑が全世界だったころのわたしを？　幸せな時だった！　狭く限られた世界はその狭さゆえに、幼心に無限の想像をかきたて、体力を温存し、無垢と楽しみが同居する生涯ただ一度の日々をもたらした。それでも、幼時の悲しみや胸かきむしられる不安を抜きに子供時代を思い出せる者などいるだろうか？　わたしは生まれつき人より利かん気で鼻っ柱が強く、おじけづく相手は父ぐらいだった。父という人は高潔で度量はあるものの、むら気で強権を振りかざすきらいがあり、言いつけを尊重するよう教えさとすかわりに頭ごなしに押さえつけ、おかげで生来のわがままを矯《た》める一方でかえって助長するといったありさまだった。大きくなったら

コウルリッジ　イギリスのロマン派詩人、サミュエル・テイラー・コウルリッジ（一七七二―一八三四）。「老水夫の歌」は一七九八年に発表された代表作。

自由気ままにやる、もっと当てはまるように言えば、誰にも頭を下げずに威張って過ごすぞというのが、わたしという反逆児の心からの望みであり願いであった。

父には友がいて、ジェノヴァの富裕な貴族でありながら、政変でいきなり追放されて財産没収の憂き目に遭った。その人はトレラ侯爵といい、単身落ちのびた。わたしの父と同じく妻に先立たれ、まだ幼い一粒種の娘ジュリエットをわが家に預けて。わたしはさだめしこの愛くるしい少女を邪慳《じゃけん》に扱ったのだろうが、なりゆきで保護者の役回りをあてがわれた以上は仕方がなかった。さまざまな子供っぽいもくろみは、すべてただ一つの目的——ジュリエットに盤石の頼れる相手と思わせるために仕掛けたことだ。保護者としての責任がなければ、生来優しく感じやすい彼女の心を手もなくさんざんに踏み荒らしたに決まっている。わたしたちはともに大きくなった。咲き匂う五月の薔薇《ばら》も、この愛らしい少女には及ばない。その顔は輝くばかりに美しかった。たたずまい、足どり、声——天使のような容姿に備わった信頼や、優しさや、愛らしさや、純情などの美質すべてを思うにつけても、いまだに心から泣けてくる。わたしが十一歳、ジュリエットが八歳の時だった。従兄《いとこ》が——はるかに歳上で、わたしたちには大人のように思えた——わたしの遊び仲間にやたらと興味を寄せ、ぼくの嫁呼ばわりして結婚してくれと言い出した。断わられてもなお粘り、嫌がる彼女を力ずくで引き寄せようとする。わたしは荒れ狂う激情に駆られて従兄に飛びかかり——やっきになって相手の刀を抜こうとし——こいつを絞め殺してやると凶暴に思い決めて首にしがみついた。従兄は音《ね》を上げ、助けを呼んで引き離してもらうはめになった。その夜、わたしはジュリエットを家の礼拝堂へ連れていって聖遺物に触れさせせ——幼心をおじけさせ、不敬にも幼い唇で自分はわたしのもの、わたしだけのものになると誓わせたのである。

ともあれ、そうして時は過ぎていった。トレラは数年後に帰国し、前以上に裕福な権勢家になった。父の死はわたしが十七歳の時だ。暮らしぶりが派手で浪費が過ぎ、わたしが未成年のうちに傾いた家を立て直す機会ができて不幸中の幸いだとトレラに言われる始末だった。死の床の脇でジュリエットとわたしは婚約し――以後はトレラを父と仰ぐことになった。

甘やかされたお坊ちゃんのわたしは、広い世間を見たくてたまらなかった。そこでフィレンツェ、ローマ、ナポリへ行き、そこからトゥーロンに渡ってとうとう念願のパリにたどりついた。当時のパリは騒然としていた。あのお気の毒なシャルル六世*は正気かと思えば狂気、君主かと思えばみじめな奴隷といった有為転変《ういてんぺん》をさらして世の嘲罵《ちょうば》を浴びていた。王妃と王太子とブルゴーニュ公*は三つ巴で敵になり味方になり――贅を尽くした宴席に顔をそろえたかと思うと、お次は血みどろでいがみ合い――国民の窮状、迫りくる国難をよそに放蕩三昧やら血で血を洗う抗争やらに余念がなかった。わたしはといえば、性根は相変わらずだ。傲岸不遜《ごうがんふそん》でわがままで見栄っ張り、何よりこらえ性というものがない。パリまでくればうるさいお目付け役もなし、若い遊び仲間どもは自分たちがいい思いをしたい一心から焚きつけにかかる。わたしはいちおう美男で通っており――騎士のたしなみ万般《ばんぱん》に通じて

シャルル六世　フランス、ヴァロワ朝の第四代国王（在位一三八〇―一四二二）。狂気の発作ゆえ、四人の叔父が後見人につき国を治めた。

ブルゴーニュ公　シャルル六世の叔父の一人、豪胆公フィリップ二世（一三四二―一四〇四）。

いた。どの党派にも深入りせず、どこでも人気者になり、厚かましさや身のほど知らずは若さに免じて大目に見てもらえ、甘やかされた子供と変わらなかった。そんなわたしを誰がたしなめられるものか。トレラの手紙による忠告は効かない——空っぽの財布という恐ろしい姿で、問答無用の窮乏をつきつけられるまでは。しかも、この空の財布を補充する手はある。わたしは地所を次々に手放した。衣装や宝飾品、馬や飾り馬具といった品々は豪奢なパリでもほとんど無双の逸品ぞろいであったが、そのくせ親から譲り受けた領地は人手に渡っていた。

オルレアン公*がブルゴーニュ公の伏兵*に殺害された。パリ全土が不安と恐怖にみまわれ、王太子も王妃も門を閉ざして遊興一切禁止となった。こんな世相がつくづく嫌になったわたしは少年時代を過ごした故郷を懐かしむようになった。文無し同然でも帰郷して、妻をもらって家を立て直したかった。商売で一儲けすれば資産家に返り咲けるだろう。とはいえ、尾羽打ち枯らして帰るのはごめんだ。最後の手段で、アルバロ近郊に残った地所を半値で売り飛ばした。そうしておいて、最後の最後に残った遺産のジェノヴァの居館に、各種職人やアラス織りのタピスリーなど王侯にふさわしい家具調度を送らせた。かんじんの自分は、放蕩息子の帰還という恥多い役どころを演じる踏ん切りがつかずにずるずる出発を先送りにして。手持ちの馬は送り出した。許嫁《いいなずけ》には最高級のスペイン産小馬を、金糸織りに絢爛《けんらん》たる宝石をちりばめた馬衣《うまぎぬ》つきで送ってやった。馬衣全体にはジュリエットと恋しいグイドの頭文字を絡めて刺繍してある。この贈り物は彼女やその父のお目がねに叶った。

そうはいっても札つきの放蕩息子として帰郷すれば、ぶしつけな驚きや、へたをすれば嘲罵の標的になり、同郷人の非難や野次を一身に浴びるかと思うと、ひとりで帰る気にはならない。そこで遊び仲間でもとびきり向こう見ずな数名に声をかけ、防波堤がわりに同道した。こうして世間への防備を固め、不安と後悔のせめぎあう胸中を隠すためにせいぜい虚勢を張り、これ見よがしの旅支度をそろえて出発したのだった。

ジェノヴァに着いた。父祖伝来の館への街路を踏みしめて歩く。偉そうな足どりは内心とは裏腹であった。というのも、見かけこそ贅沢三昧だが、内実は文無しの乞食なのを痛感していたからだ。ジュリエットをくださいと切り出す一歩であっさり化けの皮がはがれてしまうに決まっている。誰の目にも軽蔑や憐憫《れんびん》が読み取れる。やましさを抱えた者の目には相応の事情が映りやすいから、貧富や老若を問わず軽蔑の目で見られているような気がしていたのだ。

トレラから寄ってくることはなかった。義父だから、礼儀上は息子のこちらが先にあいさつに出向くのが筋と思うのは当然だ。だが、わたしは愚かしさや不行跡による自責の念を他者のせいにしようと悪あがきしていた。カレガ館で憂さ晴らしのどんちゃん騒ぎを連夜続け、まんじりともせずに浮かれ騒いで不安と疲労の朝を迎える。そうしてアヴェ・マリアを唱える晩課の刻限には伊達男の身なりで街へ繰り出し、まじめな市民を小ばかにしたり、怯える婦人たちをぶしつけにじろじろ眺めたりする。その中にジュリエットはいなかった——いるものか。もしも彼女に出くわせば、愛情を抑えかね

オルレアン公　シャルル六世の弟、ルイ・ド・ヴァロワ（一三七二—一四〇七）。

ブルゴーニュ公の伏兵　第二代ブルゴーニュ公（フィリップ二世の息子）無怖公ジャン一世（一三七一—一四一九）の配下。

てその足元にひれ伏すか、恥ずかしくて一目散に逃げ出したはずだ。

　こんな日々にも飽きたわたしは、いきなり侯爵を訪ねた。彼はあまたの別荘のうち、サン・ピエトロ・ダレナ郊外の別荘に滞在中だった。時は五月──世界の庭園とうたわれる地方の五月は緑したたる果樹の葉陰で名残咲きの花が匂い、ぶどうは若枝を伸ばし、オリーブの花が地面に散り敷いていた。天人花《ミルト》の生垣に蛍が憩い、天地は無上の装いを凝らしている。トレラは真摯に優しく迎えてくれた。ほんのわずかに浮かべた不興さえ、すぐ拭い去って。どこかしら父譲りの面影──重なる不行跡にもかかわらず、まだそこはかとなく残っていた若者らしい純真な表情や話しぶり──に、この好々爺はほだされたのだ。娘を呼びにやり──許嫁として引き合わせてくれた。彼女が入ってくるや、部屋に聖なる後光がさしたようだった。清らかな天使のかんばせにつぶらな優しい目、えくぼを刻んだ豊かな頬、幼さの残る口元があいまって、世にもまれな幸福と愛情を両立させている。

　まっさきに憧れの念がわいた。彼女はおれのものだ！　次に誇らしさがこみ上げ、高飛車な満悦におのずと口元がゆるむ。フランスの美女たちの寵児《アンファン・ガテ》＊だったことはなく、感じやすい女心に取り入る手管には不慣れだった。ただし男相手ならば横柄だったにせよ、それを補って余りあるほど女性には低姿勢に徹してきた。わたしはこれでもかというほど小まめな献身を見せ、幼い日の誓いを守って他の男を決して寄せつけず、誉め言葉には慣れているが恋人同士のやりとりにはうぶなジュリエットを落としにかかった。

　数日は何もかもうまくいった。トレラはわたしの浪費の件をおくびにも出さず、お気に入りの息子のようにもてなしてくれた。ところがやがて娘との結婚についての下話《したばなし》になるや、それまでの上々だった雲行きが一変した。婚約自体は父の生前に成立していたが、ジュリエットと共有財産になるはずのものをわたしが蕩尽《とうじん》してしまったために、事実上はわたしから婚約破棄した格好になっていた。よってトレラはこの婚約を無効とみなして別の案を出してきた。申し出られた財産は巨額だったが、使途におびただしい制限条項がついたので、好き勝手ができてこそ一人前だと思いこんでいたわたしは、ひとの足元を見るとはと相手を嘲《あざけ》り、頑として条件をのまなかった。老人は穏やかに理を説こうとしたが、いかんせん、こちらの頭に自尊心がはびこって道理を受けつけない。憤懣やるかたなく相手の言い分を聞き――軽蔑とともにはねつけた。「ジュリエット、きみはおれのものだ！　うんと子供のころ、そう誓い合ったじゃないか？　神さまの目から見れば、ふたりはもう一心同体だろう？　なのに、あのつれない冷血おやじにみすみす引き裂かれるつもりか？　なあきみ、もっと心にゆとりを持って公平な見方をしてくれよ。きみのグイドから最後の宝物まで取り上げないでくれ――あの誓いを帳消しにしたりせずに――ともに世間に抗《あらが》い、計算ずくの年寄りどもなんか放っておいて、互いの愛情をあらゆる災いからの避難所にしようじゃないか」

　まっすぐで清らかな考えと優しい愛の宿る心をこんな詭弁で毒そうとするなど、当時のわたしは悪魔だったに違いない。ジュリエットは怯えて身を引いた。自分の父ほど慈悲心に富んだ善人はまたとない、父の言う通りになさればば何もかもうまくいきますと熱をこめて説く。不承不承にでも折れてくださされば、父なら絶対に温かい愛情で受け入れてくれます。心を入れ替えるとおっしゃれば、何もか

寵児《アンファン・ガテ》　元の意味は「甘やかされた子」だが、ここでは「色男」の意。

も水に流して許してくれるはずです。うら若く優しい娘のこの言葉も、気随《きずい》気ままに慣れきって内なるすさまじい専制君主気質を自覚し、自己の強権的な欲望以外に従えない男にはさっぱり奏功しなかった！　抗うほどに怒りはつのり、悪友どもがここぞとばかりに煽《あお》り立てる。みんなでジュリエット誘拐計画を立てた。当初は計画通りにいくかと思えたが、戻る途中で娘の身を案じる父と従者たちに追いつかれてしまう。乱闘になった。そして町の警備兵がおっとり刀で駈けつけて勝たせる前に、トレラの従者二名が深傷を負ってしまった。

わが一代記でいちばん気が重いのがこのくだりだ。今はもう心を入れ替えて別人同然とはいえ、思い出すたび自分の所業が空恐ろしくなる。願わくはこの話を聞く方々に、こんな思いを味わったことのある人がおられませんように。騎手にとげつき拍車を入れられて猛りたつ馬でも、当時のわたしほど憤怒の奴隷に成り下がってはいなかったはずだ。魂を悪魔に乗っ取られ、気も狂わんばかりだった。内なる良心の声を感じても耳を貸すのはほんの一瞬、すぐさまつむじ風にもぎとられ――やり場のない怒りの嵐に乗って――荒れ狂う驕慢《きょうまん》の嵐に翻弄されるばかりだ。わたしは拘留されたもののトレラの口利きで釈放され、そこでまたしてもトレラと愛娘をフランスへ拉致しようとはかった。当時あの不幸な国は盗賊や脱走兵の群れがはびこり、わたしのような犯罪者に格好の逃げ場を提供していたのだ。陰謀は発覚し、わたしは国外追放を食らい、すでに莫大な額にふくれあがっていた借金のかたに、残った財産も差し押さえられた。トレラはこのたびも口利きを申し出たが、それと引き換えに、未遂に終わった自分と娘への企みを二度と繰り返さないという約束のみをわたしに要求した。わたしはその申し出を蹴り、勝ち誇ったような気分で無一文の亡命者になってひとりジェノヴァを追われた。仲間はとうにいない、数週間前に町を追い出され、フランスへ向かったあとだ。孤立無援のわたしは身に寸鉄も帯びず、懐はすっからかんだった。

つむじ風のような激情を抱え、悲嘆にくれて海岸をさまよい歩いた。胸の内で炭火がカッカと燃えている。まずは身のふりかたを考えた。盗賊団に入ってやろう。復讐だ！――その言葉には慰めがある――だから抱きしめ――撫でさすった――毒蛇さながら嚙みつかれるまで。その後は世界の片田舎のちっぽけなジェノヴァなど、ふたたび見限ってやる。パリへ戻ろう。あそこならたくさん仲間がいて、頼る先には事欠くまい。剣一本で身を立て、くだらない故郷と不実なトレラに当代版コリオレーナス*ばりに復讐し、自分を追放した日のことを悔やませてやる。だからパリへ戻ろう、徒歩で――無一文で――前に景気よくもてなしてやった連中の前に、みじめな姿をさらして？　思うだけで無性に腹が立つ。

そのあたりで実感が絶望を従えてじわじわ追いついてきた。なにぶん数ヵ月も獄につながれ、忌まわしい土牢《つちろう》に心と肉体を蝕まれていたのだ。わたしは衰弱し、顔色もひどかった。トレラはあの手この手で力になろうとしてくれたのに、いちいち逆らい嘲って――強情の身から出た銹《さび》というわけだ。どうすればいい？　敵にひれ伏して許しを乞うべきか？――それくらいなら一万回でも死んだほうがましだ！――あの連中にそんな勝利を味わわせてたまるか！　憎んでやれ――永遠に憎むと誓ってやる！

コリオレーナス　ウィリアム・シェイクスピア後期の悲劇。共和制ローマの軍人グナエウス・マルキウス・コリオラヌスを主人公のモデルとしている。

だが、誰が憎む？　誰を憎む？　追放されたさすらい人が、権力者の貴族を憎むのだ。わたしにどう思われようが、あいつらには何でもない。こんなくだらんやつのことなどさっさと忘れているさ。それに、ジュリエット！――あの天使のかんばせと、しなやかな姿が絶望の雲間に輝くのがひたすらに切ない。あの人を失ってしまった――この世でもっとも輝かしい花を！　いずれ、他の男が彼女を自分のものと呼ぶだろう！――あの至上の笑みが、他の男に向けられてしまう！

こうして押し寄せた忌まわしい連想の数々は、今思い出しても心が死にそうになる。時には我慢の糸が切れて泣きそうになり、時には思い余ってよしなしごとを口走りながら、なおもわたしはどんどん荒れ寂れる一方の荒磯をさまよい続けた。のしかかるように張り出した岩、よどんだ海を見渡す白い崖、ぱっくり口を開けた黒い洞穴では、波にえぐられた奥深くでいたずらにざわめく海がいつ果てるともなく打ちつける。いきなり岬が行く手に立ちはだかる時もあり、崖からの落石にあわや阻《はば》まれそうになった時もあった。夜も間近になって魔法使いが杖を一振りしたように黒雲が沖でわだかまり、紺青の夕空をさえぎってつい今しがたまで鏡のようだった海を不穏に騒がせた。怪しい形の異様な雲は変幻自在にない合わさり、強力な魔法か何かに操られているらしい。白い三角波があらわれ、遠雷が低くうなるや、泡をちりばめた深紫の大海原のかなたに大音声をとどろかせた。わたしのいる場所の片側には茫洋たる海が広がり、もう片側はごつごつした岬に視界をさえぎられている。この岬を回りこむようにして、風に流された帆船がいきなりあらわれた。なんとか沖合に出ようと水夫たちが懸命になる甲斐もなく――岩場に吹き寄せられていく。もうだめだ！――船内はひとりも助かるまい！――自分もあの船にいたらなあ！　わたしの若い心に生まれて初めて死を喜ぶ思いが兆した。生き残ろうとする船のあがきはすさまじかった。水夫の姿はほとんど見えないが、声は聞こえている。そろそろ万事休すだぞう！――波のすぐ下にかろうじて隠れた岩が、餌食《えじき》をこっそり待ち構えていた。わたしの頭上ですさまじい雷鳴がはじけた刹那《せつな》に、船は隠れた敵めがけて突進、またたく間にこっぱみじんに大破した。わたしのいる場所は安泰だというのに、同じ人間たちが死を相手に勝ち目のない戦いを続けている。もがく彼らが目に見えるようだ――大波の咆哮をもつんざく絶叫があまりになまなましい。黒い波のほうぼうに船の残骸が浮かび、それもやがて姿を消した。わたしは最後まで魅入られたように目を離せず、ついにがっくり膝をつき――両手で顔をおおった。ふたたび顔を上げると、何かが大波に運ばれて漂ってくる。どんどん岸へ近づいてきた。人影か？――前よりよく見える。とうとう大波にそっくり持ち上げられて岩の上に着地した。船簞笥《ふなだんす》にまたがった人間だ！――人間か！――でも、そうだろうか？　こんなやつは前代未聞に違いない――できそこないの小男でやぶにらみ、顔までゆがんで、不格好な五体ときたら見れば見るほど恐ろしい。ついさっきまで、ひとりでも海の藻《も》屑《くず》から救われてよかったなあとほのぼのしていた心臓の血が凍りついた。小男は簞笥からおりてくると、醜悪な顔に絡まる直毛をかき上げた。

「聖なるベルゼブブ*にかけて！」大声で、「まあ、ひどくやられたもんだね」あたりを見回してわたしを見つけ、「おやおや、魔王さま！　ここにも一人『力ある者』のお仲間がいるじゃないか。あんたはどの聖人にお祈りしたのかね？――わしと同じお方じゃないのか？　だけど、船じゃ見かけた覚えが

ベルゼブブ　キリスト教の悪魔。「蠅の王」とも呼ばれる。

ないぞ」

冒瀆を吐くこの化物におじけづいていると、また何やら尋ねられ、もごもごつぶやいて答えようとした。すると、やつが続けて言うには――

「あんたの声じゃ、この波のとどろきにかき消されちまう。大海原ってのは騒々しいったらないよ！校舎から飛び出した学童どもだって、さあ遊んで来いと放たれたこの波には負けるだろう。ああ、うるさいな。季節外れの大騒ぎはもうたくさんだ――静まれ、しらがの海よ！――凪よ、去れ！――元のねぐらへ！　雲よ、地球の裏まで飛んでって空を晴れさせろ！」

と、蜘蛛の脚じみたひょろ長い両腕を広げ、前方の空と海を抱きすくめるようにした。奇蹟だろうか？　雲はちぎれ飛び、まずは青空がのぞいて頭上で穏やかに広がった。暴風は優しい西風となり、海は凪ぎ、大波もさざなみに引いた。

「こんなおばかな四大元素*どもでも、ちゃんと言うことを聞けば気分がいいね」と、小男が言う。「まして一筋縄ではいかん人間の心はなおさらだ！　なかなかの嵐だっただろう、はばかりながら――全部わしのしわざだよ」

この魔法使いと口をきくなど、神への冒瀆だ。だが、いかなる形にせよ、人間は「力」を崇める。やつへの畏《おそ》れ、好奇心、それに抜きがたい磁力に引き寄せられてしまった。

「そらそら、びくつくなって」と、この悪党は言った。「おれは嬉しいと愛想よくなるんでね。ちょっとしょぼくれてるようだが、あんたの均整の取れた体やきれいな顔は、見てるとなんだか嬉しくなっちまう。陸《おか》で難破の憂き目に遭ったのかい。次第によってはおれが自分の嵐を鎮めたように、あんたの有為転変《ういてんぺん》を鎮めてやってもいいんだよ。友達づきあいしようじゃないか？」――と、差し出された手に触れる度胸はない。「ああそう、じゃあ、道連れで――それでも一向に構わんからね。さてと、さっきまでさんざん波風に弄ばれたんで一服させてもらうとして、その合間に聞かせてくれ。あんたのような若い伊達男が、ひとりぼっちでこんな荒れた海岸くんだりをこうして彷徨《さまよ》っとるのはどういうわけかな？」

悪党めはひどく耳障りな金切り声だった。物を言うたびに顔がひっつれ、見るも恐ろしい。だが、それでもその言葉にはなんだか心に響くものがあり、つい身の上を打ち明けてしまう。話し終わるといつまでも大声で笑われた。付近の岩にその声がこだまし、地獄が四方八方からわめいているみたいだ。「なあんだ、ルシファー*のご同類かよ！」と言われた。「じゃあ、あんたも自尊心ゆえに身を滅ぼしたくちか。あたらルシファーに負けず劣らずのきらびやかな美貌に恵まれながら、頭ごなしの善に屈するくらいなら、自分の美貌や花嫁や裕福な暮らしをなげうつのかい。実にその意気やよし！――で、逃げたあげくにここで果てると。この岩場で飢え死にし、鳥に死体の目玉をつつかせて敵と許嫁を大喜びさせようってのか。わしの見るところ、あんたの自尊心とやらは妙に卑屈っぽいな」

そんなふうに言われると、無数の牙のようにとげとげしい思いに心臓を噛まれるようだった。

四大元素　世界の物質を構成する地火風水の四元素。古代ギリシャの自然哲学者エンペドクレスが唱えた。

ルシファー　キリスト教の堕天使。魔王サタンの別名。天界きっての美貌を誇り、その傲慢さゆえに神に反逆して天を追われた。

「じゃあ一体どうしろと？」声が大きくなる。

「わしに聞くんかい！――いやあ、別に。だけど倒れて死ぬ前にお祈りはしとけよ。でもさ、わしがあんたならどうすべきかはわかるよ」

やつに寄っていく。この世ならぬ力のせいもあって、天のお告げに思えたのだ。そうは言っても、こう口にしながらこの世ならぬ感じで妙にゾクゾクした。「言ってくれ！――教えてくれ――どうするか教えてくれないか？」

「そりゃあ、わが手で復讐するのさ！――敵を這いつくばらせてやれ！――あのじじいの首根っこを足で踏んづけ、やつの娘をものにするんだ！」

「東を向いても、西を向いても」と、わたしは叫んだ。「そんな手だては皆無だよ！　金があればいくらでもやりようはあるが、孤立無援のおれには金も力もない」

小男は船簞笥に腰かけて話を聞いていた。そこで立ち上がり、バネ仕掛けか何かに触れて、パッと開けてみせた！――すごい宝の山だ――炎のように輝く宝石類、きらめく金貨に白く輝く銀貨が入っている。なんとしてもこのお宝を手に入れたいと、常軌を逸した欲望ががぜん芽ばえた。

「そりゃあ」と、わたし。「あんたみたいに力があれば、全て叶うだろうね」

「いやあ」化物は謙遜して、「わしは見かけほど万能じゃないよ。あんたの喉から手が出そうな品の持ち合わせは多少あるけど、なんならあんたの持ち物からささやかな分け前というか、ちょっと貸してもらうのと引き換えに、丸ごとくれてやってもいいぜ」

「おれの持ちものなら、どれでも好きに持っていけ」わたしは辛辣に応じた――「貧乏、追放、不名誉──全部タダでくれてやるよ」

「よし！　ありがたい。あともう一声で、わしの宝はあんたのものだ」

「先祖伝来の遺産なんか、もうきれいにないよ。それ以外にないだろ？」

「その美貌と形のいい体さ」

わたしはゾッとした。何でもできるこの化物めはおれを殺すつもりか？　短剣の持ち合わせはない。祈りも忘れて──血の気が引いた。

「貸してほしいんだ。もらおうってんじゃない」恐ろしい化物は言った。「その体を三日間貸してくれ──その間はあんたの魂の器にわしの体を貸してやるし、この簞笥は賃料だ。この取引でどうかね？──たったの三日だよ」

神の掟にそむく話をするのは危険だと言われるが、わたしがその生き証人だ。陳腐な言いぐさだが、こんな話に耳を貸すなんてどうかしていると思われるかもしれない。だが、人離れした醜怪な見かけでありながら、大地も空も海もただ一声で意のままにできるこの男にはなにか魅入られるものがあった。わたしはこの取引に是が非でも応じたくなった。あの簞笥さえあれば全世界を支配できる。二の足を踏む材料といえば、約束を破られるのではないかという心配だけだった。そうだとしても──自分は早晩このさびれた海辺で野垂れ死ぬ身の上なのだ。そうなれば、やつご所望のこの体はもう自分のものではなかろう──一か八か、やってみる値打ちはある。それに魔術の掟として呪文と誓願が存在し、誰であれ術者ならば恐ろしくて破れないのも知っていた。わたしが返事を渋っていると、相手はなおも宝をひけらかし、引き換えに求める対価がいかに取るに足りないかを言い立てたので、とうとう断るほうがどうかしていると思えてきた。まあそんなわけで、川の流れを小舟で下るさなかに大小の滝を越え、感情の激流に舵を取られてしまい、ゆくえも知らずに流されたというわけだ。

やつはさまざまに誓いを立て、わたしのほうでも諸聖人の名を出して復唱させた。やがてこの奇蹟の力の持ち主、四大元素の支配者が、わたしの言葉に秋の木の葉さながらおののいたのが見てとれた。そしてとうとう、あいつの内なる霊が強制されでもしたように、かすれ声で一つの呪文をしぶしぶ吐いたのだ。それを唱えてしまったら、いくら裏切りたくても不正に得たものは否応なく返すはめになる。この呪文をかけるにも解くにも、われわれ両者のあたたかい生き血を混ぜなくてはならない。

こんな汚らわしい話はもうよかろう。わたしは言いくるめられ――取引は成立した。夜が明けて磯の丸石に寝そべっていると、自分の影法師がいつもと違っている。ひどい姿に変わってしまったのを感じ、安直にひとを盲信した自分のおめでたさを呪った。あの箪笥はそこにあった――自然がわたしに与えた肉体と引き換えに得た黄金と宝玉の数々。眺めているうちに、いくらか気持がおさまってきた。なに、三日くらい、すぐに経ってしまうさ。

たしかにそうなった。小男は食べるものをたっぷり置いていってくれた。初めのうちは借りものの体がやけにぎこちなくて、歩くのさえままならない。おまけに声ときたら――悪魔のそれだ。それでもわたしは自分の影を見ないように太陽に向くと、黙って時を数えながら今後の行動をあれこれ思い巡らした。トレラを屈服させ――やつの意に反してジュリエットを手に入れる――これほど金があれば、どれもこれも朝飯前だ。暗い夜の間は眠り、願いが叶う夢を見た。太陽が二度沈み――三度目の夜明けだ。どうにも落ち着かず、心配だった。おお、希望でなく不安にかられて待ち受けるのはなんと恐ろしいことか！　どれほど心臓にまとわりつき、脈打つたびに責めさいなむことか！　われらの脆《もろ》い体に所かまわず予想外の痛みを投げつけ、割れたガラスのように震えさせたかと思えば、次に新たな活力を送りこまれても何の甲斐もなくなるほど、つかめば撓《たわ》むが解けない足枷《あしかせ》をはめられた力持ちさながらの苦しみで人間を責めさいなむ。いやが上にも明るいあの光の玉が、東の空からゆるゆると顔を出し、天頂でいつまでもぐずぐずしてから、さらにのろくさと西の空に下ってゆく。地平線の端に触れ――やっと沈んでくれた！　崖の頂きに残照を投げかけ――やがては色を失った。宵の明星が明るい。追っつけあいつは戻ってくるだろう。

戻らなかった！――きらめく夜空にかけて、あいつは戻ってこなかった！　うんざりするほど長い夜が老いさらばえ、「夜のぬばたまの髪に朝日の霜が降りかかり」*、太陽は、どん底に落ちてその光を厭う男の上にふたたび昇った。こうしてわたしは三日過ごした。あの宝石と金貨が――ああ、どんなに厭《いと》わしかったことか！

さてさて――ひどい罵《のの》りで頁《ページ》を汚すのはやめておこう。恐ろしすぎる思念の数々が荒れ狂う渦となってこの魂いっぱいに暴れ回り、挙句に眠ってしまった。三日めの日没から一睡もしていなかったのだ。夢の中のわたしはジュリエットの足元にひざまずいていた。笑顔だった彼女が悲鳴を上げ――変わり果てたわたしを見て――また笑顔になった。元通りの美しい恋人がひざまずいていたからだ。だ

「夜のぬばたまの髪に朝日の霜が降りかかり」　バイロンの戯曲 *Werner*（一八二二）第三幕第四場からの引用。シェリーは同作の原稿をバイロンから預かり、清書している。

が、わたしではない――あいつだ。あの悪魔がわたしの体を装い、わたしの声で話し、愛をこめたわたしの眼で彼女を射止めようとしている。警告しようとしたが、舌がいうことをきかない。やつを引き離そうにも金縛りに遭ったようにその場を動けない――苦しみながら目がさめた。しろじろとした岩肌の崖があるだけの荒涼たる眺め――波音高く寄せては返す海、ひっそりした浜、見渡す限りの青空。あれはどういうことだ？　正夢だろうか？　あいつはわたしの許嫁に求愛し、わがものにしようというのか？　すぐジェノヴァに帰りたい――だが、追放の身だ。ここで笑い出したわたしの口から、あの小男のきんきん声が出てくる――追放！　それはない！　今借りているこの汚らわしい体は追放されていない。この姿なら死刑になる恐れもなく、生まれ故郷のわが町へ入っていけそうだ。

ジェノヴァさして歩き出した。この不格好な体にもいくらかなじんではいたが、まっすぐ歩くのにこれほど不都合なしろものはなく、おかげで四苦八苦した。それに自分の醜い姿を人目にさらしたくなかったので、沿岸に点在する村をすべて避けるつもりだった。通りすがりに見つかろうものなら、必ずとは言い切れないが、そこらの子供たちに化物と思われて石で打ち殺されかねない。ごくたまに行き会う百姓や漁師からは、つっけんどんなあいさつ止まりですんだ。ジェノヴァ近郊まで来ると、もうとっぷり日が暮れていた。すこぶるつきの好天に恵まれていたので、侯爵父娘はおそらく郊外の別荘へ向かっただろうと思いつく。わたしがジュリエットを拉致しようとしたのも、その別荘からだった。その機会に何時間もかけて地形を探ったので、近隣一帯の勝手はよくわかっている。川のほとりのその別荘は森に囲まれた美しいたたずまいだった。近づくにつれ、どうやらわたしの推測は当たっていたらしかった。いやいや、それどころか宴会たけなわであるようだ。屋敷中に明かりがともり、そよ風に乗って楽しそうな音楽が洩れ聞こえてくる。

近づくにつれて、推測通りだったとわかってきた。いや、それのみか、どうやら屋敷では歓をつくしていた様子だった。というのは、屋敷には明かりが煌々として、快く陽気な楽の音が、そよ風に乗って流れてくるからだ。内心、気が滅入った。

家中に明かりがともり、静かな、陽気な楽の音が、風に乗って漂ってきた。こっちは気が滅入った。根っから寛大で優しいトレラのことだ、わたしがあいにくな追放を食らった直後にこんな派手な祝いを大っぴらにやるはずはないが、その理由を突き詰めて考えるのは怖い。

土地の者たち総出で、思い思いに集まっていた。念入りに身を隠す必要はあったが、誰かに尋ねるか、立ち聞きするかどうにかして、実際なにが起きているかを知りたくてたまらなかった。ようやく敷地内の散歩道づたいに屋敷のすぐそばまで忍び込み、あまりにおぞましい自分の姿を隠してくれる物陰を見つけた。わたし以外にも付近の木陰を散策する者が何人かいる。知りたいと思ったことは、すぐ判明し——聞いたわたしの心はまず恐怖で凍りつき、次に怒りで煮えたぎった。ジュリエットは明日、すっかり悔い改めた恋人グイドのもとに嫁《とつ》ぐ——わたしの花嫁は明日、地獄の悪魔の伴侶になる誓いを立てようというのだ！　しかも、わたしのせいで！——それもこれも、呪わしい自尊心が——悪魔じみた粗暴とよこしまな自己崇拝が招いた災いだ。もしもわたしが、自分の体を持ち逃げしたやつと同じことをしていれば——もしも従順ながら品位を失わずにトレラの前へ出て、こう言っていたら。わたしが悪うございました、どうかお許しください。今は天使のようなお嬢さまにふさわしい男ではございませんが、今後の行状が改まり、かつての不品行を憎み、ふさわしい人間になろうと努めていることが言動にはっきりうかがえましたら結婚をお許しください。これからは不信心の徒には与《くみ》しません。そして真摯な信仰と心から過去を悔やむ姿勢が贖罪に値すると思われたら、改めてあなたの息子と名乗らせてください、やつは事実その通りのセリフを口にして、前非を悔いたとして聖書に出てくる放蕩息子同然に歓迎され、肥えた子牛をふるまわれた。それでもやつは手をゆるめずに自らの愚行を心から悔いるふりをしてみせ、あらゆる権利をつつましく辞退し、改悛と美徳の日々を送った上で改めてそうした権利をかちえたいという熱意を示したものだから、あの優しい老人を手もなく篭絡《ろうらく》してしまい、あとはとんとん拍子で一切を水に流してもらい、美しい娘を嫁にもらえることになった。

ああ！　天の御使いがこうせよと耳打ちしてくれたのか！　だが、純真なジュリエットはこれからどうなる？　神はこんな不浄の婚姻を許したもうのか――それとも、なにかの奇蹟に婚姻を阻まれて、カレガの汚名は極悪非道の罪に結びついてしまうのか？　婚礼は明日の夜明けだ。防ぐ方法はただ一つ――わたしが自分で敵と対決し、契約の履行を迫るしかない。命を捨てて戦うまでだと覚悟した。剣の持ち合わせはないが――この不格好な腕で軍隊向けの武器を本当に振り回せればの話だが――短剣ならある、それだけが頼りだ。熟慮検討の時間はない。一か八かで死ぬ可能性もあるが、内心の嫉妬や絶望の炎はさておき、名誉を重んじる心と他ならぬ人情がわたしに命じるのだ、悪魔の奸計を覆せなければいっそのこと死んでしまえと。

祝い客たちは引きあげ――明かりが消えていく。別荘の人々は寝支度にかかったようだ。わたしは木立にひそんだ――庭に人の気配がとだえ――門も閉ざされ――さまようちに、ある窓の下に出た

――ああ！　慣れ親しんだこの窓！　やわらかな光が照らし――カーテンは半開きだ。その中は汚れない美の殿堂なのだ。いつも通り堂々たる室内も、人がいるせいでわずかな乱れが生じ、そのへんに散らばる品々が、いるだけでその場を照らす人の好みをうかがわせてくれる。ジュリエットが足どり軽く入ってくるのが見えた――窓に近づき、カーテンをもう少し開けて夜空を眺める。さわやかな夜風になぶられた巻き毛が、透きとおる大理石の額で揺れる。両手を握り合わせて空を見上げた。彼女の声が聞こえた。小声でそっと、グイド！　わたしのグイド！　あとは感無量の面持ちで崩れるようにひざまずき、目を上げて――あくまで自然体のしとやかさで――熱烈な感謝に顔を輝かせ――ああ、こんな言葉では月並みすぎる！　わが心よ、たとえあの天上の美しさをたたえた光と愛の申し子をあらわす言葉の手持ちがなくとも、あの面影をいつまでも焼きつけておくのだよ。

そこへ木陰の小道を急ぎ足でやってくる、しっかりした足音がした。ほどなくあらわれたのは、贅沢な騎士の服装をした優雅でさわやかな若者だ――わたしはいっそう身を隠した。若者は窓に近づくと、その下で足を止めた。立った彼女がまた外を眺めて若者を見つけ、こう言った――いやはや、これだけ時が経ってしまうと、銀の鈴を転がすようなあの優しい声がなんと言ったか思い出せない。その言葉はわたしあてだったが、答えたのはあいつだった。

「絶対ここを離れないよ」やつは大声で、「あなたがいらっしゃるこの場、天を訪れる霊のようにあなたの思い出が音もなく去来するこの場で何時間でも過ごしますよ、またふたりで一緒になってね、おれのジュリエット、二度と離れ離れにならずにすむ時が来るまでは。だけど愛しい人、きみは眠っておくれ。冷たい朝と気まぐれな風に頬の血色を奪われ、愛に輝く瞳が疲れで曇ってしまうから。ああ、最愛の人！　一度だけでいいから、両目にキスさせてもらえるなら、おれもぐっすり眠れるんだけどなあ」

　そう言うとなおもにじり寄り、窓から彼女の部屋に入りこみそうになった。わたしはそれまで彼女をびっくりさせまいという迷いがあった。だがこうなっては遠慮している場合ではない。突撃して——やつに飛びつき——窓から引っぱがして——大声を上げた。「この汚らわしい不細工な悪党めが！」

　今ではいささか好意を持つに至った、ある人物への蔑称をなにもわざわざ繰り返すには及ぶまい。ジュリエットの唇から絹を裂くような悲鳴が上がった。もうなにも聞こえず、なにも見えない——敵の喉元をわしづかみにしている感触と、短剣の柄の手ごたえだけだ。やつめはもがいても逃げられない。ようやくしわがれ声でこんなセリフを絞り出した。「やれよ！——急所を一思いに！　この体を殺しちまえ——それでもあんたは生き続ける。せいぜい愉快に長生きするんだな！」

　この言葉で、突き下ろそうと振りかぶった短剣がはたと止まった。こちらの手の力がゆるんだすきに振りほどかれ、相手が剣を抜く。そのうち屋敷内が騒がしくなり、たいまつの灯が部屋から部屋へあわただしく動いて、まもなくわたしたちが引き離されると教えていた——そうなったらわたしは——ああ！　死んだほうがずっとましだ。やつさえ仕留めれば、もうどうなってもいい。逆上のさなかでも分別はあった——たとえこの身は死んでも、やつさえ生き残らなければなんなら自分の体に致命傷を負わせてもかまわない。そう思案するうちに、向こうはわたしが動きを止めたとみていきなり斬りつけ、こちらの躊躇《ちゅうちょ》につけこもうとする悪党らしい魂胆が透けて見えたので、わたしはやつの剣に身を投げると同時に、短剣でかけねなしに必死の一撃を敵の脇腹に送りこんだ。同時に倒れ、ごろごろ転がってもみ合ううちに互いの傷口から血があふれて芝生の上で混ざる。覚えているのはそこまでで――わたしは気を失った。

また気がついてみれば、死にそうなほど衰弱しきってベッドに寝かされ――その脇でジュリエットがひざまずいている。おかしな話だが、とぎれとぎれにまず言ったのは、鏡を見せてくれ、だった。あまりに死相が浮いていたので、可哀想にジュリエットはどうしようと思ったと後から話してくれた。しかしながら、まったく！　鏡で見慣れた自分の顔を見ながら、われながらなかなか端正な若者じゃないかと思った。埒《らち》もないとは思うのだが、そうした弱点が自分にあるのはたしかだ。鏡をのぞくたびに映る自分の顔や体にかなり見惚れている。自邸内にはどんなジェノヴァ美人にも負けないほど多数の鏡を置いており、どんなジェノヴァ美人にも負けないほど頻繁に見ている。ひどい目くじらを立てる前に、まあ聞いていただきたい。わたしほど自分の体の値打ちをよく知る者はない。なぜなら体を盗まれたことがある人も、おそらくわたしだけだろうから。

まずは、支離滅裂ながらあの小男とその悪事について語り、いともすんなりやつの愛を受け入れたとジュリエットをとがめた。うわごとかしらと彼女に思われたのももっともだったが、前非を悔いて彼女を取り戻したグイドはわたし自身だと認めるよう、自分を納得させるまでにしばらくかかってしまったし、あの化物じみた小男をさんざん罵り、やつを仕留めた会心の一撃を自画自賛していると、いきなり彼女に「アーメン！」と言われてはたと口をつぐんだ。彼女の非難は当のわたしに向いていると気づいたからだ。ちょっと考えれば沈黙がいちばんだとわかり――少し場数を踏めば、さしたるボロもださずにあの恐ろしい夜の一件を話せるようになった。自分を刺したあの傷は偽物でも何でもない──治るまでずいぶんかかった──寛大で優しいトレラはベッド脇に腰をおろして、友の改心をうながすに足る箴言《しんげん》の数々を語り聞かせてくれ、愛しいジュリエットはわたしのそばを離れずに頼みごとを聞いては笑顔で励まし、体とともに精神の立て直しを同時進行で進めてくれた。実を申せば体は元通りにはならず、顔色はあれ以来ずっとよくないし──やや猫背ぎみになってしまった。こんなふうにわたしを変えてしまった悪意をジュリエットがきつくなじることがたまにあるが、そんな時はいつもその場でキスしてやり、何もかも最善の形におさまったんだよと言うことにしている。おかげでわたしは前より優しく妻思いの夫になったし──本音の話──あの傷がなければ、ジュリエットを妻にする日は絶対に来なかっただろう。

あの海岸には二度と寄りつかず、悪魔の宝を取りに行ってもいない。だが、あいつをつらつら思い返せば悪霊というよりも守護天使が差し向けた善魔で、高慢の愚かしさや悲惨な末路を教えてくれたのではと考えることがよくある。この一件の告解を担当した司祭も、その考えを認めるにやぶさかではなかった。いかにも痛い教訓ではあったが、よくよく身にしみたのはせめてものことであった。おかげで今のわたしは、友人やジェノヴァ市民に「温厚なグイドさん《グイド・イル・コルテゼ》」と呼ばれている。

狼ヒューグ

エルクマン＝シャトリアン
池畑奈央子 訳

Hugues-le-Loup
by Erckmann-Chatrian

I

一八××年の降誕祭の頃のことである。ある朝、寄宿先のフライブルクの宿〈白鳥館〉の寝室でまだ熟睡していた私は、突然、ギデオン・シュパーヴァーに叩き起こされた。

「フリッツ、喜べ！　これからニデックの城に連れていってやる。ここから十里ほど先だ。ニデック城はおまえも知っておるだろう？　我らが領主の美しき居城にして、我らの先祖の古《いにしえ》の栄光を今に伝えるものだ」

しかし、実を言うと、この愛すべき里親のギデオンとはかれこれ十六年も会っていなかった。そういうわけで、たっぷりと顎鬚《あごひげ》を生やし、襟首まで隠す大仰な狐の皮の縁なし帽を被った老人が、目と鼻の先で、角燈を掲げているのを目にしたときには、一体誰なのかさっぱりわからなかったのである。

「何事にも順序というものがある」私はまず、そう言った。「そもそも、貴方は誰だ？」

「なんと！　おまえはシュヴァルツヴァルト*の密猟者、ギデオン・シュパーヴァーを忘れたというのか？　ああ、何たることだ……。幼いおまえを養い、育てたこの俺を思い出せないとは！　森の中でどのように罠を仕掛け、どこで狐を待ち伏せするか、そして、いかに小鹿の跡を猟犬たちに追わせるか教えてやったというのに……！　この俺の顔が分らないとは、情けない。では、凍傷の痕が残る俺の左耳を見るがいい」

「おお、これは……！　確かに、見覚えのある左耳だ。いやあ、ギデオンの親父さん、久方ぶりだな！」

　私たちはしっかりと抱擁を交わした。ギデオンは手の甲で濡れた瞳を拭うと、話を続けた。

「ニデックは知っているな？」

「もちろん。もっとも、名前だけだが……。親父さんはそこで何をしているのだ？」

「俺はニデック伯爵の一番の猟犬係じゃ」

「では、誰の使いでここに？」

「伯爵令嬢、オディール様の命で参った」

「そうか……。それで、いつ出発するつもりだ？」

「今すぐにだ。何しろ急を要しておる。実は、伯爵がご病気なのだ。それ故、くれぐれも急ぐようお嬢様から言いつかっておる。さあ、急げ。馬の支度ならできている」

「しかし、親父さん、いくら何でもこの天気では無理だ。もう三日も雪が降り続いているのだから」

シュヴァルツヴァルト　ドイツ南西部、フランス、スイスと国境を接する山岳地帯。「黒い森」の意。

「何、構うものか！　猪狩りに行くと思えばよいのだ。さあ、ラングラーヴ*を穿け。拍車を付けよ。支度が整ったら出発だ！　その間、俺は朝食の用意をさせるとしよう」

そう言うと、ギデオンは部屋から出ていった。

「おお、そうだ！」しかし、すぐに戻ってきた。

「その上に、ペリース*を羽織るのを忘れるなよ」

それだけ言って、また出ていった
これだからギデオンには逆らえない。子供の頃から、ギデオンは首を縦に振ったり、横に振ったりしながら、あるいは、ちょっと肩を動かしてみせることで、私を自分の意のままにしてきたのだ。そういうわけで、私は急いで着替えを済ませると、大広間にいるギデオンに合流した。

「おお、そうとも！　おまえが俺を一人で帰すはずはないとわかっていたよ」ギデオンは喜色満面の体《てい》で言った。「急いでこの一切れのハムを食べ終わすとしよう。そして、旅立ちの盃を交わそうではないか。馬が俺たちを待ちわびておるわ。ところで、おまえの旅行鞄を馬の尻に積んでおいたぞ」

「旅行鞄!?」

「そうだ。損はあるまい。いずれにしても、おまえはニデックに数日滞在することになるのだから、荷物が必要なのだ。詳しい事情は追々説明する」

私とギデオンは中庭に下りた。

そのとき、馬に乗った二人の旅人がやってきた。二人とも大分疲れているように見える。彼らの馬も同様に口から白い泡を吹いていた。馬の品種に詳しいギデオンは一目見るなり、感嘆の声をあげた。

「おお、なんと見事な！　あれはワラキア*産の名馬だ！　まさに牡鹿の如く、なんと洗練された姿をしていることよ！　さあ、ニコラウス、急ぎ馬衣《うまぎぬ》をかけてやってくれ。道中、冷えるかもしれないからな」

私たちが鐙《あぶみ》に足を掛けたとき、アストラハン*産の白い毛皮にくるまれた旅人二人が傍《かたわ》らを通り過ぎた。その内の一人の長く伸びた口髭と一風変わった輝きの黒い瞳だけが見えた。

二人は館の中に入っていった。

その間、馬丁のニコラウスは馬の手綱を摑んでいたが、私たちに向かって「道中、ご無事で！」と声をかけると、手を離した。

そうして、私たちは旅路についたのである。

ギデオンの馬はメクレンブルク*産のサラブレッド、いっぽう、私の馬は小ぶりな血気盛んなアルデンヌ*産だ。私たちは雪道を文字通り飛ぶように走り、出発してから十分と経たぬうちに、フライブルクの街外れの家々を後にした。

ラングラーヴ　腰や裾にリボン飾りが付いたスカート状のズボンで、長さは上脚部の半ばくらい。

ペリース　毛皮の裏打ちをしたコート。

ワラキア　現在のルーマニア南部。本作の時代にはワラキア公国があった。

アストラハン　ロシア南西部の都市。羊毛皮の生産で知られた。

辺りは少しずつ明るくなってきた。やがて、どれほど遠くを見渡しても、街道はおろか道も小道も視界から消え、私たちの旅の友はシュヴァルツヴァルトの烏《からす》だけになった。烏たちは大きな羽を広げ、雪に覆われた丘陵の上を悠々と飛びまわり、掠れた声で鳴いた。〈ミゼール《ああ、なんたることだ》！　ミゼール！　ミゼール！〉

ギデオンは、柘植《つげ》の古木のような顔色に、長い耳当てが付いた革の縁なし帽を被り、山猫の毛皮で裏打ちした外套を着て、私を先導するように馬を駆っていた。『魔弾の射手』*の、どの場面の主題歌なのかはわからないが、ある旋律を口笛で吹いている。その間、時々、私の方を振り返るのだが、その度に、光り輝く透明な雫《しずく》が鉤鼻の鼻先で小さく揺れているのが見えるのだった。

「どうじゃ、フリッツ、まさに冬晴れの清々しい朝ではないか！」

「確かにそうだが、いくら何でも寒すぎるよ」

「そうか……。俺はからっと晴れた天気が好きだ。体内の血潮を冷やしてくれるからな。こんな天気の日に旅をする勇気があれば、トビーもリウマチの痛みを感じずにすむだろうよ」

私は少しばかり笑った。

全速力で一時間も走ると、ギデオンは速度を緩め、私が追いつくと轡《くつわ》を並べて進んだ。

「フリッツ」先刻とは違って真剣な口調で、話しかけてくる。「この旅の目的について、おまえに話しておく必要がある」

「そのことが私もずっと気になっていた」

「実は、伯爵はもう何人もの医者に診てもらっているのだ」

「なんと！」

「そうなのだ。ベルリンからやってきた医者は、大きな鬘《かつら》を被っておったが、伯爵の舌しか診ようとしなかった。いっぽう、スイスの医者は伯爵の尿にしか興味を示さず、さらに、パリからやってきた医者は、片方の目に小さなガラスの切片を嵌《は》め、伯爵の人相を観察するばかりで、どの医者も己の無知と無能を晒《さら》しただけよ」

「おやおや、それはまた辛辣だな」

「いや、おまえは別だ。俺はおまえには一目置いておる。もし、この足を折るようなことがあれば、おまえ以外の医者に治療してもらいたくはない。しかし、身体の内側に関しては、そこで何が起きているか観察するための拡大鏡を、おまえたち医者はまだ発明してはいないのだ」

「親父さんが知らないだけだよ」

そう言うと、根が律儀なギデオンは疑わしい眼差しを私に向けた。そして、こう言った。

「そんなものがあったら、それこそ、いかさまだ。あの連中と同じように」

しかし、こうも言った。

メクレンブルク　ドイツ北東部。
アルデンヌ　ベルギー、ルクセンブルク、フランスにわたって広がる高原。
『魔弾の射手』　カール・マリア・フォン・ヴェーバーの歌劇。一八二一年初演。

「だがな、フリッツ、もし、おまえがそのような拡大鏡を持っていたら、実に好都合なのだ。というのは、伯爵はまさに身体の内側のご病気を患っておられるからだ。それはそれは酷《ひど》い病よ。一種の狂気のようなものだ。狂気は九時間、九日、あるいは九週間おきに起きることを知っているか？」

「そう言われてはいるが、まだこの目で見たことがないので、私自身は疑いを持っている」

「それでも、瘴気《しょうき》熱が三年、六年、あるいは九年経って、再発するのをおまえも知らないはずはあるまい。俺たち人間の身体には実に不思議な時計が隠されているのだろう。何らかのきっかけで、この忌々しい時計のぜんまいが巻かれると、俺たちは決まったときに熱や下痢や歯痛に襲われることになる」

「そんなことは親父さんに教えてもらうまでもないが、私自身は周期的な病はあまり得意ではないのだ」

「それは残念だな……！　伯爵のご病気はまさに周期性の病で、毎年、同じ時期、同じ時間に再発するのだ。伯爵は口から泡を吹き、白眼を剥いて、象牙の球のような眼玉になってしまう。そして、頭の天辺《てっぺん》から爪先まで全身の痙攣《けいれん》が起こり、それに合わせるように、激しい歯ぎしりが始まる」

「もしかしたら、伯爵は何か深い悩みを抱えているのではないか？」

「そんなはずはない。もし、お嬢様が然るべき男のもとに嫁いでくれれば、伯爵はまさしく世界一幸せなお方となるだろう。伯爵は富と権力に恵まれ、しかも数々の栄光に包まれたお方だ。常人が望むものなら全て持っている。強いて言えば、唯一の悩みはお嬢様が結婚しようとなさらないことだろう。お嬢様は神に一生を捧げるおつもりだ。それでは古来より続くニデックの血筋が絶えてしまうと、伯爵は心を痛めておられるのよ」

「では、その病気はいつ、どのように始まったのだ？」

「何の前触れもなく、十年前のある日、突然、始まったのだ」

過去に想いを馳せるように、ギデオンが一瞬、遠くを見つめた。それから、上着からパイプを取り出すと、おもむろに煙草を詰めて、火をつけた。

「ある夜のことだ」ギデオンがパイプを吸いながら、語りはじめた。「伯爵と二人だけで武具室にいたときのこと。あれは、降誕祭の頃だった。その日、俺と伯爵は猪を追って、一日中、リーサル峡谷を走りまわっていた。そして、夜も更けた頃、尻尾から頭まで真一文字に腹を裂かれた二頭の猟犬の死骸と共に帰ってきた。その日も今日と同じように寒い雪の日だった。伯爵は背中で手を組み、深く俯いて、武具室の四方の壁に沿って歩いていた。まるで昔の思い出に耽っているかのようにな。そして、時々足を止めると、雪が積もった高窓を眺めていた。いっぽう、俺は暖炉のマントルピースの下で、腹を裂かれて死んだ愛犬二頭を想いながら、暖をとっていた。しかし、腹の中では、シュヴァルツヴァルトにいる全ての猪に呪いの言葉を吐き続けていたがな。それからかれこれ二時間も経つと、ニデッケ城の人々は全員、眠りについたのか、伯爵の長靴の拍車が敷石を打つ音以外は何も聞こえなくなった。そのときの様子を、俺は今でもはっきりと覚えている。一羽の烏が、恐らく突風に煽られたのだろう、城の翼のガラス窓に叩きつけられた。その瞬間、烏は不気味な鳴き声をあげた。そして、烏がぶつかった衝撃で、窓を覆っていた雪が全部落下して、そこだけ真っ白だった窓が真っ黒に変わってしまったのだ」

「ちょっと待ってくれ。そんな些細な話が親父さんの主人の病と関係あるのか？」

「まあ、聞け。そのうちわかる。話は最後まで聴くものだ。その鳥の鳴き声を聞くと、伯爵は足を止めた。そして、ひたと虚空の一点を見つめた。すると、頬から見る見る血の気が失せていき、頭が前方に傾いた。まるで猟師が獲物の足音に耳を澄ませるような恰好になった。相変わらず暖をとっていた俺は内心、こう思った。伯爵はまだお休みにならないのだろうかと。何しろ、俺は疲労困憊だったのだから。それでも、俺はその場で、事の一部始終を見逃さなかった。鳥が暗闇の中で鳴き声をあげるや否や、古い大時計が十一時を告げた。すると、伯爵は踵《かかと》を中心にくるりと身体の向きを変えた。それから、耳をそばだてると、今度は唇を震わせた。そして、突然、酔っ払いのように、前後左右に身体をぐらつかせた。さらに、両手を伸ばして、歯を食いしばり、白眼を剝いた。俺は慌てて、声をかけた。『閣下、どうされたのです？』と。ところが、伯爵は今度は狂ったように笑い出した。そして、大きくよろめいた拍子に、そのままばたりと、うつ伏せに倒れてしまったのだ。俺はすぐに助けを呼んだ。使用人たちもすぐにやってきた。ゼーバルトが伯爵の脚を摑み、俺は伯爵の腋《わき》の下に腕を入れて、寝室まで運んだ。伯爵を寝かせると、俺は急いでネクタイを狩猟ナイフで切った。てっきり、卒中の発作が起きたと思ったからだ。そこへ、お嬢様が取り乱してやってきた。そして、伯爵に取り縋って慟哭した。その姿に俺も胸が締めつけられるようだった。あのときのことを思い出すと、今でも胸が痛む」

　そこで、ギデオンはパイプを口から外すと、鞍頭の上でゆっくりと灰を落とした。それから、もの悲しい顔で話を続けた。

「そのときだ、魔物がニデックに棲みついたのは。そして、今でも魔物は出ていく気配がない。毎年、同じ時期に、同じ時刻になると、伯爵の全身の痙攣が始まるのだ。病は一週間から二週間続く。その間、伯爵は身の毛もよだつような悲鳴をあげる！　その後は、ゆっくりと少しずつ快方に向かわれるが、すっかり衰弱しておられるのだ。血の気の失せた真っ青な顔で、這うように椅子から椅子へと移動する。もし、誰かが物音でも立てようものなら、あるいは、身体を動かそうものなら、伯爵は怯えたように振り返る。自分の影さえ怖がっているのだ。お嬢様は、神がお創りになったこの世で最高に美しいお方だが、決して父親の傍《そば》を離れようとしない。それなのに、伯爵ときたらそんなお嬢様を避けようとする。『来るな！　傍に寄るな！』そう叫んで、両手を伸ばして、お嬢様を追い払おうとするのだよ。『ああ、もう儂《わし》に構うな！　まだ儂を苦しめようというのか？　あっちへ行け！』とな。とても傍で聞いてはいられない。耳を覆いたくなるほどだ。俺は、いつも伯爵の狩りのお供をし、伯爵が獲物を仕留めたときには真っ先にラッパを鳴らす。お傍で仕える城一番の従僕で、伯爵のためならどんな苦労も厭《いと》わぬが、そんな俺でも、そういうときは、伯爵様の首を絞めてしまいたくなるのよ。実の娘をそこまで悪《あ》し様《ざま》に扱うのを見るに耐えかねて！」

ギデオンは無骨な顔を暗く曇らせたが、すぐに馬を駆った。私もすぐに続いた。

馬の背で揺られながら、しばし私は考え込んだ。このような病の治療は極めて厄介だ。いや、むしろ、不可能と言っていいだろう。これは明らかに精神疾患だ。そうした病に取り組むとなれば、発症のきっかけとなった出来事にまで遡らねばならないが、それほど長く病が続いていると、その間にそんなことなど忘れられてしまっただろう。

そうこう考えていくうちに、私は大いに不安になった。常に伯爵の傍にいるギデオンの話を聞けば、医者としてやりがいを感じるどころか、むしろ暗澹たる思いを抱かずにはいられない。治療が成功する見込みはまずないだろう。その伯爵が住まうニデックの古城が遙か前方に見えたのは、午後三時頃のことだった。城はまだずっと先だが、それにもかかわらず、建物の四方に背負子《しょいこ》の形をした小塔がそそり立っているのが見える。そして、その向こうに、真っ青な空を背景にヴォージュ山脈の花崗岩の山肌が赤く朧気《おぼろげ》に見えていた。

そのとき、ギデオンが馬の歩みを緩め、大声で言った。

「フリッツ、夜になる前に到着しなければならないのだ……。急げ！」

ところが、ギデオンが拍車を入れても、馬は動こうとしない。怯えたように前足を踏ん張り、鬣《たてがみ》を逆立て、両方の鼻孔から青味がかった鼻息を勢いよく吐き出している。

「あれは何だ？」ギデオンが驚いた声をあげた。「フリッツ、おまえには見えないか？　あれは一体……」

ギデオンは終《しま》いまで言わずに、五十歩ほど離れた斜面の後ろを指差した。見ると、誰かが雪の中にうずくまっている。

「疫病神だ！」ギデオンが狼狽した声を出した。その声に私は不安を駆られた。

あらためて、ギデオンが指差す方向を見ると、確かに驚いた。老婆が一人つくねんと、両腕で膝を抱えて座っているではないか。しかも、なんともみすぼらしい姿で……。ぼろぼろの袖から煉瓦のような肘が覗き、白髪交じりの髪の毛は、禿鷹の首によく似た赤銅色の細長い首まで伸びていた。

奇妙なことに、老婆は一括りの襤褸《ぼろ》を膝の上に乗せている。そして、血走った視線を遙か遠くの雪に覆われた平原に向けているのだ。

ギデオンがまた進み出した。しかし、左に折れ、老女の周囲を大きく迂回している。なんとかギデオンに追いつくと、私は笑った。

「そんな大回りをして、親父さん、ふざけているのか?」

「いやいや、ふざけてなどいるものか! この件に関しては冗談など言えぬわ。俺は迷信など信じないが、それでもここであの疫病神《やくびょうがみ》に遭遇するとは恐ろしい」

ギデオンは振り返って、老婆がその場から動かず、相変わらず同じ方向を見ていることを確認すると、安堵の表情を浮かべた。

「フリッツ、よく聞け」それから、もったいぶった口調で言った。「おまえは物知りだ。俺が何一つ理解できないようなことをいくらでも知っている。だがな、理屈ではわからないことを笑うのは、間違っているということを忘れるな。俺があの老婆を〈疫病神〉と呼ぶのには理由があるのだ。確かに、シュヴァルツヴァルトであの老婆はそう呼ばれているが、しかし、ここニデックでこそ、まさに〈疫病神〉と呼ばれるのがふさわしいのだ!」

実直な男ギデオンはそれきり口を閉ざし、道を進む。

「親父さん、ちゃんと説明してくれないか」私は催促した。「このままでは、さっぱりわけがわからない」

「もっともだ。あれこそは俺たちを破滅に導くもの。あそこにいた不気味な老婆は諸悪の根源なのだ。

あの老婆が伯爵を苦しめているのだから」

「まさか!? あの老婆がどうやってそんな力を使えるのだ?」

「それは俺に聞かれてもわからん。しかし、一つだけはっきりしていることがある。病の初日、伯爵が震えに襲われたときに、見張り塔に登ってみるがいい。ティーフェンバッハとニデックの中間の位置に、まるで、黒い染みのように、疫病神がいるのが見えるだろう。そして、あいつは毎日、少しずつ、城に近づいてくるのだ。それに呼応するように、伯爵の病状は悪化する。おまけに、伯爵は疫病神の足音が聞こえるらしい。時々、病の初日、全身の震えが始まると、伯爵はこう言う。『ギデオン、あの女がやってくる!』その度に、俺は伯爵の腕を摑んで、なんとか身体の震えを抑えようとする。しかし、伯爵はかっと目を見開いて、口ごもりながら、こう繰り返すのじゃ。『あの女だ! ああ、あの女がやってくる!』それで、急いでヒューグ塔に登って、周囲を見渡す……。フリッツ、おまえも知っているように、俺は目がいい。やがて、霧の向こうに、空と大地の間に、ポツンと黒い点が見えてくる。翌日には、その黒点は少し大きくなっている。そして、伯爵は寝台に横になり、ガチガチと歯を鳴らしている。さらに翌日になると、もはや黒点ではなく、はっきりと老婆の姿が見える。すると、いよいよ発作が始まるのだ。伯爵は悲鳴をあげる! その翌日になると、あの魔物は山の麓まで来ている。すると、伯爵の激しい歯ぎしりが始まる。まるで、万力を締めるときのような音が聞こえてくる。さらに、伯爵は口から泡を吹き、ぐるぐると目を回して、しまいには気絶する。ああ、それなのに、なんと惨めなことか! これまで何度なくカービン銃であいつに狙いを定め、一発見舞ってやろうとしたが、その度に伯爵に止められたのだ。『いかん、シュパーヴァー。血を流してはならぬ』

伯爵はそう叫ぶのよ。なんとお労《いたわ》しい。ご自身に死をもたらす敵に手心を加えるとは。フリッツ、そうなのだ。あの老婆は伯爵の命を狙う敵だ。実際、伯爵はもはや骨と皮ばかりに痩せ細ってしまわれたのだから」

実直なギデオンが本気であの老婆を疫病神だと思い込んでいるので、常識に立ち返るよう説得することは無理だと私は判断した。そもそも、伯爵のために良かれと思っていることを止められるのは辛いだろう。疫病神と呼ばれる老婆が日々、城に近づいていることを見ているのだから。このような人知を超えた影響力、あるいは伯爵と老婆との不思議な関係、そして、他の人には見えないものが見えるという不可解な主張は、盲目的に肯定する人々がいるいっぽう、皮肉な口調で異議を唱える人々もいる。しかし、そうした状況から真実が現れないと誰が断言できるだろう。何もわからないときには謙虚であるべきなのだ。

そこで、私はギデオンにまずは怒りを鎮めるようにと頼むだけにとどめた。特に、疫病神に向けて発砲することだけは思い留まるように言った。そんなことをすれば親父さん自身に災いをもたらすだけだと警告した。

「ふん！　構うものか」しかし、ギデオンは私の忠告に耳を傾ける気はなさそうだった。「最悪の場合、この首が吊るされるぐらいのものだ」

「しかし、親父さん、それでは誠実な男の終わりとしてはあまりにも屈辱的ではないか」

「いやいや、死は死だ。変わりはない。息が詰まって死ぬ。それだけのことだ。卒中のように、頭に金槌で一撃を食らうよりはましだ。もっと言えば、病気のせいで眠れない、煙草も吸えない、食べたものも飲み込めない、さらには消化できない、くしゃみもできないぐらいなら、首を吊られて死んだ方がよほどいい」

「親父さん、年寄りがそういう考え方をするのは間違っているよ」

「年寄りだろうと何だろうと、それが俺の流儀だ。あの疫病神を仕留めるために、銃には常に弾《たま》が込められている。そして、定期的に新しい弾薬に取り換えているのだ。だから、いざというときには……」

ギデオンがそうとわかる仕草をした。

「いや、そんなことをしてはいけない。親父さんは間違っている。私も『血を流してはならぬ！』と言ったニデック伯爵と同じ意見だ。ある偉大な詩人はこう言っている。『大西洋の全ての波をもってしても、一滴の人間の血を流し去ることはできない』とね。親父さん、この言葉の意味をよく考えてみてくれないか。そして、その銃をまずは猪に向けて撃ってくれ」

この言葉は少なからぬ効果をもたらしたようだ。ギデオンは頭を垂れ、何事か考え込む顔つきになった。

私たちは、それから、侘しいティーフェンバッハの集落とニデックの領地の境界に当たる樹木に覆われた坂道を上っていった。

やがて、夜の帳《とばり》が下りてきた。冬、昼間よく晴れて冷え込んだ後は大抵そうなるように、再び雪が舞いはじめた。大きな雪片が馬の鬣に落ちては溶ける。二頭の馬は短く嘶《いなな》き、住処に近づいているのが嬉しいのか、足が速くなった。

ギデオンは時々、明らかに警戒するように、後ろを振り返る。私自身も、ギデオンが説明してくれた伯爵の奇妙な病状を思い返し、なんとも言えない不安な気持ちに囚われていた。

そもそも、人間の精神は周囲の環境に影響されるものだ。寒風に晒され、全ての樹々が白く凍りついた森ほど悲しく見えるものはない。降りしきる雪の中に立ちすくむ樹木はなんとも陰鬱で、こちらの心まで凍りつきそうだった。

道を進むにつれて、楢《なら》の樹々はまばらになり、代わって、大理石の柱のような白く真っ直ぐな樺《かば》の木が間隔を置いて、暗緑色の樅《もみ》の群生と対照を為すように現れた。そして、低い茂みを抜けると、突然、私たちの前にニデックの古城が敢然と姿を現した。それはまさに、屹立する光り輝く点が散りばめられた黒い塊だった。

ギデオンは二つの塔に挟まれ、漏斗《ろうと》の形に窪んだ入口の前で止まった。鉄格子の門が閉まっている。

「戻ったぞ！」馬の首に身体を屈めるようにして、ギデオンが声を張りあげる。

そして、鹿の足を摑んだ。すると、澄んだ鐘の音が遠くで響いた。

少し待っていると、穹窿《きゅうりゅう》＊の奥から、角燈が一つ現れ、暗闇を放射状に照らした。その光輪の中から せむしの小男が浮かび上がった。黄色い顎鬚を生やし、肩幅が広く、猫のように毛皮にくるまれている。

一瞬、真っ暗闇の中に、〈ニーベルング族＊〉の小人が現れたのかと思ったほどだった。

穹窿《きゅうりゅう》　アーチ状の構造。原意は弓なりの天空。

そんな小男がゆっくりとこちらに近づいてくる。そして、平べったい大きな顔を鉄格子に貼りつけた。目をかっと見開き、暗闇の中にいる私たちをなんとか見ようとしながら。

「シュパーヴァー、あんたか?」小男はしわがれた声を出した。

「さっさと門を開けないか、クナップヴルスト」ギデオンが叫んだ。「おまえはこの極寒を感じないのか?」

「やっぱり、あんただ」小男が答えた。「そうだ。間違いない。まさしく、あんただ。あんたが口を開くと、飲み込まれそうだよ」

鉄格子の門が開いた。せむしの小男は角燈を持ち上げて私を照らし、奇妙な顰《しか》め面を私に向けて、挨拶をした。「ヴィルコメン、ヘル・ドクター(ようこそ、お医者様)」。それは、「また一人、役に立たない医者がやってきた」と聞こえなくもなかった。私たちが門の中で馬から降りようとする間、小男は音を立てないように門を閉めると、こちらにやってきて馬の馬勒を取った。

Ⅱ

城に入ると、ギデオンは早足で階段を上った。その後を追いながら、私はニデック城は名声に違わぬ城郭だと感心した。まさしく岩山に掘られた要塞で、昔は隠れ城と呼ばれていたという。高く奥行きのある穹窿に私たちの足音が大きく反響する。一定の間隔で城壁に配置された松明《たいまつ》の炎が銃眼から入ってくる外気に揺れていた。

　ギデオンはこの広大な城塞の隅々まで熟知しているらしい。迷うことなく早足に、右に曲がったり、左に折れたりするギデオンの後を私は必死についていった。とある広い踊り場で、ギデオンはようやく足を止め、私に向かって言った。

「フリッツ、俺はこれからオディール様におまえの到着を知らせてくる。その間、城の住人たちと過ごしてくれ」

「わかった。親父さんは用事を済ませてくれ」

「ここには、まず、執事のトビー・オッフェンロッホがいる。ニデック連隊の元兵士だ。伯爵の下でフランス遠征にも参加したことがある古兵だ」

「それは大したものだ！」

「そして、トビーの女房、マリー・ラグット。フランス生まれで、自分では良家の出だと言っている」

「それは凄い！」

「ここだけの話だが、本当は軍隊の大部隊と一緒に移動する酒保《しゅほ》*の女経営者だったにすぎん。そのマリーがある日、足を一本失ったトビー・オッフェンロッホを荷車に乗せて、ここに連れてきたのだ。

ニーベルング族　ヴァーグナーの楽劇「ニーベルングの指輪」に登場する小人族。
酒保《しゅほ》　兵営内での飲食物の売店。

オッフェンロッホは言ってみれば、助けてもらった礼にマリーと結婚したようなものだ」

「わかったよ。それより、扉を開けてくれ。ここにいると凍えそうだ」

私はそろそろ中に入りたかったが、ギデオンは良きドイツ人の例に漏れず頑固で、私がこれから付き合うことになる城の使用人たちの人物像をどうしても説明せずにはいられないようだった。それで、私のペリースの飾り紐を摑んだ手をすぐに離そうとはしなかった。

「それから、偉大なる狩猟長のゼーバルト・クラフトがいる。そして、陰気な青年だが、狩猟ラッパを吹かせたら奴に敵う者はいないカール・トランプ、さらに、ソムリエのクリスチャン・ベッカー。この面々がこの扉の向こうにいるはずだ。早々と寝床についていない限りは」

そう言って、ギデオンは扉を押した。そして、扉が開かれた瞬間、私は目を見張った。天井が高く、薄暗い広間にニデック城の古参兵たちが集まっていた。

しかし、まず目を引いたのは、正面の断崖を望む三つの窓だった。その右側には、古色蒼然とした樒の木の食器棚のような家具があった。棚の上には樽が一つ、複数のグラスや瓶と一緒に置かれていた。いっぽう、左側には、ゴシック様式の大きな暖炉があり、炎が赤々と燃えている。暖炉の各面には中世の猪狩りにまつわる様々な挿話が彫刻で刻まれていた。そして、広間の中央に長い食卓が据えられ、食卓の真ん中に置かれた大きな角燈が一ダースの鉛の蓋つきの小瓶を照らしていた。

このように私は部屋の様子を一目で捉えたが、なんと言っても最も印象深かったのは、まさにその広間にいた人々だった。

義足の執事はもちろん、すぐにわかった。小柄で小太り、腹の皮が太腿に届かんばかりに垂れている。赤ら顔に熟した木苺を思わせる毛穴の目立つ赤い鼻。執事はかなり大きな亜麻色の鬘《かつら》を被っており、首の辺りで鬘の髪が弛んでいた。また、黄緑色のフラシ天*の上着には、まるで六リーヴル硬貨のような大きな鉄ボタンがついている。さらに、ビロードの半ズボン《キュロット》を穿き、その下は絹の靴下で、銀の留め金付きの靴を履いていた。執事はちょうど食器棚の上の樽の栓をひねっているところだった。執事の赤ら顔がなんとも言えない喜びに満ちた表情で輝いている。その瞳が時計のガラス盤のように輝いているのが、横からでもわかった。

いっぽう、執事の妻のマリー・ラグットはくたびれたコルドバ革のように黄ばんだ面長の顔で、大柄な花模様の生地のドレスに身を包み、真っ直ぐな背凭《せもた》れの椅子に神妙に座っている二人の使用人たちとカードに興じていた。マリー・ラグットと対戦相手の一人は、小さな二股のピンをいくつも鼻の周りにぶら下げている。いっぽう、もう一人の対戦相手は〈しめた!〉とでも言わんばかりに目を細め、二人を出し抜く喜びに浸っているように見えた。

「手持ちの札は何枚?」その彼が尋ねた。

「二枚」執事の女房が答える。

「で、あんたは、クリスチャン?」もう一人が尋ねる。

「二枚……。というわけで、俺の勝ちだ。あんたたちにはもう一つピンをつけてもらいましょうか。これでまた、マリー・ラグットの奥方よ、俺たちドイツ人にフランスのカード遊びを自慢するとどうな

フラシ天　ベルベットより毛足が長く、光沢のある生地。

るか、おわかりいただけたでしょう！」

「クリスチャン様、貴方という方は女性に対する配慮をお持ちではありませんの？」

「誰に対しても、カードを手にしたら手加減はしませんよ」

「でも、もう場所がないのはおわかりでしょう！」

「いやいや、奥方の鼻ならまだまだ場所はいくらでも」

そのとき、背後でギデオンの声が響いた。

「俺だ、今、戻った！」

「おお、ギデオン……、これはまた早いご帰還で！」

マリー・ラグットが顔を左右に振って、素早く鼻の周りのピンを落とす。太っちょの執事は急いでワインのグラスを飲み干す。そして、広間にいた全員が一斉にこちらに視線を向けた。

「お館様の具合は良くなったか？」

「ううむ」執事が下唇を突き出す。

「相変わらずなのか？」

「そうなのです」マリー・ラグットが答えた。その間も私から目を離そうとはしない。

ギデオンもそれに気づいたようだ。

「俺の倅《せがれ》を紹介しよう。シュヴァルツヴァルトのフリッツ医師だ」なんとも誇らしげだ。「さあ、トビー、これから状況は一変するぞ。フリッツが来た以上、忌々しい俺たちの頭痛の種はなくなることだろう。だから、もっと早く俺の言うことを聞いてくれれば……。いや、愚痴は言うまい。たとえ遅かろうと、聞いてもらえたのだから」

マリー・ラグットはなおも私から目を離さない。私という人間の値踏みをしているようだったが、やがて、その結果に満足したのか、夫の執事に声をかけた。

「さあ、オッフェンロッホ様、そこに突っ立ってないで、お医者様に椅子を勧めてくださいな。そうやって口をあんぐり開けてないで、鯉じゃあるまいし。全くもう……。ご覧くださいまし。この人たちドイツ人ときたら……！」

執事の妻は、いきなり、バネのように、立ち上がると、私の方に小走りにやって来て、外套に手をかけた。

「どうぞお脱ぎくださいまし」

「これはご親切に。お心遣いありがたく……」

「どうぞ、いつでも、ご遠慮なく……。夫は仕事もせず遊んでおります。全く、お医者様、ここはなんという国でございましょう！」

「なるほど、お館様のご病気は良くも悪くもなっていないのだな」ギデオンはそう繰り返しながら、縁なし帽の雪を払った。「ということは、ちょうど良いときにフリッツを連れてきたというわけだ。おい、カスパー、カスパーはいるか？」

すると、暖炉の中から、左右の肩の高さが違う、雀斑《そばかす》だらけの顔をした小さな男が出てきた。

「お呼びですか？」

「この先生の部屋を準備してくれ。歩廊の突き当りのヒューグの部屋だ。わかるか？」

「もちろん。すぐに用意します」

「ちょっと待て。ついでに先生の荷物を持っていってくれ。クナップヴルストから渡されるはずだ。それから、夕食は……」

「ご心配なく。お任せください」

「わかった。頼りにしているぞ」

小さな男が広間から出ていった。そしてギデオンも、ペリースを脱ぐと、若き女伯爵に私の到着を知らせるべく立ち去った。

一人残された私は、マリー・ラグットの過度な親切に当惑するばかりだった。

「ゼーバルト、だから、そこを退きなさいったら！」そう言って、狩猟長に迫る。「もう十分温まったことでしょう。朝からずっとそこにいるのだから。さあ、お医者様、火の傍にいらしてください。さぞおみ足が冷たくなっていることでしょう。どうぞ楽になさってくださいまし……。そう、そうです」

それから、私に嗅ぎ煙草入れを差し出した。「いかが？」

「いや、結構です」

「あら、間違っていますわよ、お医者様」鼻に煙草の粉を詰めながら、マリー・ラグットが言った。

「これは大人の嗜《たしな》みですのよ」

執事の妻は嗅ぎ煙草入れを前掛けのポケットに仕舞った。それから、少し間を置いて言った。

「でも、貴方様は本当に良いときにいらっしゃいましたわ。実は、昨日、殿下は二回目の発作に見舞われたのです。それはもう狂暴な発作でして。そうじゃありませんこと、オッフェンロッホ様？」

「〈狂暴な〉とは全くもって的確な表現ですな」執事が重々しく答える。

「当然です」奥方が続けた。「何も食べなければ。ええ、伯爵は何も召し上がっていないのです。お医者様、あの御方は丸二日、一口のブイヨンも口にされていません」

「そして、一杯のワインさえ飲んでいない」ぽってりとした小さな指を太鼓腹の上で組みながら、執事が口を挟んだ。

二人の話に驚いたことを示すために、私はここで頷かなければならないのだろう。

そう思っていると、オッフェンロッホがやって来て、私の右隣に座り、口を開いた。

「お医者様、お願いです。毎日マルコブリューナー*を一本飲むよう、伯爵に命じてください」

「それから、毎食、鶏の手羽先を一つ必ず召し上がることも」マリー・ラグットが口を挟んだ。「伯爵は恐ろしいほどお痩せになりました」

「この城には六十年もののマルコブリューナーがあるのです」執事が話を続けた。「夫人が言い張るとおり、フランス人が全部飲まなかったからです。さらに、時々はヨハニスベルク*を一杯飲むよう処方してもよろしいかと。病の回復にあのワインほど優れたものはありませんからな」

「かつては……」狩猟長がもの憂げな表情で言った。「かつてお館様は、毎週二回、大規模な狩りに出たものだ。あの頃は実にお元気だった。狩りに出なくなってから、お館様は病気になられたのだ」

「当たり前ですわ」マリー・ラグットが言った。「外に出れば、食欲がわくのです。ですから、お医者

マルコブリューナー、ヨハニスベルク　ともにワインの銘柄。

様、伯爵に週三回狩りに出るよう処方してください。これまで行かなかった分を取り戻すためにも」

「いや、週二回で十分だ」狩猟長が厳《いか》めしい口調で言った。「毎週二回狩りに出ればよい。犬たちにも休養が必要だ。犬も人間同様、神様がお創りになったものなのだから」

それから、しばし沈黙が続いた。その間、私は風が窓ガラスを叩きつける音を聞き、さらに城壁の銃眼を吹き抜けるときの掠れた音に耳を澄ませた。

狩猟長のゼーバルトは左足の上に右足を乗せ、膝に肘をつき、頬杖をついて、なんとも言い難い悲し気な眼差しを暖炉の炎に向けている。いっぽう、マリー・ラグットは煙草の粉をまた一摑みしてから、前掛けのポケットに仕舞い込む。そして、私は使用人たちがあれこれ口を挟んだ伯爵の奇妙な症状についてあらためて考えはじめた。

そんなとき、執事が立ち上がった。

「お医者様、ワインでもお飲みになりませんか？」私の傍にやって来て、座っている椅子の背にもたれながら、言った。

「ご厚意は嬉しいのですが、私は患者を診る前には飲まないことにしています」

「なんと！　小さなグラス一杯も駄目なのですか？」

「小さなグラス一杯でも飲みません」

執事が目を見張り、驚愕した様子で奥方の方を見た。

「お医者様の仰《おっしゃ》るとおりです」マリー・ラグットが澄まして言った。「私も同じですもの。ワインはお食事のときに飲むほうが好きですわ。そして、コニャックは食後に飲みます。私の故郷では、貴婦人はコニャックを飲むものとされています。キルシュを飲むよりもずっとお上品ですもの！」

マリー・ラグットが言い終わると同時に、入口の扉が少し開いた。隙間からギデオンが顔を出し、私についてくるように合図をした。

そこで、私は立派なお歴々に挨拶をして、退出した。が、廊下に出ると早々に、執事の妻が夫に話しかける声が聞こえた。

「なかなか良いじゃないの、あの若者は……。さぞかし立派な騎兵になるでしょうに！」


ギデオンは憂い顔だった。しかし、何も言わない。私もまた、灰汁《あく》の強い執事夫婦とのやりとりが頭から離れなかった。所詮彼らは禿鷹《はげたか》の逞しい羽の下に寄生する虫のようなちっぽけな存在だ。真に受ける必要はない。そう自分に言い聞かせた。

幸いニデック城の薄暗い穹窿の下を歩きはじめるとすぐに、私の頭の中から執事のトビー・オッフェンロッホとその妻マリー・ラグットの姿は消えた。

ほどなくして、ギデオンが金の紋章のついた紫色のビロードで張りめぐらされた豪華な部屋の扉を開けた。暖炉の片隅にブロンズのランプが置かれている。艶消しのクリスタルのシェードに光が反射して、室内をぼんやりと照らしていた。床に敷かれた分厚い毛皮が私たちの足音を吸収する。まるで、沈黙と瞑想の世界に足を踏み入れたようだった。

中に入ると、ギデオンが尖塔アーチの窓を覆っている分厚い帳《とばり》を少しばかり持ち上げた。窓の向こうの深淵に目を凝らす。相変わらず、あの老婆がいるかどうか、気にしているのだ。私にはギデオンの意図が読めた。雪が降り積もった平地の真ん中に今も膝を抱えた老婆がいるのかどうか確かめたいのだろう。しかし、何も見えるはずがない。外は漆黒の闇に包まれているのだから。

いっぽう、私は部屋の中を進んだ。病人の枕元近くで、ランプの青ざめた灯りの下、色白の華奢《きゃしゃ》な女性がゴシック様式の重厚な椅子に座っていた。この方がオディール・ド・ニデックに違いない。黒絹の質素なドレスを纏《まと》い、もの思いに耽っているような、あるいは全てを観念したような面持ち、そして、完璧と言っていいほどの整った目鼻立ちは、まさに、中世の神話的な人物を思わせた。近代芸術はそれを描くことを放棄してしまったが、だからと言って、人々の記憶から消えたわけではないのだ。

絵画に描かれたような不動の美しい姿を見て、私の中で何かが起きた。それが何なのか、今もってわからないが、宗教的と言ってもいいような感動が込み上げてきたのだ。同時に、幼い頃よく聞かされた古い歌曲《バラード》が耳に蘇った。それは子供たちが泣いていると、シュヴァルツヴァルトの子守たちが歌ってくれた敬虔な調べだった。

私が伯爵の病床に近づくと、そのうら若き女性が立ち上がった。

「ようこそお越しくださいました、お医者様」この飾らない物言いに私は感動した。伯爵令嬢はアルコーブを指差した。「父はあちらに」

私は深々と頭を下げ、感激のあまり、返事ができないまま、病人の枕元に近づいた。

ギデオンはいつの間にか、寝台の頭の位置にいて、片方の手でランプを掲げ、もう片方の手で例の大きな毛皮の縁なし帽を摑んでいる。オディール嬢は私の左側に来ていた。曇りガラスを通した柔らかな光が伯爵の顔を優しく包んでいた。

眠っている伯爵の顔を見るなり、私はニデックの領主の奇妙な容貌に驚いた。娘であるオディール嬢に対して崇拝の念を抱いたばかりではあったが、内心叫ばずにはいられなかった。「これは老いた狼ではないか！」

実際、伯爵の短い白髪頭は、驚くべきことに、耳の後ろ側が異常なほど膨らんでいる。そして何より顔が長い。さらに、額は髪の生え際が狭く、眉の生え際が広い。黒く縁取られた瞼《まぶた》は、尖った目元が鼻の付け根まで来ている。その瞼が半ば閉じられ、冷たく生気のない眼球が隙間から覗いていた。いっぽう、骨ばった細い顎は短く濃い髭で覆われている。伯爵の外見の全てに私は身震いを禁じ得なかった。それで、狼に似ているという突拍子もない考えを抱いたのである。

しかし、私は感情を押し殺し、伯爵の腕を取った。痩せて筋肉質の腕で、手は小さく引き締まっている。

医学的な見解を言えば、伯爵は頻脈で、発熱があり、強縮に達するほどの興奮状態にあった。では、どのような治療を施すべきか？

私はしばし、考えた。傍らには不安な面持ちのオディール嬢がいる。もう傍らには、ギデオンが私の考えをいち早く察知しようと、注意深く私の目の動きを追っている。どんな些細な仕草も見逃すまいと注意深く観察しているのだ。この状況が私に重くのしかかった。しかし私は、この時点では深刻な問題は何もないと判断した。

私は伯爵の腕を下ろし、今度は胸の音を聴いてみた。時々、むせび泣くような声と共に伯爵の胸が大きく上下する。その動きが繰り返され、次第にその周期が速くなり、伯爵の口から喘ぎ声が漏れる。明らかに伯爵は悪夢に苛まれている。これは強縮なのか、それともてんかんなのか？……いや、症状が問題なのではない。この症状をもたらす原因が重要なのだ。その原因こそ突き止めなければならないのだが、皆目、見当がつかない。

私は再び考え込んだ。

「先生のお見立てをお聞かせください」オディール嬢が口を開いた。

「昨日の発作は収まりつつあります。従って、次の発作が起こらないようにすることが肝心です」

「そのようなことが可能なのですか？」

それに対して、私は敢えて肯定的な意見は言わずに、一般的な医学的見解を述べようとした。そのときだった。ニデック城の鐘の音が遠くから聞こえてきた。

「旅人だ！」ギデオンが言った。

束の間、沈黙が流れた。

「迎えに行きなさい！」オディール嬢が言った。僅かに眉間が曇っている。「どうしましょう！　このような状況でお客様を歓待することなどできましょうか？　できるはずありません！」

しかし、すぐに部屋の扉が開き、ブロンドと薔薇色が混じった頭が暗がりから現れると、低い声が聞こえた。

「ツィマー＝ブルデリック男爵様がお付きの方とお越しです。泊めて欲しいと仰っています。山中で道に迷われたのだとか」

「わかりました、グレッチェン」オディール嬢が優しく答えた。「男爵をお迎えするよう執事に伝えなさい。そして、『伯爵は目下、ご病気のためご自身でお城をご案内することができません』と申し上げるように言いなさい。では、他の使用人たちにも仕事に就くように言いなさい。くれぐれもお客様に粗相がないように」

女中に指示を出す際の、若き女城主のこの気高く、淡々とした態度をどう表現すればいいのだろう。人間の品格がそれなりの家系で受け継がれるものなら、人格は恵まれた家系に生まれた人間の責務を果たすことで高められるに違いない。

オディール・ド・ニデックの気品と柔和な眼差し、そして、全体から醸し出される優美さと穢《けが》れのない横顔は貴族と呼ばれる人々に特有のものなのではないか。そんな考えがふと、思い浮かんだ。実際、自分の思い出を辿っても、オディール嬢と同じように端麗な容姿と品性を兼ね備えた人々に出会った記憶はないのである。

「さあ、グレッチェン、急ぎなさい」

女中が部屋を出ていく。私はしばし、伯爵令嬢に抱いた好印象の余韻に浸っていた。

オディール嬢が私の方に振り返り、もの憂げな笑みを浮かべて言った。

「人は己の痛みだけを考えているわけにはまいりません。ご覧のように、辛い問題を抱えていても、自分たちの日常を続けなければならないのです」

「そのとおりです」私はすぐにそう応じた。「選ばれた者は恵まれない人々に対して徳を施すべきです。道に迷った旅人や病人、そして食べるものに事欠く貧しき人々は恵まれた人々に対して救済を求める権利があります。なぜなら、神が星を創ったように、富める者に他者を救済する魂を創ったからです。万人の幸福のために！」

オディール嬢が切れ長の目を伏せた。すると、長い睫毛《まつげ》が影を作った。いっぽう、ギデオンは優しく私の手を握った。

少し間を置いて、オディール嬢が言った。

「お医者様、どうか父を救ってくださいませ！」

「先ほど申し上げたように、発作は収まりました。今後は発作の再発を防がなければなりません」

「それができるとお考えですか？」

「神のご加護があれば、必ずや……。決して不可能ではありません。そのために何をすべきか、考えてみます」

オディール嬢は希望に顔を輝かせ、私を部屋の扉のところまで送ってくれた。そのまま、私とギデオンは数人の使用人が主人の指示を待つために待機している控えの間を通って、廻廊に出た。すると、私の前を歩いていたギデオンが急に振り返り、私の両肩に両手を置いた。

「なあ、フリッツ」まじまじと私を見て、言う。「俺は男だ。だから、何を言ってもらっても構わない。本当のところはどうなのだ？」

「今夜は何も心配する必要はない」

「それはわかっている。さっきおまえがお嬢様にそう言ったのだから。だが、明日はどうなのだ？」

「明日？」

「そうだ。はぐらかすなよ。おまえが発作の再発を防げなかったら、どうなるのだ、フリッツ？　その結果、伯爵は死んでしまうのか？」

「その可能性はあるが、しかし、そうはならないと私は考えている」

「おお！」ギデオンが弾んだ声をあげた。「おまえがそう言うなら、間違いない！」

そして、私と腕組みをして廻廊を進もうとした。ちょうどそのとき、ツィマー＝ブルデリック男爵と従者が、火の灯った松明を掲げたゼーバルトに先導されて、私たちの前に姿を現した。宿泊するアパルトマンへ行くところなのだろう。二人とも外套を羽織り、ハンガリー式の膝まである柔らかい革の長靴を履いている。くすんだ緑色の飾り紐がついた丈の長いチュニックをベルトで締め、熊の毛皮のカルバック帽を深々と被り、腰には狩猟ナイフを差している。その二人の姿は松脂のほのかな白い光の下で、不思議なほど絵になっていた。

「おや」ギデオンが言った。「俺の勘違いでなければ、あれはフライブルクにいた二人連れではないか。俺たちのすぐ後ろにいたのか」

「親父さんの勘違いではない。確かにあの二人だ。私はすらりとした長身の若者に見覚えがある。鷲《わし》を思わせる横顔にヴァレンシュタイン髭*を生やしている」

その後二人の旅人は廻廊を折れ、側廊に消えた。

ヴァレンシュタイン髭　十七世紀ボヘミアの傭兵隊長、アルブレヒト・フォン・ヴァレンシュタインが蓄えていた八の字の口髭。

ギデオンは城壁から松明を一つ取り、先頭に立って長い廻廊と廊下を進んだ。穹窿は高いところもあれば低いところもあり、また、尖塔アーチや半円アーチが混在し、まさにどこまで行っても終わりのない迷路を歩いているようだった。

「ここが辺境伯の広間だ」その間、ギデオンが主な部屋を解説する。「こちらは肖像の間。次は礼拝堂。もっとも、ルートヴィヒ禿頭伯がプロテスタントに改宗して以来、礼拝とは言わなくなった。そして、ここは武具室だ」

こうした説明に、私はそれほど興味を抱かなかった。

やがて建物の一番上に達したが、また下に下りていかなければならなかった。それでも、ようやく分厚く小さな扉の前までやってきた。ギデオンはポケットから大きな鍵を取り出すと、私に松明を差し出す。

「炎から目を離すな」彼が言った。「火が消えないように！」

そう言いながら、扉を押す。途端に外の冷たい風が通路に吹き込んだ。その瞬間、松明の炎が四方に火の粉をまき散らし、渦を巻いて燃え上がった。一瞬、私は真っ暗な奈落の縁に立っているような気がして、思わず後退《あとじさ》った。

「あははは！」ギデオンが耳まで裂けるほどの大口を開けて笑った。「どうした、怖いのか、フリッツ？　いいから、前に進め。何も恐れることはない。俺たちは城から古い塔に向かう幕壁*の上にいるのだ」

そう言うと、ギデオンは手本を示すように、扉からさっさと出ていった。

しかし、この手摺のついた花崗岩の通路に雪が立ちはだかった。風が唸るような音を立てて雪を舞い上げる。城を望む平野から暴れる松明の炎を見る者がいたら、不思議に思うに違いない。あんなところで、そう、まさに雲の中で、一体、何をしているのだろう？　こんな時間に散歩でもしているのだろうかと。

〈きっとあの老婆が私たちを見ている〉そう考えたら、思わず身体が震えた。私はラングラーヴの襞を片手で握りしめ、もう片方の手でフェルト帽を押さえ、ギデオンを追って、一目散に走り出した。彼は松明を掲げ、私に行く手を示しつつ、大股で歩いていった。

私たちは塔の中に駆け込んだ。それから、〈ヒューグの部屋〉と呼ばれる部屋に入った。赤々とした暖炉の炎が弾むような音を立てて、私たちを迎えてくれた。頑丈な城壁の中で雪を凌げるとはなんとありがたいことだろう！

私は早々に休んでいたが、ギデオンは入口の扉を閉め、この古めかしい建物をしみじみと眺めている。

「ありがたいことに、ようやく私たちは休むことができる！」

「しかも、ご馳走を前に」ギデオンが付け加えた。「ぼんやり突っ立っていないで、よく見ようではないか。小鹿の腿肉に二羽のライチョウ、そして、口にパセリを詰めた背の青いカワカマスだ。冷たい肉と温かいワイン、俺の好きな組み合わせだ。カスパーはよくやってくれた。細々と命じなくても、

幕壁　塔のあいだを結んで建つ城壁。

ちゃんと俺の好みがわかっている」

　ギデオンが「冷たい肉と温かいワイン」と言ったのは本当だった。赤々と燃える炎の前には整然とワインの瓶が並べられ、熱を浴びて美酒に変わるのを待つばかりになっている。

　それを見て、私は急激に、猛烈な空腹感を覚えた。しかし、それを見越したギデオンが私を制した。ギデオンは昔から心地よく宴を過ごす術を心得ているのだ。

「フリッツ、慌てるな。時間はたっぷりある。まず、寛ごうではないか。ライチョウは飛んではいかない。長靴のせいで、おまえはさぞかし足が痛いだろう。八時間もぶっ通しで馬を走らせたのだ。靴を履き替えるがいい。それが俺の流儀だ。さあ、座れ。そして、俺の脚の間におまえの長靴を入れるのだ。俺が長靴を摑んでいるから、足を抜け。そうだ……。ほら、片足が脱げた。お次はそっちの足だ……。よし、終わりだ。そうしたら、この木靴《サボ》に足を突っ込め。それでいい。それから、ラングラーヴを脱げ。羽織っているウプランド*も俺によこせ。そう、それでいい！」その後、自分も同じように寛いだ格好になると、ギデオンは大声で言った。「これでよし。さあ、食べよう、フリッツ！　おまえは自分の前にあるものを食べろ。俺は俺の前にあるものに手をつける。古いドイツの諺《ことわざ》を思い出そうじゃないか、フリッツ。『喉が渇くのが悪魔の仕業なら、ワインを作ったのは、間違いなく、神の御業である！』」

雪が降りしきるシュヴァルツヴァルトを十時間近く走り続け、私たちはとにかく腹が空いていた。そのため、次々と料理を平らげて舌鼓を打った。

ギデオンは小鹿の腿肉とライチョウとカワカマスを代わる代わる口に入れ、食べ物で口を膨らませながら言った。

「この領地には森があり、ヒースが生い茂り、そして、池がある！」

それから、椅子の背に身体を預けて、腕を伸ばし、当てずっぽうに一本のワインを掴んで、言った。

「おまけに、ブドウ畑もある。春には一面緑色になり、秋には紫に変わる！　さあ、乾杯しよう、フリッツ！」

「乾杯、親父さん！」

こうしてギデオンに再会できたことが嬉しかった。私たちは昔から互いに理解し合い、互いを認め合っていたのである。

暖炉の炎がパチパチと音を立て、フォークが食器に当たる音が絶えず響く。私たちは顎を忙しく動かした。ワインを注ぐとき、あたかも喉を鳴らすように瓶が音を立てる。そして、ギデオンと乾杯をする度にグラスがチンと鳴った。いっぽう、城壁の向こうでは、冬の夜の風が、山から吹き下ろす冷たい風が狂ったように葬送曲を奏でていた。そのもの悲しく、奇妙な旋律は、山から吹く風が一つの雲の塊を別な雲の塊に押しやるときに一際大きくなり、その後は、暗闇に飲み込まれていく。その繰

ウプランド　十四〜十五世紀にかけて、フランスを中心に着用されたガウン形式の上着。

り返しを蒼ざめた月がじっと見ていた。

その間に私たちの食欲は収まりつつあった。ギデオンがブルンベルクの古いワインをヴィダーカム*になみなみと注いだ。グラスの縁で泡が爆《は》ぜる。それを私に差し出しながら、声を張りあげた。

「イェリ＝ハンス・ド・ニデック様の回復を祈って！　フリッツ、最後の一滴まで飲み干せ。俺たちの願いを神に聞いてもらえるように」

私は言われたとおりにした。

さらに、ギデオンがワインを注いだ。そして、部屋中に響き渡るような声で言った。

「我が主人、力強く気高いイェリ＝ハンス・ド・ニデック伯爵の回復を祈って！」

今度はギデオンが厳《おごそ》かにワインを飲み干した。

私たちは満ち足りた気持ちになった。生きていることの幸福をしみじみと噛みしめた。

私は肘掛椅子でそっくり返り、顔を真上に向け、腕をだらしなく垂らし、滞在することになった部屋をあらためて眺めた。

剝き出しの岩を削った、天井が低い部屋で、まさに竈《かまど》のような空間だ。丸天井の一番高いところまでせいぜい十二ピエ*といったところだろう。部屋の一番奥には、大きなアルコーブのような窪みがあり、そこに寝台があった。床に直に置かれており、恐らく、毛布の代わりだろう、熊の毛皮が掛けられていた。その大きなアルコーブの中にもう一つの小さなアルコーブがあり、やはり剝き出しの花崗岩の岩を削って作られた聖母マリアが、色褪せた草の冠を頂き、佇んでいる。

「この部屋を吟味しているのか？」ギデオンが言った。「確かに、豪華な部屋ではない。城にあるような客用のアパルトマンとは大違いだ。この部屋はヒューグ塔の中にあるからな。この塔はたいそう古いものだ。ああ、そうだとも、フリッツ。カール大帝の時代まで遡る。当時の人々は、見てのとおり、高く広い丸天井や尖塔アーチを造ることができなかった。だから、直接岩を削ったというわけだ」

「その経緯はともかく、私をこの変わった穴に押し込めたのだな、親父さん？」

「勘違いするなよ、フリッツ。これでもここは客人用の部屋なのだ。伯爵の友人がいらしたときにはこの部屋にお泊りいただく。だから、ヒューグの古塔こそ最高の場所なのだ」

「ヒューグとは誰だ？」

「おお、狼ヒューグのことだ」

「狼ヒューグ？」

「狼ヒューグはニデック一族の始祖だ。二十人ほどの手下を従えて、この地にやってきた。男たちはこの岩山を上り、山頂まで行った。おまえも明日、見るがいい。そうして、この塔を建てた。塔が出来上ると、男たちはこう言ったそうだ。『この地の主は俺たちだ！　対価を払わずに、この山を越えようという不心得者がいたら、ただでは済まさぬ。狼のように襲いかかり、骨まで食い尽くしてやろう！ここからなら、シュヴァルツヴァルトの街道が一望できる。レータルからの道だろうとシュタインバッ

ヴィダーカム　大型の酒杯。
十二ピエ　四メートル弱。一ピエは約三二・四センチメートル。

ハから入ってくる道だろうと、そして、ラ・ロッシュ－プラットから通じる道も何もかもだ。行商人どもはせいぜい気をつけることだな！』そして、荒くれ男たちは宣言どおり実行した。この荒くれ男たちの集団を率いていたのが狼ヒューグだった……と、いつの夜だったか、クナップヴルストが話してくれたのだ」

「クナップヴルスト？」

「せむしの小男よ。おまえも会っただろう。城に到着したときに門を開けてくれた男だ。あいつは変わった奴で、書庫に入り浸っておるのよ」

「おお、ニデック城には物知りがいるのか？」

「そういうことだ。あのひねくれ者めが！　あいつは番小屋にいる代わりに、日がな一日、書庫の中で領主一族に関する古文書を読み漁っておるのよ。書棚の中を行ったり来たりして、まるで大きな鼠のようにな。そういうわけで、奴は誰よりもニデック城の歴史を知っている。いずれ、おまえにも詳しく話してくれるだろう。何でも〈年代記〉と呼ぶそうだ！　ははははは！」

年代もののワインを飲んで、すっかり陽気になったギデオンはなぜか、しばらく笑っていた。

「なるほど……。それで、ヒューグの塔、いや狼ヒューグの塔と呼ばれるようになったのか？」私はあらためて尋ねた。

「そうだと言ったじゃないか！　何を驚いている？」

「いや」

「いや、驚いているだろう。おまえの顔にそう書いてあるわ。何を考えているのだ？」

「うーん……。驚いたのは塔の名前の由来じゃない、親父さんだよ。かつて森の密猟者として名を馳せた親父さんの変貌に驚いているのだ。子供の頃から、親父さんは矢じりのような樅の木々とヴァルトーホルンの雪に覆われた山頂と、そしてレータル峡谷の絶景を見て暮らしてきたはずだ。さらに、長じては、ニデック伯の番兵たちと小競り合いを繰り広げた。シュヴァルツヴァルトの小道を駆けまわり、獲物がいないか茂みを探しまわった。野外でのびのびと降り注ぐ太陽の光を浴び、森の中で自由に生きてきた。私にはそんな親父さんの記憶しかない。ところが、十六年経って再会した親父さんは、迷宮のような花崗岩の塔の中で暮らしている。だから、驚いているのだ。親父さんの変身が私には解せない。だから、親父さん、パイプでも吸いながら、これまでの経緯を話してくれないか」

かつては密猟者として名を馳せたギデオンは革の上着から黒いパイプを取り出すと、おもむろに煙草を詰めはじめた。続いて、パイプの火皿の炭を掌に集める。そして、鼻を上に向け、虚空の一点を見つめ、もの思いに耽るように語りはじめた。

「隼だろうと白隼だろうと、あるいは鶚《はいたか》だろうと、長い間平原を縦横無尽に飛びまわり、年を取れば、岩山の穴に巣を作るものさ！　確かに、俺は野外で過ごすことが好きだった。もちろん、今でも好きだ。だがな、高い枝に止まって一晩過ごすくらいなら、そして、始終風に揺さぶられるのを耐えるくらいなら、自分の住処に帰り、美味い酒を飲みたい……。巣の中でゆっくり鹿肉を噛み砕いて、暖かい炎の前で濡れた羽を乾かしたい。そう思うようになったのよ。ニデック伯爵はこの老いた隼、森でしか生きたことがない俺を蔑んだりはなさらなかった。ある月明かりの夜、俺はばったり伯爵と出会ったが、そのとき伯爵はこう言った。『おい、一人で狩りをしているぐらいなら、儂と一緒にやらないか？　おまえはなかなか良い嘴《くちばし》と爪を持っているようだ。さあ、儂と共に狩りをしよう。おまえは生まれながらの狩人だ。これからも狩りをするがいい。ただし、儂の許可の下に。なぜなら、儂の名はニデック、この山に棲む鷲だ！』」

ギデオンはそれからしばし、口を噤《つぐ》んでいたが、また話を続けた。

「もちろん、異存があろうはずがない。俺は、昔と同じように、狩りを続け、そして、塒《ねぐら》に帰って、愛するアッフェンターラー*を友と一緒にゆっくりと開けるというわけだ……」

そのとき、入口の扉がガタガタと揺れた。ギデオンは話を止め、耳をそばだてた。

「風の仕業だ」私はギデオンに言った。

「いや、そうじゃない。爪で擦る音が聞こえないか？　これは犬だ。リーヴェルレ、おまえだな。扉を開けろ！　それとも、ブリッツ、おまえか？」ギデオンが立ち上がり様にそう叫び、扉に向かった。が、一歩踏み出したところですでに、見事なグレートデンが一直線にギデオンに向かっていた。そして、ギデオンの両肩に前足を掛け、赤い舌を伸ばして、ギデオンの髭や頬を舐めまくった。小さな甘えた声を忙《せわ》しなくあげながら。

いっぽう、ギデオンは犬の首に腕を回し、振り返りながら私に言った。

「フリッツ、誰がこれほど俺を愛してくれよう？　こいつの顔を見ろ。このつぶらな瞳は？　そして、この頑丈な歯はどうだ？」

ギデオンは犬の唇をめくり、水牛でさえ引きちぎりそうな牙を私に見せて、称賛を求めた。それから、再び顔中を舐めはじめた犬をなんとか引き離した。

「よしよし、リーヴェルレ、おとなしくするのだ。おまえが俺を愛してくれるのはわかっておるぞ。だいいち、おまえ以外の誰がこれほど俺を愛してくれるというのだ。そうだろう？」

それから、ギデオンは扉を閉めにいった。

私はそれまでこのリーヴェルレほど堂々たる体軀の立派な犬を見たことがなかった。体高は二ピエ半に達するだろう。実に見事な大型犬だ。平らな広い額に美しい毛並み、引き締まった身体に生き生きとした眼差し。そして、すらりと伸びた脚。細身で胴長の体形だが、肩と腰はいかにも頑丈そうだ。

ギデオンは席に戻ってくると、自慢げにリーヴェルレの頭を撫で、愛犬の長所を並べ立てた。

リーヴェルレも自分が褒められていることがわかるようだった。

「いいか、フリッツ、こいつは狼さえ一噛みで息の根を止めることができるのだ。気力と体力が完璧にかみ合った犬だ。まだ五歳にもなっていない。今が最も力が漲《みなぎ》っている時期だ。言う間でもないと思うが、グレートデンは猪狩りの狩猟犬として調教されている。だから、狩りに行く度に、猪の群れに遭遇すると、俺はこいつのことが心配になる。なんとなれば、リーヴェルレは猪突猛進するからだ。まさに矢のように獲物に向かって突進する。その結果、思わぬ反撃を受けることもある。俺はそれがいつも心配でならぬのだ。リーヴェルレ、横になれ」ギデオンが犬に向かって言った。「仰向けになるのだ」

犬は主人に言われたとおり、ごろりと横になると、私たちに肉の色が見える脇腹を見せた。

アッフェンターラー　ワインの銘柄。

「見えるか、フリッツ、この腿の付け根から胸にかけて走る白い筋が？　猪にやられたのだ。リーヴェルレはそれでも猪の耳を噛んで離そうとはしなかった。俺たちは血の跡を辿っていった。そして、真っ先に俺が見つけたのだ。リーヴェルレが地面に倒れているのを！　俺は絶叫した。すぐに駆け寄り、リーヴェルレを抱き上げ、外套で包み、ここまで連れてきた。俺はもうこいつの命を助けるのに必死だった。幸い、腸《はらわた》はやられていなかったので、裂けたこいつの腹を縫ってやった。だが、そのときのこいつの苦しみようと言ったら……。俺が縫っている間、ずっと悲鳴をあげておったわ。それでも、三日も経ったら、自分で傷口を舐めはじめた。その姿を見て俺は安心した。自ら傷を舐められるようになれば助かったも同然だからだな。そうだろう、リーヴェルレ？　あのときのことを覚えているか？そういうわけで、俺たちは気が合っているのだ。違うか？」

私はギデオンとリーヴェルレが見せる犬と飼い主との深い絆に心を打たれた。ギデオンとリーヴェルレの間には魂の交流がある。リーヴェルレは嬉しそうに尻尾を振り、ギデオンは目に涙を溜めていた。

ギデオンがまた口を開いた。

「それにしても、なんという力だ！　想像できるか、フリッツ？　こいつは俺に会いたくて、六本の麻糸で撚った綱を振り切ったのだぞ。そして、俺の跡を見つけ出した！　さあ、リーヴェルレ、受け取れ！」

ギデオンが小鹿の腿肉の残りを犬に向かって投げた。すぐさま、リーヴェルレはガツンと凄まじい音を立てて、小鹿の骨を咥える。ギデオンは私を見て、ニヤニヤしながら言った。

「フリッツ、こいつがおまえの半ズボンの尻当てを噛んだら、おまえはもう先へは進めないさ。もっとも、そうなったら俺も同じだがな！」

リーヴェルレは小鹿の骨を咥えたまま、暖炉の下まで行って、寝そべった。骨ばった背中を伸ばし、前足で小鹿の腿を摑む。それから、やおら細かく噛み砕きはじめた。その様子をギデオンが満足そうに横目で見ている。骨が丈夫な牙で砕かれていく。どうやらリーヴェルレは骨髄が好きらしい！

「おい！」ギデオンが私に顔を向けて言った。「もし、おまえにあの骨を取り返して来いと言ったら、どうする？」

「うーむ、それはかなり厳《きび》しい任務になるだろうなぁ」

そこで、私たちは腹の底から笑い合った。ギデオンは、赤い革の肘掛椅子に深々と座り、左腕を背凭れに預け、片足を足台に乗せ、もう片方の足は炎に包まれパチパチと音を立てる薪の前に突き出した。そうしてパイプを吸うと、天井に向けて吐き出した。青白い煙が小さく渦を描きながら立ち昇った。

いっぽう、私はじっとリーヴェルレの様子を観察していたが、急に、さっきのギデオンの話が中断されたままであることを思い出した。

「ところで、親父さん」私はギデオンに水を向けた。「話はまだ終わっていないよ。親父さんが森を離れて、この城に移ってきたのは、小母さんが亡くなったからじゃないのか？　小母さんは実に律儀で立派な女性だった」

ギデオンが眉間に皺《しわ》を寄せた。すでに目に涙が滲んでいる。ゆっくりと身体を起こすと、親指の爪の上でパイプを揺すり、灰を均した。そして、呟《つぶや》くように言った。

「まあ、そういうことだ。ゲルトルートは死んで、俺はラ・ロッシュ＝クルーズの谷を涙なくして眺めることができなくなった……。だから、森を去るしかなかった。そして、ここで翼を広げることにしたのだ。以来、森の中で狩りをすることは少なくなった。今では、森を高みから眺めるが、たとえ、猟犬の群れがその辺りにいるのを見かけても、俺は追いかけない。来た道を引き返す……。他のことを考えるようにしながら」

ギデオンの表情が曇った。俯いて、床の大きな敷石を見ている。暗い表情のまま……。私はギデオンに悲しい出来事を思い出させてしまったことを後悔した。そして、ふと、雪の中に膝を抱えて蹲《うずくま》っていた疫病神の姿を思い出し、思わず悪寒が走った。

それにしても、しくじった。自分の不用意な一言が重苦しい沈黙を招くことになってしまった。ギデオンはもの思いに耽り、いっぽう、私はさまざまな思い出が何の脈絡もなく、次々と脳裏に蘇ってくるのだった。

それから、どのくらい沈黙が続いただろう？　突然、遠雷のような低い唸り声が聞こえ、私はぞくっとした。

ギデオンも我に返ったように、犬を見た。リーヴェルレは相変わらず、前足で半分ほど齧った骨を摑んでいるが、頭を上げ、耳をぴんと立て、目を光らせている。この沈黙の中で何か聞こえるのか、あるいは聴こうとしているのか、耳をそばだてている。すると、腰に沿って毛が逆立った。

私はギデオンと顔を見合わせた。ギデオンの顔から血の気が引いている。私も恐らく、同じだったろう。室内は何の音もしない。溜息さえ聞こえない。外も風が収まり、静けさを取り戻しつつある。そんな中、リーヴェルルレの腹の底から出てくるような低い唸り声だけが続いた。

ところが、そのリーヴェルルレがやおら立ち上がると、気味の悪い掠れた声を出して、壁に突進した。その音が天井に木霊する。まるで、稲妻が窓のガラスに落ちたかのように。

リーヴェルルレは頭を低くして、花崗岩の岩を透視しているようだった。唇を思い切り反り返らせ、雪のような真っ白な歯を剝いた。相変わらず、低い唸り声をあげているが、時々、唸るのを止め、鼻面を壁にこすりつける。そして、壁に向かって思い切り息を吹きかける。それから、怒り狂ったように後ろ足で立ち上がると、前足の爪で壁を引掻く。

私たちは呆気に取られ、リーヴェルルレの異様な振る舞いをただ見ているしかなかった。

リーヴェルルレが何かに憑りつかれたように吠えた。さらにもう一声、もっと錯乱したような叫び声をあげたときは、さすがに私たちも我慢できなくなった。

「リーヴェルルレ！」ギデオンが愛犬に飛び付いて、言った。「どうした？　気でも触れたか？」

それから、薪を一つ手にすると、岩そのもののような真っ平で分厚い壁をあちこち叩きはじめた。しかし、どこにも空洞らしきものはない。それにもかかわらず、犬は何かを嗅ぎつけたように壁を睨みつけている。

「リーヴェルルレ、おまえは悪い夢を見ているのだよ」ギデオンが愛犬に話しかける。「さあ、もうおとなしく寝てくれ。これ以上俺を怒らせるな」

そのときだ。外で音がした。と思ったら、入口の扉が開いて、丸々としたトビー・オッフェンロッホが姿を現した。片方の手で丸い角燈を掲げ、もう片方の手には杖が握られている。三角帽子を襟首にぶら下げた執事が、満面の笑顔で立っていた。

「今晩は、御二方！　そんなところで、何をしておいでか？」

「こいつが、リーヴェルレが急に騒ぎ出したのよ！」ギデオンが答える。「この壁に向かって、全身の毛を逆立て、敵意をむき出しにしたのだ。あんたに心当たりはないか？」

「もちろん、ありますとも！　おおかた、私が階段を上るときに、この義足が立てるコツコツという音を聞いたのでしょう」オッフェンロッホが笑いながら言った。

　それから、中に入ってくると、手にした角燈をテーブルの上に置いた。

「ですから、ギデオンの親方、いい加減、犬を繋いでくださいよ。だいたい犬たちを甘やかしすぎですぞ！　そのうち、あんたの行儀の悪い犬たちのせいで、私ら使用人がお払い箱にされるでしょうよ。ついさっきも、歩廊でブリッツに出くわしたら、私の足に飛びかかって来ましたよ。ほら、まだ歯の跡が残っている。全く、新しいのに取り換えたばかりだというのに！　性悪の犬めが！」

「犬を繋ぐだと！　ふん、くだらない！　そんなことをしたら、人に懐かなくなってしまうわ。それに、リーヴェルレは繋がれていたのだ。見てみろ。首に綱の一部が残っているだろう」

「いや、別に私が困るから言っているのではありませんよ。あんたの犬どもが近づいてきたら、私は杖を振り上げ、この義足で蹴りを入れて、追い払ってやりますから。私は規律を守るために言っているのですよ。いいですか、親方。犬がいるべきは犬小屋です。猫は屋根の上、そして、人間は城の中と居場所が決まっているのです！」

そう言いながら、オッフェンロッホは椅子に腰を下ろした。テーブルに両肘をつき、愉快そうに目を輝かせ、まるで打ち明け話でもするように、声をひそめて言った。

「実は、今夜、私は単身でして」

「ほう……」

「ええ、マリー・ラグットがゲルトルートと一緒にお館様のご寝所の控えの間で寝ずの番をしますのでな」

「つまり、急いで部屋に戻る必要がないのだな？」

「ありません！　全く、ありません！」

「だが、残念なことに、あんたは来るのが遅すぎた」ギデオンが言った。「ワインは俺たちが全部飲んじまったよ！」

執事ががっかりした顔をしたので、私は何だか気の毒になった。独身の夜を思う存分楽しみたかっただろうに……。いっぽう、私は我慢しきれず、とうとう大きな欠伸をしてしまった。

「では、お楽しみはまたの機会としましょう」執事が立ちながら言った。「延期であって中止ではありませんよ！」

それから、テーブルの角燈を取った。

「では、御二方、お休みなさい」

「おい、ちょっと待ってくれ」ギデオンが声をかけた。「フリッツが眠そうだ。俺も一緒に引き揚げるとしよう」

「喜んで。途中で、トランプに声をかけていきましょう。我らがソムリエは他の連中と下にいます。クナップヴルストの話を聴いているところですよ」

「ああ、そうしよう。では、フリッツ、お休み」

「ああ、お休み、親父さん。でも、もし、伯爵の具合が悪くなったら、すぐに私を呼びに来てくれ」

「心配するな。リーヴェルレ、来い！」

二人は出ていった。二人が幕壁を戻っている頃、ニデック城の時計が十一時を告げた。

私はもう疲れてへとへとだった。

Ⅳ

遠くから狩猟ラッパの音が聞こえる。私は花崗岩をくり抜いた窮屈なアルコーブで目を覚ました。早朝の光が主塔の唯一の窓を青く染めている。

明け方、風がそよとも吹かず、微かな小鳥のさえずりさえ聞こえない静寂に包まれた中で聞くこの楽器の響きほどもの悲しいものはない。とりわけ、長く伸びる最後の音は広大な平野の隅々に行き渡り、遙か彼方の山々に木霊して、偉大な詩のように、人の心を震わせる。

熊の毛皮の掛け物に肘をついて、私は封建時代を彷彿させる狩猟ラッパの嘆くような調べに聴き入った。そして、かつて狼ヒューグの住処であったこの部屋をあらためて眺めてみた。天井が低く、薄暗い窮屈な空間。寝所から少し離れたところに見える小さなステンドグラスの窓。横長の半円形のその窓は壁に奥深く嵌めこまれている。私は殺伐とした気持ちになった。

そこで、気持ちを切り替えるつもりで、寝床から起き出した。そして、そのステンドグラスの窓を思い切り開けた。

すると、息を飲む絶景が現れた。この光景はとても言葉では言い尽くせない。恐らく、オートザルプに棲む鷲だけが、毎朝、日の出と共にこの雄大な光景を眼下に眺めながら飛んでいるのだろう。山、山、そして、また山……。山々が波のように連なり、遙か遠くの霧に包まれたヴォージュ山脈へと続いている。広大な森、ところどころに見える湖、さらに、すっぽりと雪に覆われた谷間は青みを帯び、切り立った山の頂《いただき》は朝日に輝いている。そして、その向こうには、無限の世界が広がっていた！

この素晴らしい眺望を前にした歓喜をどう表現すればいいのだろう！

私はしばらくの間、壮大な景色に圧倒された。目を凝らすと、細部の光景が見えてくる。小さな集落や畑や農場が窪地から覗いている。ただ目の前の景色を眺めているだけで、そうした村々での人間の営みが目に入ってくるのだった。

そうやって、十五分も絶景を堪能していただろうか。誰かがそっと肩に手を置いた。振り向くと、穏やかな笑顔を浮かべたギデオンがいた。

「おはよう《グーテンターク》、フリッツ！」

それから、私の隣で、石の上に肘をついてパイプを深く吸った。そして、無限の空間に手を伸ばしながら、言った。

「フリッツ、よく見てみろ……。おまえはこの景色が好きだろう。おまえもシュヴァルツヴァルトで生まれ育ったのだからな！　ほら、あそこを見てみろ。ラ・ロッシュ－クルーズだ。わかるか？　ゲルトルートを思い出すだろう？　ああ、今となっては全てが遠い昔のことだが！」

ギデオンが涙を拭った。親父さんに何を言えばいいだろう？　私は途方に暮れた。

それでも、私たちは雄大な景色に圧倒され、交わす言葉も少なく、感動に浸っていた。その間、私が地平線の一点を見つめているのに気づいたのか、ギデオンが口を開いた。

「あれはヴァルト－ホルン！　そっちはティフェンタールだ。そして、あそこに見えるのがシュタインバッハの急流だ。今は氷柱《つらら》がぶら下がっているだけだが……。まあ、冬の冷たい外套を纏っているといったところだ。そして、その向こうに見える小道がフライブルクに続く道だ。だが、おまえがこれから二週間以内にフライブルクに戻るのは難しいだろうな」

そうやって時々、ギデオンの説明に耳を傾けながら、三十分以上が過ぎた。

私は目の前で繰り広げられる情景にすっかり心を奪われた。扇型の尾と切り込みのついた羽を持った猛禽類が数羽、主塔の上空を旋回する。その猛禽類の爪の餌食にならないように、さらにその上を鷺《さぎ》たちが飛行する。

その他には何もない。雲一つないのだ。そして、地面は雪に覆われ、一面真っ白だ。そこへ、また狩猟ラッパが鳴った。山に向かって最後の挨拶でもするように。

「ああやって、ゼーバルトは泣いているのだ。犬と馬のことなら奴は何でも知っている。しかも、ドイツで一番の狩猟ラッパ吹きだ。どうだ、フリッツ、なんとも心に沁みる音ではないか……！　可哀そうに、ゼーバルトは伯爵が病に取りつかれてから、すっかり気落ちしているのよ。もはや、かつてのように狩りに出ることもない。だから、唯一の慰めが、ああやって、毎朝、日の出と共にアルテンベルクの山に登り、伯爵がお好きな曲を吹いているのだ。そうすれば、伯爵のご病気が治るのではないかと思いながら」

ギデオンは美しいものを愛でる術を知っている男だった。だから、私に好きなだけヒューグ塔からの眺めを堪能させてくれたが、陽の光が眩《まぶ》しくなってきて、思わず塔の日陰に目を転じたとき、「フリッツ」と声をかけてきた。「上手くいった。昨夜、伯爵の発作は起きなかった」

その言葉に私は現実に引き戻された。

「おお、それは何よりだ！」

「フリッツ、おまえのお陰だ」

「何を言うのだ、親父さん！　私はまだ何もしていないじゃないか。薬さえ処方していないよ」

「いや、おまえがいてくれたからだ」

「からかわないでくれよ、親父さん。治療するのが医者の仕事なのだ。いるだけでは何の役にも立たないよ」

「おまえは伯爵に幸運をもたらしたのだ」

私は思わず、まじまじとギデオンの顔を見た。ギデオンは真顔だった。

「そうなのだ」ギデオンは真剣な表情で言った。「おまえが幸運の使者であることは間違いない、フリッツ。これまでは伯爵が一回目の発作に見舞われると、翌日には二回目の発作が起きた。そして、その翌日には三回目、さらに翌々日には四回目と続けざまに発作に襲われたものだ。しかし、昨夜は二回目の発作は起きなかった。おまえが二回目を阻止したのだ。悪を食い止めた。絶対に間違いない！」

「過信は禁物だよ、親父さん。発作がなかったからと言って、治ったとは思えない。私はむしろ、この病はなかなか厄介だと考えている」

「人間、いくつになっても学びがある」ギデオンが続ける。「世の中には幸運を運んでくる人間と不幸をもたらす人間がいるのだ。例えば、あの胡散臭いクナップヴルストは、俺にとっては、不幸の使者だ。狩りに出かける前にあいつとすれ違うと、必ず何か良くないことが起こる。獲物を仕留めそこなったり、転んだり、猟犬が猪に腹を噛みつかれたり……、とにかく不運に見舞われるのだ。だから、狩りに出るときは、朝早く、あいつが目を覚ます前、まだ大山猫のようにぐっすり眠っているうちに出発するようにしておる。さもなければ、城の隠し戸からこっそり出ていくのだ。わかるか、この俺の苦労が？」

「もちろん、わかるとも。とは言え、親父さん、その考え方はちょっと変じゃないか？」

「よいか、フリッツ」ギデオンは私の言葉などお構いなしに話し続ける。「おまえは、勇敢で立派な大人になった。天はおまえにたくさんの恩恵を授けたのじゃ。おまえの顔を見ればわかる。その真っ直ぐな眼差し、善良さの滲み出る笑顔、おまえの朗らかな表情を見ているだけで、幸せな気持ちになってくる。だから、おまえは人々に幸運をもたらす使者だと言ったのだ。俺はずっとそう言ってきたぞ。その証拠に……、知りたいか、フリッツ？」

「もちろんだよ。自分では気づかないが、そんな長所があるというなら、知りたいよ」

「よろしい！」ギデオンが私の手首を摑んで、言った。「あそこを見よ！」

ギデオンは城からカービン銃の射程距離の倍ほど離れたところにある丘陵を指差した。

「雪に覆われ、左側に茂みがある岩山だ。あれが見えるか？」

「ああ、よく見える」

「岩山の周りに何か見えるか？」

「何も見えない」

「そうだ、何も見えないだろう！　おまえは見事にあの疫病神を追い払ってくれたのだ。毎年、伯爵が二回目の発作に襲われるときには、決まってあそこにあの老婆の姿があったものだ。両手で膝を抱えて蹲っている疫病神の姿が……。あの女は夜になると火を起こし、暖を取る。同時に草の根も煮ておった。そうやって伯爵に呪いをかけていたに違いないのだ。今朝、俺はまず、ここまで上ってきた。それから塔の天辺の見張り塔まで行って、あそこを眺めてみたのだ。すると、どうだ！　あの性悪の老婆の姿が消えている！　見間違えじゃないかと思って、よおく目をこすってもう一度見てみた。左から右、上から下、さらに平野から山頂まで、目を皿のようにして見てみた。やはり、誰もいない！　疫病神の奴、おまえが城にいることがわかったのだろう。そうだ。そうに違いない！」

それから、ギデオンは感極まって私を抱き締め、喜びがほとばしるように歓声をあげた。

「おお、フリッツ、可愛い倅よ、ここにおまえを連れて来られるとは何たる幸運！　疫病神の奴、今頃、地団駄踏んでいるだろうよ……。はははは！」

正直なところ、そこまで褒められるとなんとも居心地が悪かった。自分にそんな取り柄があるとは思ってもいなかったからだ。

「では伯爵は、昨晩、よく眠れたのだな？」

「ああ、ぐっすりとお休みになられたとも！」

「それは何よりだ。とにかく私は最善を尽くす。では、これから伯爵の寝所に行こう」

私たちは再び城とヒューグ塔をつなぐ幕壁を通った。城塞が驚くほど高い建造物であることが昨夜よりもよくわかった。谷底から岩山の頂上に向かって一直線にそそり立っているのだ。まさに断崖絶壁に作られた階段状の建物だった。

下を覗いていると、目が回り、思わず幕壁の真ん中まで後退った。それから慌ててギデオンの後を追って廻廊に入り、伯爵のいる居城に向かった。

広い廻廊を急いでいると、大きな扉が開いている部屋があった。中を覗いてみると、二股梯子の天辺に小さな男が座っている。昨夜、到着早々、その異様な容貌に驚かされたせむしのクナップヴルストだ。

しかし、私は何より、部屋そのものに興味を引かれた。ここにニデック城の代々の古文書が集められているのか。天井が高く薄暗い、埃っぽいこの部屋に……。丸天井はゴシック様式の窓で、長さは寄木の床上二メートルにまで至る大きな窓だ。

恐らく修道士たちの手によるものだろう。幅広い棚は書物で埋め尽くされている。気がつくと、私はすでに書庫の中に入っていた。爵位に関するもの、ニデック一族の家系図と所領の証書や姻戚関係を記したもの、あるいは、ドイツの由緒ある名家との歴史的な関わりを示す資料もある。それだけではない。シュヴァルツヴァルトの年代記に書簡集、中世のミンネジンガー＊の歌集もある。さらに、かのグーテンベルク＊印刷所とフスト＊印刷所で印刷された二つ折りの大型本まであった。版元といい時代がかった装丁といい、いかに希少な書物であるか想像できる。冷やかな灰色がかった壁を丸天井の影が覆っている。そこには中世の修道院の内庭廻廊の面影が漂っていた。そんな中で、縁なし帽子を目深に被ったあの小男が梯子の一番上に腰を下ろし、外反膝《がいはんしつ》の上に乗せた真っ赤な分厚い書物に目を落としている。灰色の瞳にひしゃげた鼻、そして、何事か呟いているのか、引き攣った唇……。肩幅は広いが、手足はか細く、そして、背中が丸い。そんな風貌の彼はいかにも、ニデック城の学問の最後の砦の主《ぬし》にふさわしく見えた。あるいは、ギデオンが言ったように、古文書に仕える下僕、または書架を移動する鼠のようにも見えた。

　しかし、なんと言っても、この古文書で溢れた部屋に文字通り歴史の重みを与えているのは、歴代の当主とその妻の肖像画だろう。古めかしい図書室の一角に、狼ヒューグと呼ばれたニデック一族の始祖ヒューグから現在の当主イェリ＝ハンスまでの男女の肖像画が全て展示されているのだ。昔の肖

ミンネジンガー　中世ドイツの騎士階級の吟遊詩人。

グーテンベルク　一四〇〇？―六八？　ドイツの技術者。活版印刷の祖とされる。一四五〇年頃にマインツで印刷所を開業。

フスト　一四〇〇―六六　ドイツの印刷業者。グーテンベルクの印刷所に出資したが、返済を巡り決別後、グーテンベルクの弟子シェファーと印刷所を開業。

像画は素人が描いたのか、まるで下絵のように単純な表現だが、次第に垢抜けた洗練されたものになり、今日の有名画家に描かせたものもあった。

私は当然、古文書よりこちらの方に興味を抱いた。

ヒューグ一世は森の曲がり角で人間を睨みつける狼のような目で私を見ている。禿げ上がった頭、血走った灰色の瞳。顔の下半分は赤髭に覆われている。そして、大きくて毛深い耳。その風貌にはいかにも狂暴で残忍な雰囲気が漂っており、私は背中が寒くなった。

彼の肖像画の近くには、まるで猛獣の傍にいる子羊のように、若い女性の肖像画が飾られている。優しそうな、それでいて、愁いが漂う瞳に広い額。胸の辺りで組んだ手には祈禱書が握られている。金色の豊かな髪の毛は絹のような光沢を放ち、青白い顔を光輪のように取り巻いていた。この女性がオディール嬢に実によく似ていることに私は驚いた。

そして、板の上に粗削りで単純な輪郭を使って描かれた、この素朴で愛らしい肖像画にすっかり魅了された。

それで、しばし、その肖像画を眺めていたが、その隣にもう一人の女性の肖像画があることに気づいた。驚いたことに、そちらは目の前の可憐な女性とは正反対の、野蛮な西ゴート族を彷彿させる容貌だった。横に広がった顔に狭い額、黄ばんだ瞳に突き出た頬骨。髪は赤毛で鷲鼻だ。

「この女性こそ狼ヒューグにふさわしい!」私は思わず、心の中で呟いた。

それから、女性の衣装に目をやった。まさに闘争的な顔に合わせるように、鉄の胴鎧を着用し、剣闘士用の剣で右手を支えている。

肖像画に描かれた三人三様の容貌を前に、私はなんとも言えない複雑な感情を抱いた。右から左、左から右へと視線を動かし、三つの肖像画を見比べながらあれこれ考えを巡らせ、その場から離れることができなかった。

いっぽう、ギデオンは図書室の入口に留まっていたが、急に、鋭く口笛を吹いた。すると、クナップヴルストが梯子の天辺から、目だけを動かして、ギデオンを見た。

「俺を呼んでいるのか？　そうやって、犬でも呼ぶように」

「おお、そうとも、天邪鬼《あまのじゃく》の鼠よ。おまえに敬意を表するためさ」

「よく聞くがいい」クナップヴルストがあからさまに見下した口調で言った。「あんたがどれほど唾を吐こうと、俺の短靴まで届かない。できやしないんだ」

「だったら、その梯子を登ってやろうか？」

「そうしたら、あんたの頭をこの本で叩きのめすまでだよ」

すると、ギデオンは腹を抱えて笑い出した。

「まあ、そう怒るな。おまえを苛《いじ》めるつもりなどこれっぽっちもないのだから。むしろ、俺はおまえの博識を尊敬しておるのよ。それはそうと、朝早くから、ランプまで持って、そこで何をしているのだ？　まさかここで一晩過ごしたのではあるまいな？」

「いや、そのまさかだ。ここで一晩中、書物を読んでいた」

「つまり、昼間の時間では不十分だというのか？」

「そのとおりだ。俺は極めて重大な疑問の答えを探しているところだ」

「なんと！　それで、その重大な疑問とは？」

「ルートヴィヒ・ド・ニデック様はどういう経緯で、チューリンゲンの森で我が祖父、小人のオットーに出会ったのか知りたいのだ。オットーは一クデ*の身長しかなかった。つまり、一ピエ半だ。祖父の博識に多くの人々が魅了されたという。祖父は、大変名誉なことに、ロドルフ公爵の戴冠式にも参列した。記録によれば、ルートヴィヒ伯爵は祝宴を開いた折、飾り羽を全て添えた孔雀の丸焼きの中に祖父を隠したことがあったらしい。当時、嘴《くちばし》と足を金銀に塗られた孔雀の丸焼きと言えば、子豚の丸焼きと同じぐらい、称賛されたご馳走だったのだが、祝宴の間、祖父は孔雀の尾を広げた。祝宴に招かれた領主や宮廷人や貴婦人のお歴々はその仕掛けに大そう驚かれた。やがて、祖父は剣を握り、孔雀の中から出て来て、大声で言った。『ロドルフ公爵に栄えあれ！』その言葉は祝宴の広間にさざ波のように広がっていったと、ベルンハルト・ヘルツォークは書いているのだが、その小人の出自については触れていない。高貴な一族の出身なのか、はたまた下層階級の出なのかはっきりしない。もっとも、身分の低い民にこれほどの才覚があるとは思えないがな」

　私はこんな小さな男がそこまで強烈な自尊心を抱いていることに驚いた。同時に、この古文書の虫のような男に強い好奇心を掻きたてられた。ひょっとしたら、この男なら、ヒューグ一世の肖像画の右側に飾られていた二人の女性について何か知っているかもしれない。

「クナップヴルスト殿、一つ教えていただきたいことがあるのです」私は敬意を込めて尋ねた。

　それに気を良くしたのか、クナップヴルストが答えた。

「何なりと。ニデック城の年代記に関することであれば、何でもお答えできますとも。それ以外のことなら、俺の興味の対象外ですがね」

「この部屋の一角に飾られている肖像画についてお尋ねしたい。ヒューグ伯の右側にいる二人の女性は誰ですか？」

「おお！」クナップヴルストの表情がぱっと明るくなった。「あれはヒューグ伯の二人の奥方、エドヴィジュとフルディネです！」

それから、膝に抱えていた本を書棚に戻し、私と話をするために、瞳を輝かせながら、梯子から下りてきた。自尊心が満たされた喜びが小さな男の全身から漲っている。自分の知識を披露できることが嬉しくてしかたないのだ。

私の傍までやってくると、クナップヴルストは深々と頭を下げた。ギデオンは私たちの後ろにいる。このニデック城の博識の小人を私に引き合わせたことが嬉しいらしく、満足気な表情だ。ギデオンに言わせれば、不幸にして見た目は不細工だが、クナップヴルストの豊富な知識には常に一目置いているという。

「では、ご説明しましょう」黄ばんだ長い手で肖像画を示しながら、クナップヴルストが解説を始めた。「ニデック一族の始祖、ヒューグ・フォン・ニデックは西暦八三二年、エドヴィジュ・ド・ルッツェルブールと結婚します。このとき、エドヴィジュは持参金として、オバール伯領とジョルマニ伯領、さらにジェロルデック城とトイフェルス・フェルナー城等々をヒューグ伯にもたらしました。し

クデ　約五十センチ。

かし、二人の間に子供が生まれないまま、八三七年、エドヴィジュは若くして亡くなってしまいます。そうなると、妻の持参金は全て実家に返さなければならないのですが、狼ヒューグはこれを拒絶。その結果、義理の弟たちとの間で激しい戦いが始まりました。そのとき、鉄の胴鎧を着けたフルディネが現れ、言わば参謀役として、ヒューグ伯に加勢したのです。フルディネはとても勇敢な女性でしたが、その出自はわかっていません。しかし、フランツ・ド・ルッツェルブールに囚われたヒューグ伯を助け出すのにそんなことは問題ではない。ヒューグ伯は囚われたその日に絞首刑にされるはずでした。フルディネがヒューグ伯の臣下たちを引き連れて、先頭に立って、隠し戸からフランツの城内に突入したとき、まさに処刑が始まろうとしていました。しかし、フルディネはヒューグ伯を奪還し、伯の代わりにフランツを絞首刑にしました。その後、ヒューグ伯は八四二年、このフルディネと再婚し、三人の子供に恵まれたというわけです」

「なるほど」私はクナップヴルストの話にすっかり引きこまれた。「では、ニデックの子孫は最初の奥方であるエドヴィジュとは全く関係がないのですね？」

「ありません」

「確かですか？」

「確かです。何ならニデック一族の家系図をお見せしましょうか？　エドヴィジュは子供ができなかったのです。いっぽう、二番目の妻フルディネは三人の子供を産みました」

「それは驚きだ！」

「というと？」

「オディール様は顔形がエドヴィジュに似ていませんか……？」

「顔形が似ている⁉　おやおや！」クナップヴルストが甲高い声で嗤《わら》った。「あの大きなグレーハウンドの隣にある古い柘植の木の嗅ぎ煙草入れが見えますか？　俺の曽祖父のハンス・ヴァストが描かれています。よく見てください。とんがり鼻で顎がしゃくれている。いっぽう、俺の鼻はひしゃげているが、顎の形は整っている。そういうわけで俺の顔の作りはハンス・ヴァストのそれとは似ても似つかない。じゃあ、俺はハンス・ヴァストの曾孫とは言えないでしょうか？」

「いや、そんなことは断じてありません」

「だとすれば、ニデックの子孫についても同じことが言えるのではありませんか？　エドヴィジュの面影がどこかにあるかもしれない。それは否定しません。しかし、母方の始祖はフルディネなのです。ほら、このとおり、家系図をご覧になってくださいよ、先生！」

私は図書室を後にした。その後、クナップヴルストと私は生涯の友となった。

V

「誰がなんと言おうと、あの二人は似ている」私は心の中で呟いた。「あれは偶然にすぎないと言うのか？　だが、偶然とは何だ？　人間が説明できない事象を偶然と呼んでいるだけではないか？　二人があれほど似ているのにはきっと理由があるはずだ！」

私は下を向いて、あれこれ考えながら、再び廻廊を歩みはじめたギデオンの後をついていった。肖像画に描かれた無垢で純情な面差しが頭の中で次第にニデック城の若き女伯爵オディール嬢の顔に重なっていく。

と、突然、ギデオンが立ち止まった。顔を上げてみると、私たちはすでに伯爵の居室の前にいた。

「フリッツ、中に入れ」ギデオンが言った。「俺は犬たちに餌をやってくる。城の主がいないと、使用人が怠けるのでな。しばらくしたら、おまえを迎えに来る」

私は伯爵よりもオディール嬢にまた会えることが嬉しかった。もちろん、そんな自分を責めた。しかし、好意は抑えられるようなものではない。部屋に入ると、仄暗いアルコーブで、寝台に肘をついて身体を起こしている伯爵の姿が見えたので、私は驚いた。こちらを見る眼差しにも力が感じられる。ここまで生気を取り戻しているとは想定していなかった。

「こちらへ」伯爵は私に手を差し出しながら、か細いとはいえ、しっかりした声で言った。「私の狩りの友シュパーヴァーから貴方の話はよく聞いている。かねがねお目にかかりたいと思っていた」

「このまま順調に快復されるものと思われます」私はまず、そう言った。「ですから、もう少しの辛抱です。発作はそろそろ終わるはずです」

「そう願いたいものだ」伯爵が答える。「私は死期が迫っているような気がしてならない」

「いいえ、そのようなことはありません、閣下」

「いや、人間は自分の最期がわかる。予感というやつだ。そして、それは自然から与えられた最後の恩恵なのだ」

「医者として、そのような予感が外れるのをこれまで何度も見てきました」

伯爵は食い入るようにじっと私を見ている。自分の病状に疑いを抱く患者は必ず、そうやって主治医を無言で問い詰めるものだ。医者にとっては厳しい瞬間だ。患者のその後の士気は、このときの医者の態度にかかっているからだ。患者は医者の意識の底まで見通そうとする。もし、主治医が死期が近いと考えていると見抜いたら、万事休すだ。患者は生きようという気力を失い、病が優勢となってしまう。

だから、私は伯爵の無言の尋問に怯《ひる》まずに向き合った。すると、伯爵は次第に安心したような表情になった。あらためてしっかりと私の手を握ると、今度は落ち着いた態度で、私に診察を任せてくれた。

そのときになって初めて、私はアルコーブの奥にオディール嬢と、恐らくオディール嬢の家庭教師だろう、年配の婦人がいることに気づいた。

二人とも私に向かって軽く会釈をした。

一瞬、図書室の肖像画が頭の中に浮かんだ。

「あそこにいるのは、まさに狼ヒューグの最初の妻ではないか！」私は思わず、心の中で叫んだ。「あの広い額、長い睫毛、そして、なんとも言えない哀愁の漂う微笑み……。いずれもあの肖像画の女性にあったもの。生きる歓喜や幸せなどは微塵もなかった。あの女性の微笑みには密かに抱えている苦悩や不安や悲痛な思いが透けて見えた。妻として、あるいは母として、女性はいつも微笑んでいなければならないのかもしれない。たとえ、心が締めつけられるようなときでも、あるいは、嗚咽を堪えているときでも……。そして、それが女性の役割だったのかもしれない。人として生きるための大いなる闘いにおいては！」

私はいつの間にか、そんなことを考えていた。が、伯爵の声で我に返った。

「もし、オディールが、私の愛する娘が、私の言うことを聞いてくれたら……。もし、娘が私の願いを叶えてくれたら……。いや、その希望だけでも与えてくれたなら、私は生きる力を取り戻せるだろう」

私はオディール嬢を見た。アルコーブの奥で、目を伏せ、祈りを捧げているように見える。

「そうすれば……」伯爵が続けた。「私は生き返ることができる。新しい家族に囲まれ、孫たちをこの胸に抱き、我ら一族の血統が絶えることがないと思えば、生気も戻って来よう」

穏やかで優しい伯爵の口調に、私は胸を打たれた。

しかし、伯爵令嬢は何も答えない。

やがて、伯爵は哀願するような眼差しをオディール嬢に向けて、再び口を開いた。

「オディール、なぜ、この父を幸せにしてくれないのだ？　ああ、なんと強情なのだろう！　私は希望を与えてくれと頼んでいるだけなのだ。婚姻の時期を定めているわけではない。おまえの意に反した相手を押しつけようとも思わぬ。私と一緒に宮廷に行ってくれればよいのだ。さすれば、名だたる若者が挙《こぞ》っておまえの前に現れるだろう。我が娘との結婚の承諾を得る果報者は誰になるのか？　それはおまえ次第なのだよ」

それから、伯爵は口を噤んだ。

こうした内輪の会話に部外者が居合わせることほど居心地の悪いものはない。さまざまな思惑と普段は内に秘めた感情が露にされる。込み入った状況に関わらないためには、この場を立ち去ることが一番なのだが、私は伯爵の主治医という立場上、そうすることができずにいた。

「お父様」ようやくオディール嬢が口を開いた。伯爵の懇願には触れずに、言った。「お父様のご病気は治りますわ。天は私たちから愛するお父様を奪うようなことはなさらないはずです。ああ、私がどれほどお父様の快復を祈っているかわかっていただければ！」

「おまえは私の問いに答えていない」伯爵が素っ気ない口調で言った。「つまり、おまえは私の意図を反故にしようというのだな？　しかし、そんなことはあってはいいはずがない。そうではないか？　なぜ、この私が、貧しい下々の者たちさえ手にできる幸せを奪われなければならないのだ？　私はおまえの感情を害するようなことを言ったか？　それとも、粗野で乱暴な振る舞いをしたか？」

「いいえ、お父様」

「では、なぜ、私の願いを拒むのだ？」

「私の心はすでに決まっております……。私は神にお仕えすると決めたのです！」

か弱い身でありながら、オディール嬢の態度は少しも揺るがない。私は全身に震えが走った。オディール嬢は、ヒューグ塔の私の部屋の岩壁に彫られた聖母マリア像のように、ひっそりと静かに、そして、毅然とアルコーブの奥にいる。

伯爵の目に怒りが走った。私は伯爵をこれ以上興奮させないために、オディール嬢に目配せをして、せめて伯爵に希望だけでも持たせるように示唆した。しかし、オディール嬢は私の合図に気づいた様子はない。

「なるほど」伯爵は声を詰まらせて言った。「では、おまえはこの父が息絶えるのが見たいのだな。おまえの一言が父を生き返らせることができるというのに、なぜ、その一言を言おうとしないのだ？」

「私たちの命は誰のものでもございません。神のものです」オディール嬢が答える。「私の一言ではどうにもなりません」

「耳に心地よい敬虔な格言だが」伯爵が苦々しい表情で言った。「あらゆる義務を免れるための口実にすぎない。しかし、おまえが片時も忘れない神はこうも言ってはいまいか？『汝の父と母を敬えと』」

「私はお父様を心から敬っておりますわ」オディール嬢が優しく言った。「ですが、私の義務は結婚することではございません」

私はそのとき、伯爵が歯ぎしりをする音を耳にした。しかし、見たところ、伯爵は冷静さを保っている。ところが、不意にオディール嬢に背を向けた。

「出ていけ」伯爵が突き放した声で言った。「おまえの顔など見たくない！」

私はこの父娘のやりとりに言葉を失っていたが、そんな私に向かって、伯爵が言った。

「先生」伯爵の顔には虚無的な笑みが浮かんでいる。「強力な毒をお持ちではないだろうか？　口にすれば、電光石火の如く効果を発揮する毒薬を処方することこそ、情けというもの……。どうぞ私の苦しみを察していただきたい！」

伯爵の顔は苦悩で歪み、血の気が失せていた。

オディール嬢は立ち上がり、部屋から出ていこうとする。

「いや、行くな！」伯爵が唸るように言った。「親不孝者のおまえを呪ってやる！」

それまで、私は父娘の諍《いさか》いには口を挟まず、自制していたが、ここに至ってそういうわけにもいかなくなった。

「閣下」私は思わず、声をあげた。「お言葉がすぎます。落ち着いてください！　お身体に障ります」

「ふん！　だから、何だと言うのだ？　この先も生きたところで何がある？　ああ、剣があれば、ひと思いに楽になれるものを！　どうか、死なせてくれ！」

伯爵は次第に激昂していった。やがて、怒りを抑えきれず、ついに拳を振り上げて、娘に向かっていこうとした。そのとき、オディール嬢は青ざめながらも落ち着いて、部屋の敷居に跪《ひざまず》いた。扉が開いていたので、私はオディール嬢の背後にギデオンが立っているのが見えた。顔を引き攣らせ、すっかり取り乱している。敏捷に足音も立てずにオディール嬢に近づくと、身体を傾け、囁《ささや》いた。

「お嬢様、どうぞお聞きください……。伯爵はご立派なお方です！　お嬢様はこう仰ればいいのです。『わかりました。いつか……そのうち』と」

それでも、オディール嬢は何も答えず、態度も変わらない。

その隙に私は阿片を数滴、伯爵の口の中に入れた。伯爵はすぐに崩れるように倒れた。大きく息を吐くと、すぐに深い眠りに落ちていった。荒い息づかいも次第に落ち着いた。

オディール嬢は、この間、一言も言葉を発しなかった老いた家庭教師と共に部屋から出ていった。私とギデオンは遠ざかる二人の後ろ姿を見送った。若い女伯爵の足取りにはある種の落ち着いた威厳のようなものが現れていた。まさに義務を果たした達成感を見ているようだった。

二人の姿が廊下から見えなくなったとき、ギデオンが私の方を向いた。

「やれやれ！」憂い顔で言う。「フリッツ、おまえはどう思う？」

私は返事の代わりに、下を向いた。オディール嬢の頑《かたく》なな態度に圧倒されていたのだ。

Ⅵ

ギデオンはひどく憤慨していた。

「貴族だから幸せとは限らない！」伯爵の寝室から出ながら、吐き出すように言った。「ニデックの領主となって、数々の城を我がものとし、周囲の森も池も所領におさめる。しかも、どれをとってもシュヴァルツヴァルトで最も美しいと言われる領地だ。ところが、若い娘がやって来て、こう言うのだから。『貴方はそうなさりたいの？　でも、私はしたくない！　私に願いごとがおありになるの？　それはどのようなこと？　いいえ、それはできませんわ！』ああ、何たることだ！　それだったら、樵《きこり》の倅に生まれて、おとなしく木を切っているほうがどれだけ幸せか！　そうは思わないか？　行こう、フリッツ。息が詰まりそうだ。俺は外の空気を吸いたい！」

私はギデオンに腕を摑まれ、廊下に連れ出された。

時刻は九時近かった。早朝良く晴れていた空が今や雲に覆われている。北風が窓のガラスに雪を叩きつける。周囲の山々の頂は霞んでほとんど見えなくなっていた。

正面入口に通じる階段を下りようとしたとき、廊下の曲がり角で執事のオッフェンロッホと鉢合わせした。堂々たる体格のニデック城の執事は息を切らしていた。

「ちょっと、お待ちなさい！」杖で私たちの行く手を塞ぐ。「そんなに急いで、どちらへ？　朝食はどうするおつもりで？」

「朝食？　何の話だ？」ギデオンが尋ねた。

「何の話だとは何です？　フリッツ医師とともに我々は昼食をすることになっていませんでしたか？」

「おお、そうだった！　すっかり忘れていた」

オッフェンロッホが耳まで裂けるかと思われるほど大口を開けて、大笑いした。

「あはは！　これは愉快！　てっきり、私が最後だと思っていましたが、さあ、二人とも急いでください。カスパーが上で待っていますよ。親方の部屋で食事の支度をするように言っておきました。その方が落ち着きますからね。では、先生、後ほど……」

執事が私に手を差し出した。

「あんたは一緒に行かないのか？」ギデオンが尋ねる。

「残念ながら……。私はオディール嬢のところに行くところです。ツィマー＝ブルデリック男爵が城を離れる前に、どうしてもご挨拶したいと仰るので、お伝えにいくのです」

「ツィマー男爵？」

「ええ、昨夜遅く到着された、あの異国の方ですよ」

「あの旅人か！　では、急がれよ」

「ご心配なく……。ワインを空ける頃に戻って来ますから」

執事は足を引きずりなら、去った。

〈朝食〉という言葉でギデオンの機嫌がすっかり良くなった。

「そうだとも！」来た道を引き返しながら、ギデオンが言った。「頭から嫌なことを追い払う最も手っ取り早い方法は、やはり一杯やることだ。俺の部屋に朝食を用意してくれるとはありがたい。武具室の天井は高い。その下で小さなテーブルを囲んで食事をすれば、まさに教会の片隅で胡桃を齧る二十日鼠のような気分になるだろう。さあ、フリッツ、着いたぞ。しばし、城壁の銃眼を吹き抜ける風の音を聞いてみろ。この様子では、三十分もしないうちに酷い吹雪となるだろう」

それから、ギデオンは武具室の入口の扉を押した。ガラス格子をコツコツと叩いていた少年カスパーは、満面の笑顔で私たちの前に現れた。艶のない金髪とひょろりと細い体つき、そして反り返った鼻が真っ先に目につく。ギデオンはこの少年を自分の雑用係として働かせているようだった。少年はギデオンの猟銃の手入れをし、ギデオンの馬の馬勒と腹帯を繕い、ギデオンが留守のときは主人に代わって猟犬たちに餌をやるという。そして、厨房にあっては、ギデオンの好みにあった料理を作るように目を光らせる。状況に応じて、必要とあらば、カスパーがギデオンの食事の給仕をするようだ。執事が伯爵の食事の世話をするように。まさに、そのカスパーが腕にナプキンを掛け、ライン川流域のワインの細長いフラスコの栓を恭しく開けようとしていた。

「カスパーよ」中に入るなり、ギデオンが少年に声をかけた。「おまえはいつも良い仕事をする。昨夜は実に美味であった。小鹿にライチョウにカワカマス、どれも堪能した。俺は公平な男だ。きちんと仕事をしたときは、言葉に出してきちんとほめる。今日も然りだ。この猪の腸詰の白ワイン煮は実に美味そうだ。それに、このザリガニのスープからも美味そうな匂いが漂っている。違うか、フリッツ?」

「そのとおりだよ」

「そうだろう!」ギデオンが朗らかに言った。「ということだ。カスパー、酒を注いでくれ。おまえをもっともっと昇進させてやるぞ。おまえはそれだけの仕事をしているのだから!」

カスパーは神妙な面持ちで目を伏せた。顔を赤らめ、主人の誉め言葉を噛みしめているようだった。

私たちはテーブルについた。その昔、密猟者だったギデオンは質素な茅葺《かやぶき》屋根の住まいで、自らジャガイモのスープを楽し気に作っていたものだが、今やまるで一国の領主のように使用人に傅《かしず》かれている。その変わりように私は感嘆するばかりだった。実はギデオンはニデックの伯爵として生まれたのかもしれない。そうでもなければ、食事のときにこれほど堂々と高貴な態度などとれないだろう。目線一つでカスパーに指示が出せるのだ。〈あの一皿をここへ〉〈あの酒瓶を開けよ〉という具合に。

猪の腸詰に手を付けようとしたとき、執事のオッフェンロッホが入口に現れた。驚いたことに、後ろにツィマー＝ブルデリック男爵と従者も一緒だ。

私とギデオンは立ち上がった。若い男爵は臆することなく、部屋の中に入ってきた。黒髪を長く伸ばし、色白の整った凛々しい顔立ちをしている。男爵はギデオンの前にやってきた。

「食事中、お邪魔する」明らかにザクセンの訛りがある。誰も真似できない独特の訛りだ。「貴公はこの地方のことをよくご存知だと聞いてここに伺った。オディール様は、この辺りの山のことなら、貴公の右に出る者はいないと言われた」

「恐らくは……」ギデオンがお辞儀をしながら、答えた。「何なりとお尋ねください、閣下」

「やむにやまれぬ事情で、我々はこの嵐の中、出発しなければならない」雪が積もった窓を指しながら、男爵が言った。「ここから六里ほど離れたヴァルト－ホルンに行かなければならないのだ」

「無理でございます、閣下。どの街道も雪に埋もれております故」

「わかっている。しかし、どうしても行かなければならないのだ」

「では、道案内が要りますな。よろしければ、この私めがご案内いたしましょう。あるいは、ニデック城の狩猟係ゼーバルト・クラフトでもよろしいかと。この男もこの辺りの山を知り尽くしております」

「貴公の申し出には心から感謝する。しかし、ご好意に甘えるわけにはいかない。ヴァルト－ホルンまでの行き方を教えてくれれば十分だ」

するとギデオンは返事の代わりに会釈をすると、窓際に行き、窓を一つ開け放った。途端に風が激しく吹き込み、窓に積もった雪を部屋を通り越して廊下にまで飛ばした。その直後、騒々しい音を立てて入口の扉が閉まった。

私は、立ったまま、椅子の背凭れに手を置いて、二人のやりとりを見ていた。いっぽう、カスパーは部屋の隅に小さく畏《かしこ》まっている。男爵と従者も窓辺に立った。

「ご覧ください」吹きすさぶ風の音に負けまいと、ギデオンが声を張りあげる。そして、腕を外に伸ばしながら、言った。「ニデックの全貌が広がっています。もし、晴れていたら、閣下を見張り台にご案内して、遠くに広がるシュヴァルツヴァルトの山々をご覧いただくところなのですが……。まあ、それはともかく、ここからアルテンベルクの先端が見えます。その向こう、あの白い頂の向こうに見えるのが、今、激しい吹雪に見舞われているヴァルト－ホルンです！　閣下はあそこまで行かなければならないのです。吹雪が収まれば、あそこに見えるとんがり帽子の形をした、ロッシュ－フォンデュと呼ばれる頂から、三つの山頂がご覧になれます。ベレンコッフ、ガイアシュタイン、そしてトリルフェルズです。閣下はまず、右側に見える三番目の山頂に向かわなければならないでしょう。レータルの谷を切るように急流が流れていますが、今は凍りついているはずです。とは言え、それ以上先に進めないと思われたら、川岸をお進みください。左側の中腹に、ラ・ロッシュ－クルーズと呼ばれる洞窟があります。そこで、一晩お過ごしください。明日になれば、風も収まるでしょう。そうすればヴァルト－ホルンが視界に入ってくることでしょう」

「よくわかった。ありがとう」

「もし、幸運にも途中で炭焼き人と出会うようなことがあれば、川の浅瀬はどこか教えてくれるかもしれません」ギデオンが続けた。「しかし、こんな天気の悪いときに山を登っているとは思えませんが……。とにかく、ベレンコッフの麓を迂回するようにしてください。なぜなら、反対側は切り立った崖で、そこから下りていくのは不可能だからです」

この間、私はギデオンを観察した。よく通る声で、簡潔で的確な説明をしている。若き男爵は一言も聞き漏らすまいとでもいうように、真剣にギデオンの話に耳を傾けていた。過酷な道程を聞かされても、出発を逡巡する様子はいささかも見られない。年を取った従者もまた、何が何でも旅立とうと固く決意しているようだった。

窓から離れようとしたとき、遠くに光るものが見えた。一瞬、空に切れ目が走ったのだ。突風で上空へ巻き上げられた雪の塊が、空中でドレープを描きながら、地上へ落ちていった。その直後に視界が開け、アルテンベルクの向こうにある三つの山頂が見えた。ギデオンが解説したばかりの光景が目の前に広がっている。が、すぐにまた、視界が白く霞んだ。

「折よく、到着点が見えた」男爵が言った。「貴公が的確に説明してくれたので、目的地に到達できるものと思う」

ギデオンは返事をする代わりに深々と頭を下げる。男爵と従者は私たちに挨拶をすると、おもむろに出ていった。

その後、ギデオンは窓を閉め、執事のオッフェンロッホと私に向かって言った。

「こんな悪天候の中、出発するとは……」憫笑《びんしょう》を浮かべながら、続ける。「悪魔にでも取り憑かれたのだろうよ。俺も危険だとわかっていながらみすみす行かせてしまい、気が咎《とが》めないでもないが、どうしても行くというのだから、仕方あるまい。今しがたの男爵の顔が思い浮かぶ。お供の者の顔もな。だが、俺たちは飲もうではないか！　さあ、乾杯！」

私は窓際に行った。正面入口のところで、ツィマー男爵と従者が馬に乗ろうとしていた。雪は相変わらず降りしきっていたが、それでも、左手に見える小塔の高い窓のカーテンが少し開いたのが見えた。すると、その隙間からオディール嬢の青ざめた顔が覗いた。旅立とうとする男爵をじっと見つめている。

「おい、フリッツ！　そんなところで何をしている？」ギデオンが声を張りあげた。

「何でもない。あの二人の異邦人の馬を見ているだけだ」

「おお、そうか。あれはワラキアの馬だ。俺は今朝、厩舎で見たが、実に素晴らしい馬だ！」馬上の二人は慌ただしく走り去った。と同時に小塔の窓のカーテンが閉められた。

Ⅶ

その後、何事もなく毎日がすぎていった。ニデック城での私の日常はひどく単調なものだった。朝はいつもゼーバルトが吹くもの悲しいラッパの音で始まる。私はまず伯爵の寝室を訪ね、それから朝食をとった。その後は例の疫病神についてギデオンと延々と議論をし、マリー・ラグットやオッフェンロッホを始めとするニデック城の使用人たちの他愛のない世間話に付き合った。気晴らしといえば、酒を飲むかカードに興じるか、さもなければ、煙草を吸うか寝るしかなく、しばしば暇を持て余した。そんな中で、クナップヴルストだけは一向に退屈しているように見えなかった。図書室の奥で寒さに震えながら、貪るように年代記を読んでいる。自分の先祖に関する一風変わった調査に没頭しているようだった。

そのうち、私が無聊《ぶりょう》を託《かこ》っていることに、周囲の人々も気づくようになった。そのせいか、ギデオンは頻繁に厩舎と犬小屋を案内してくれた。そのため、猟犬たちも私に懐くようになった。さらに、執事が酔っ払うと決して上品とは言えない冗談を口にして、それに対してマリー・ラグットがどのように言い返すか、すぐに見当がつくようになった。そうやって日々を過ごしているうちに、私もゼーバルト同様に気持ちが塞ぐことが多くなった。できることなら、ゼーバルトのラッパを吹きたいぐらいだ。山に向かって思いの丈をぶつけるために。そんな鬱屈した思いを抱えながら、私はいつも、フライブルクの方角を眺めていた。

しかし、そのいっぽうで、ニデック城の当主イェリ＝ハンスの病状は進行していた。その対処に、当然のことだが、私は専念した。ギデオンから聞いていたことが現実に起きていくのである。時々、伯爵は突然、目を覚ましたかと思うと、半身を起こし、首を伸ばして、血走った眼で周囲を見まわし、低い声で呟く。

「あの女が来る！　こちらにやってくる！」

その度に、ギデオンは首を振りながら、見張り台に上る。しかし、目を皿のようにして左右を見渡しても、疫病神の姿は見えないと言うばかりだった。

この奇妙な症状について考えあぐねた結果、私はニデック城の当主は精神に異常を来したのではないかという結論に達した。老伯爵の精神が何か不可解なものの影響を受けていること、そして、意識が明晰なときと錯乱するときが交互に訪れることがその根拠である。

精神異常者の治療に当たる医者なら、患者がしばしば周期的に発狂状態に陥ることを知っている。年に数回、例えば春と秋、あるいは冬にそうした症状が現れる患者もいれば、一回だけの患者もいる。私自身、フライブルクで三十年来、毎年、錯乱状態に陥る年配の婦人を知っている。婦人は自ら精神病専門の療養所に赴き、そこで隔離される。すると、それから毎晩、若かった頃に目撃したさまざまな恐ろしい光景が蘇るというのだ。死刑執行人の手の下でガタガタと震え、処刑された人々の血を全身に浴び、何もすることができず、婦人は苦痛の呻き声をあげる。しかし、数週間後にはこうした悪夢に襲われる頻度は減少する。そこで、医師たちは婦人を自宅に帰すのだが、婦人が翌年、同じ時期にまた来院するとほぼ確信しているのである。

「ニデック伯爵はこれと類似の症状だ」私は自分自身に言った。「何が原因なのか、そして何が発病のきっかけなのかわからないが、いずれにしてもあの疫病神の老婆が関わっていることは間違いないだろう。あの老婆は誰なのだ？　若い頃はさぞかし美しかったことだろう」そこから、私の想像は一気に飛躍した。かつて二人は恋仲だったのではあるまいか？　しかし、私はこの憶測を絶対に口にしなかった。私が伯爵とあの老婆は恋人同士だったのではないかと疑っていると知ったら、ギデオンは決して私を許してはくれないだろう。また、オディール嬢も〈発狂〉という言葉を聞けば、大きな衝撃を受けるに違いない。

そのオディール嬢だが、結婚しないと断言したことで伯爵の逆鱗に触れてしまった。あれ以来、伯爵はあからさまに娘を疎んじるようになった。親に対して従順でないと辛辣に非難し、さらには〈恩知らずな娘〉とまで言って責め立てる。傍で見ていて、オディール嬢が気の毒でならなかった。そのうち、伯爵はオディール嬢が見舞いに訪れた後で、激しい発作に見舞われるようになり、事態は悪化の一途を辿った。私は、やむなく、父娘の間に介入せざるを得ないと判断した。そこで、ある夜、伯爵の寝室に続く控えの間にオディール嬢がやってきたとき、伯爵の看病をするのを止めていただけないかと頼んだ。ところが、私の予想に反して、オディール嬢はどうしても受け入れようとしない。私がどれほど意を尽くしても、これまでのように父親の傍で看病を続けたいと言って譲らないのだ。

「それが娘である私の務めですもの」毅然として言う。「誰であろうと、私からその務めを取り上げるとはできません」

「お待ちください」私は伯爵の寝室の扉の前に立ち、オディール嬢が中に入るのを阻止しながら言った。「私にも医師としても務めがあります。そして、それがどれほど無慈悲なものであろうと、誠実な人間であればその務めを果たさなければなりません。そこで申し上げますが、貴女がお見えになると、お父様のお命を縮めてしまいます」

そのときのオディール嬢の歪んだ顔を私は生涯忘れることはないだろう。

私の言葉が終わるや否や、オディール嬢の体内を巡っていた血液が全て心臓へと逆流したようだった。一瞬にして、彼女は大理石のように白くなった。青い瞳を大きく見開き、私の瞳を食い入るように見つめる。まるで私の真意を探ろうとでもするように。

「本当ですか……？」オディール嬢が声を絞り出すように言った。「嘘偽りなくお答えくださいませ」

「本当です。医者の名誉にかけて申し上げているのです」

しばらく沈黙が流れた。やがて、押し殺したような声がした。

「わかりましたわ」オディール嬢が言った。「神の思召しのままに！」

そして、下を向いて、控えの間から出ていった。

その翌日のことだ。朝八時頃、私はもの思いに耽りながら部屋の中を歩きまわっていた。一向に有効な対処法が見当たらない伯爵の病状について思い悩み、いっぽう、フライブルクの患者たちを思い浮かべた。ここにしばらく逗留しているうちに、彼らを失うことになるかもしれない。そんな不安もこみ上げてくる。そのとき、コツコツと小さく扉を叩く音がして、私は現実に引き戻された。

「どうぞ」

入口の扉が開くと、マリー・ラグットが姿を現した。敷居のところで深々と頭を下げる。

しかし、私はこの突然の執事の妻の訪問に、実に不愉快な気持ちになった。今は忙しいからと断ろうと思ったのだが、彼女がとても思い詰めた表情をしていることに気づき、言葉を飲み込んだ。マリー・ラグットは赤と緑のショールを肩にかけ、項垂《うなだ》れて、唇を嚙んでいる。さらに、驚いたことに、部屋の中に入ってから、一旦閉めた扉をまた開けて、誰にもつけられていないことを確かめるように、外の様子を窺《うかが》ったのである。

「何の用だろう?」私は自問した。「そして、執事の妻はなぜ、これほど警戒しているのだろうか?」

私は今度は好奇心に駆られた。

「先生」一歩、私の方に踏み出して、マリー・ラグットが口を開いた。「こんな朝早くからお邪魔して、お許しくださいませ。でも、どうしてもお耳に入れたいことがあるのです」

「何でしょうか?」

「旦那様のことです」

「ほう」

「はい。先生もご存知と思いますが、昨夜はあたしが旦那様のお傍におりました」

「そうでしたね。まあ、お座りください」

マリー・ラグットは、革張りの大きな肘掛椅子に腰を下ろし、私と向かい合った。城に到着した夜、初めて会ったときには不細工な容貌に見えたものだが、こうしてあらためて見てみると、むしろ勇ましい顔と言ったほうがよさそうだ。

「先生」しばしの沈黙の後、黒々とした大きな瞳で私をひたと見つめ、マリー・ラグットが話しはじめた。「まず、はっきり言っておきますが、あたしは臆病な女じゃありませんよ。これまで色々な目に遭ってきましたから。あまりにも恐ろしいことをいくらでも見てきたので、もうどんなことにも驚きゃしません。マレンゴからアウステルリッツ、それからモスクワに行って、ここニデックに辿り着きましたが、その長い道中で恐怖なんていう感情は捨ててきたのです」

「そうでしょうとも」

「いえね、自慢するために申し上げたわけじゃございませんよ。あたしは頭がおかしな人間じゃないことをわかってもらうためです。つまり、あたしが『何々を見た』と言ったら、本当に見たのです。信用してもらって大丈夫だということです」

「おやおや、執事の奥方はこの私に何を伝えたいのだ?」私は心の中で呟いた。

「そういうわけで……」マリー・ラグットが続ける。「昨夜九時から十時頃、床に就こうとしたら、夫が戻って来て、言いました。『マリー、お館様の看護に行ってくれ』あたしは驚きましたよ。『お嬢様は? 父親の看病をしたくないとでも?』すると、夫が言いました。『そうじゃない。お嬢様はご病気なのだ。だから、おまえが代わりをするんだよ』だから、あたしは言ったのですよ。『お可哀そうに！お嬢様はそのうち身体を壊すに違いないと思っていたわ』あたしはいつもお嬢様に口を酸っぱくして言っていたのですよ、無理をなさらないようにと。でも、どうしようもありません。誰しも若いときは怖いもの知らず。しかも、旦那様はあのとおりですから……。あたしは編み物を持って、夫に『おやすみなさい』と言ってから、旦那様の寝室に伺いました。それまで旦那様のお傍にいたシュパーヴァーは、入れ替わりに出ていきました。それで、旦那様のお傍にはあたし一人になったのです」

そこで、マリー・ラグットは一息ついた。嗅ぎ煙草を一服する。その後は何か言いあぐねているように見える。私は次の言葉を注意深く待った。

「十時半頃でした」マリー・ラグットはようやく口を開いた。「あたしは旦那様の寝台の傍で編み物をしていました。その間、時々、寝台の垂れ幕を上げて、旦那様の様子を覗きました。旦那様は寝返りも打たず、子供のようにぐっすりとお休みになっていました。そうして何事もなく時間がすぎていきました。ところが、十一時を回ったとき、あたしは眠くなってきたのです。年を取ると、如何せん、自分じゃどうすることもできません。それに、あたしは元々、用心深い性質じゃないもので、『旦那様はこのまま朝までぐっすりお休みになるだろう』そう自分に言いました。午前零時頃には風も止み、それまでガタガタとうるさかった窓も静かになりました。あたしは外の様子を見るために立ち上がりました。窓の向こうはインクの瓶のような漆黒の闇でした。あたしは肘掛椅子に戻りました。腰を下ろす前に、もう一度、旦那様の様子を見てみました。さっきと同じ位置で同じ格好でお休みになっていました。そこで、あたしはまた編み物を始めたのです。ところが、それから少し経つと、あたしは、あろうことか、眠り込んでしまったのです。座っていた肘掛椅子がまるで寝床のように心地よく、おまけに部屋は温かい……。仕方がないじゃありませんか……。恐らく一時間ぐらい眠っていたでしょう。顔に冷たい風が当たって、あたしは飛び起きました。ハッと目を覚ましたその瞬間、何を見たと思いますか？　部屋の真ん中の大きな窓が開け放たれていたのです。カーテンも全部……。そして、その窓枠に、なんと、寝間着姿の旦那様が立っていらしたのです！」

「伯爵が？」

「ええ、旦那様が」

「あり得ない……。伯爵は身体を動かすのもやっとなのだから」

「ええ、そのはずですよね。でも、あたしは見たのです。今、こうして貴方様を見ているように、はっきりと！　旦那様は片手で松明を持っていらっしゃいました。風もない夜の暗闇の中、松明だけが垂直に燃えていたのです」

私は心底驚いて、マリー・ラグットを見つめた。

「何よりも」しばしの沈黙の後、執事の妻は再び口を開いた。「旦那様が裸足で窓にお立ちになっているのを見たとき……、あたしは息を飲み、言葉を失いました……。矢も楯もたまらず、叫びたくなったのですが、でも、すぐに自分に言い聞かせたのです。『もしかしたら、旦那様は夢遊病なのかもしれない。今、ここであたしが悲鳴をあげたら、目をお覚ましになって、窓から転落されるかもしれない。そんなことになったら、旦那様は死んでしまう！』それで、あたしは声を押し殺し、目で旦那様の動きを追ったのです。すると、どうでしょう！　旦那様は松明をゆっくり掲げました。と思ったら、今度はそれを下に下ろしました……。そして、また掲げる。それからまた下げる。その動作を三回繰り返したのです。まるで、誰かに合図を送っているかのようでした。それから、旦那様は松明を城壁に投げ捨てると、窓を閉め、カーテンも閉めて、あたしの前を通り、でも、あたしには目もくれず、寝床にお戻りになりました。そして、何やらぶつぶつ呟いて、お休みになったのでございます」

「確かにその一部始終をご覧になったのですね？」

「ええ、確かですとも！」

「だとすれば、実に奇妙な話だ！」

「ええ、仰るとおりです。でも、なんと言われようと、あたしはこの目で見たのです。もちろん、最初は、さすがに動揺しましたよ。でも、旦那様が寝台で胸の上に両手を置いて、何事もなかったかのように眠っているのを見て、あたしは自分自身に言い聞かせました。『マリー、あんたは変な夢を見たんだよ。さもなければ、あんなことはあり得ないじゃないか』とね。そこで、あたしは窓辺に行ってみました。旦那様が捨てた松明はまだ燃えていました。城壁の三つ目の出入り口の左側にある茂みの中に落ちていたのです。そこで、火花を散らしながら、まだ燃えていたのですよ。あれは夢なんかじゃありません！」

マリー・ラグットはそこで口を噤み、私をじっと見つめた。

「それからは、もちろん、眠気なんか吹っ飛んでしまいましたよ。そして、辺りに気をつけるようにしました。あたしが座っている肘掛椅子の後ろから絶えず、何か物音が聞こえるような気がしたのです。もちろん、怖かったわけじゃありません。でも、不安で仕方がなかったのです。仕方がないじゃありませんか。あんな光景を目撃してしまったのですもの、心配でたまりませんでした。それで、今朝早く、急いで夫を起こしにいったのです。そして、旦那様の寝室に行くように頼みました。その途中、廻廊を通りながら、右側の壁の松明が一つ、なくなっていることに気づきました。それで、外に出てみたのです。そして、シュヴァルツヴァルトの小道の近くで見つけたのです。ほら、これです」

マリー・ラグットが前掛けの下から松明の燃えさしを出して、テーブルの上に置いた。

私は言葉を失った。

昨夜診察したときには、伯爵は極度に衰弱していた。それなのに、どうして立つことができたのだろうか？　どうやって、立って窓まで歩き、さらにはあの重い窓を開けることができたのか？　そして、真夜中に誰かに合図を送っていたとすれば、それは何を意味するのだろうか？　私はあたかも、その奇妙で不可解な光景を目の前にしているような気になった。そして、思わずあの老婆の姿が頭に浮かんだ。ギデオンが疫病神と呼ぶ存在をもはや無視することはできない。そう考えざるを得なかった。

マリー・ラグットは話すだけ話して気が済んだのか、部屋から出ていこうとしていた。

「お待ちなさい」私は引き留めた。「わざわざ知らせに来ていただき、ありがとうございます。この件は他の誰にも話していませんね？」

「もちろんですとも。こんなことは神父様かお医者様にしか話せませんよ」

「それは賢明な判断です。それにしても、貴女は実に勇敢な方だ」

そんな会話を入口で交わしていたら、歩廊の向こうにゼーバルトを連れたギデオンの姿が見えた。

「おい、フリッツ！」幕壁を通りながら、声をあげる。「良い話を聞かせてやろう！」

「やれやれ……」私は思わず呟いた。「またか……。どうやらこの城は本当に悪魔に取り憑かれているようだ！」

マリー・ラグットの姿はすでになく、ギデオンと仲間が入れ替わるように塔の中に入った。

Ⅷ

ギデオンの表情から苛立ちを抑えているのが見てとれた。いっぽう、ゼーバルトは苦虫を嚙み潰したような顔をしていた。ニデックの城に到着した夜、この城主付の狩猟係のもの憂げな態度に驚いたものだが、ゼーバルトは老いたノロジカのように痩せて干からびた男だった。狩猟用の上着を剣帯で締め、そこから動物の骨の柄が付いたナイフがぶら下がっている。革のゲートルが膝の上まで巻かれ、右の肩からラッパを肩掛けし、さらに法螺貝を腋の下で挟んでいた。そして、飾り紐に鷺の羽を付けた鍔の広いフェルト帽を被っている。赤銅色のまばらな顎髭で覆われた横顔は小鹿のそれを思わせた。

「ああ、そうだ」ギデオンが繰り返した。「この上なく良い話だ！」そして、身体を投げ出すように椅子に座ると、両手で頭を抱えた。ギデオンの絶望的な気分が伝わってくる。いっぽう、ゼーバルトは淡々と、頭をくぐらせてラッパを外すと、テーブルの上に置いた。

「さあ、ゼーバルト、話してやれ！」ギデオンが言った。

それから、こちらを見ながら付け加えた。「あいつが城の周りをうろついておる」

以前であれば、そんな話は聞き流していただろう。しかし、マリー・ラグットから話を聞いた今、私は衝撃を受けた。ニデックの城主とあの老婆との間に何らかの関係があるのはもはや疑いようがない。それがどのような類のものか見当もつかないが、とにかく、なんとしてもその関係を突き止めなければならない。

「ちょっと待ってくれ」私はギデオンとゼーバルトに言った。「まず、疫病神がどこからやってくるのか、教えて欲しい」

呆気に取られたように、ギデオンが私を見た。

「それを知っていたら苦労はしない！」

「では、正確にいつ、ニデック城の前に姿を現すのだ？」

「それならもう言ったはずだ。毎年降誕祭の一週間前だ」

「そのまま老婆は居座るのだな？」

「そうだ。二週間から三週間といったところだ」

「その前後は姿を見かけることはないのだね？」

「ない」

「では、この間に絶対に老婆を捕まえなければならない」私は声を張りあげた。「毎年降誕祭の前にやってきて、決まった期間留まって、いなくなるなんて不自然だ。あの老婆は何を求めているのか、どこから来るのか、そして、そもそも老婆の正体は何なのか？　とにかく、あの老婆についてできる限り詳しく知る必要がある」

「捕まえる!?」狩猟係が皮肉な笑みを浮かべて言った。「捕まえろと?……」

暗澹たる表情で首を横に振る。

「フリッツよ」ギデオンが口を挟んだ。「確かに、おまえの言うとおりだ。しかし、それこそまさに〈言うは易し、行うは難し〉よ。もし、疫病神に一発見舞えたら、しめたものだ。あの老婆に接近する機会がないわけではないのだからな。だが、伯爵が反対なさる。では、他の方法があると思うだろうが、小鹿を尻尾で捕まえようとするようなものだ。とにかく、ゼーバルトの話を聞くがいい。そうすれば、おまえにもわかる!」早速、城主付の狩猟係がテーブルの端に座り、長い脚を組んで、私を見ながら口を開いた。

「今朝、アルテンベルクから下りてくるとき、俺はニデックの土手道を辿っていた。道の両側はすっかり雪で覆われている。何も考えずに歩いていたのだが、ふと、道に足跡がついているのに気がついた。くっきりと深い足跡が目の前を横切っている。一旦土手を下りて、道を横切り、それから反対側、左側の土手を上っている。これは野兎の足跡じゃない。野兎はこんな穴を作らない。だが、猪でもないし、狼でもない。それは深い窪みで、穴と言ったほうがいいぐらいだった。俺は足を止め、足跡の形をよく見ようと表面の雪を払ってみた。それで、確信が持てた。この足跡は疫病神の足跡だとね!」

「それは確かなのですか?」

「もちろんだ。間違いない。俺はあいつの足をよく知っているんだ。顔の造作よりもな。なぜなら、先生、俺は常に地面に目を光らせているからだ。足跡で人間を見分ける。それに、あの足跡なら子供だって間違わないだろうよ」

「それほど際立った特徴がある足なのですか?」

「まず、掌に収まるぐらい小さい。そして、形が整っている。踵が少し長く、輪郭がくっきりとしている。親指だけが離れたりしてはいない。編上げ靴を履いているように五本の指がぴったりとくっついている。こういう足を憧れの足と呼ぶが、二十年前だったら、先生、俺はこの足に夢中になっただろうよ。この足跡に出くわす度に、俺は感慨に耽る。天にまします我らが神よ、こんなにきれいな足があの疫病神の足だとは! そんなことがあっていいものでしょうか? とね」

ゼーバルトは両手を重ね、憂鬱な顔で、床の敷石に目を落とした。

「それで? その後、どうしたのだ、ゼーバルト?」ギデオンが話を急かす。

「おお、そうだった! そういうわけで、疫病神の足跡だとわかったので、俺は跡をつけることにした。そうすればあいつの住処に辿り着けるかもしれないと考えたわけだ。ついに疫病神を捕まえられるのではないかと期待したのだが、しかし、思ったとおりにはいかなかった。俺は一旦、ニデック城からカービン銃の射程距離の倍ほどの高さの土手の斜面をよじ登った。それから、足跡を右に見ながら、ブドウ畑の斜面を下った。老婆の足跡はレータルとの境界の溝に沿って進んでいたが、途中で溝を飛び越えて反対側に渡っていた。〈やれやれ……〉と思って、何気なく左手に目をやったときだ。別な足跡があることに気づいた。俺のように疫病神の足跡を追ってきた奴がいるらしい。そこで、その場で立ち止まって考えてみた。シュパーヴァーか? それとも、カール・トランプか? あるいは、別な人物か? だが、その足跡をよくよく眺めて、俺は腰を抜かすほど驚いた。なぜなら、ニデックの村人の足跡ではなかったからだ。フライブルクからニデックまでシュヴァルツヴァルトの住人の足跡なら俺は一人残らず知っている。しかし、その足跡には全く心当たりがなかった。つまり、この周辺の人間じゃないということだ。しかも、足跡は長靴の跡だった。拍車が付いたしなやかで柔らかい革靴に違いない。だから、踵の後ろに小さな線が残る。爪先は丸ではなく、四角だ。どの足跡も靴底が薄く、鋲や釘の跡がない。そして、歩幅が短く、爪先の部分がより深く沈んでいる。こんな前のめりの歩き方をするのは、二十歳から二十五歳の若者としか考えられない。それから、シャフトの縫い目にも気がついた。見事なものだった。あれほどの出来は見たことがない」

「一体、誰だろう？」

ゼーバルトは返事の代わりか、肩を竦《すく》め、両手を上げる。

「老婆の足跡をつけて得をするのは誰だろう？」今度はギデオンに聞いてみた。

「ふん！　知るものか！」

私たちはしばらく、考え込んだ。

「俺はまた足跡を追った」ようやくゼーバルトが口を開いた。「あいつは反対側の樅の斜面を登り、それから、ロッシュ－ファンデュを大きく曲がっている。俺は思わず、呟いた。『疫病神の奴め！　おまえのような獲物ばかりだったら、猟師なんてあがったりだ。下男にでもなってこき使われたほうがよほどましだ』とね。俺は二つの足跡を追って、とうとうシュネーベルクの山頂まで行った。そこは風が吹き荒れ、腿の辺りまで、雪が深く積もっていた。だが、構うものか。とにかく、山を越さなければならないのだから。それから、俺はシュタインバッハの急流沿いに出た。ところが、疫病神の足跡が見当たらないのだ！　俺は先には進まずに、周辺を少しばかり歩いてみた。すると、高価な長靴の足跡はティーフェンバッハのほうに向かっていた。しかし、老婆の足跡はどこにも見当たらない。それから、急流の向こう岸に目を凝らしてみた。やはり足跡はない！　あのずる賢い老婆め、さては、足跡を残さないように、急流の中を歩いたに違いないのだ。では、どこに向かったのか？　右か、それとも左か？　皆目見当がつかない。それで、とりあえず、ニデックに戻ったというわけだ」

「あいつの朝食のことをまだ話しておらんぞ」ギデオンが言った。

「おお、そうだ。先生、ロッシュ＝ファンデュの麓にあいつが火をおこした跡があったんだよ……。そこだけ真っ黒になっていたのでわかったのだ。で、俺は触ってみた。まだ温かいんじゃないかと思いながら……。その場合、あいつはまだ遠くまで行ってはいないということだ。ところが、氷のように冷たかった。だが、そこから、少し離れた茂みの中に輪差《わさ》＊があった」

「輪差？」

「ああ、そうだよ、先生。どうやら、あの婆さんは罠を仕掛ける術を心得ているようだ。野兎が一匹、罠にかかったらしく、雪の上にきれいに跡が残っていた。老婆は野兎を焼くために火をおこしたのだろう。さぞかし美味かったことだろうよ！」

「つまり」ギデオンがいきなり、拳でテーブルを叩き、怒りの声をあげた。「あの性悪な女は肉を食っているのだ。我らが善良な村人たちはじゃが芋を食っているというのに！　ああ、フリッツよ、これほど腹立たしいことがあろうか！　あの性悪女を捕まえた暁には……」

しかし、ギデオンがその先を言うことはなかった。一瞬にして蒼ざめた顔になった。いや、ギデオンだけではない。私たちは三人ともその場に固まった。そして、互いに顔を見合わせた。口をあんぐりと開けたまま……。

一声、狼の遠吠えが聞こえたのだ。それは寒い冬の朝に陰鬱に響いた。この鳴き声を聞けば、野獣の呻き声がいかに悲痛で不吉なものか嫌でもわかる。そんな鳴き声が私たちの近くで響いている。いや、螺旋階段を上ってくる。まるで狼が塔の入口までやってきて吠えているように……。

広大な砂漠の夕暮れに轟くライオンの咆哮についてなら、これまで何度か話を聞いたことがあるが、もし、灼熱の乾いた石ころの大地アフリカに、遠くに聞こえる稲妻のように大地を揺るがす大いなる声があるのなら、北の国の雪に覆われた広大な平野にも特有の不思議な声がある。それはまさに、万物が活動を停止し、木の枝の葉さえ動かない、陰鬱な冬の光景にふさわしいものだ。そして、その声こそ狼の遠吠えなのだ。

その陰気な遠吠えが聞こえるや否や、もう一つの凄まじい声がニデック城の城壁に響き渡った。狼の遠吠えに応える六十四の猟犬の鳴き声だ。ニデックの猟犬たちが一斉に吠えはじめたのだ。ブラッドハウンドが唸るように吠え、スピッツはキャンキャンと忙しなく甲高い声を出し、スパニエルの耳障りな鳴き声にバセットハウンドの何かを訴えるようなもの悲しい鳴き声が重なる……。そうしたさまざまな犬の吠える声に鎖がぶつかる音や猟犬たちの興奮によって犬舎が揺れる振動音が混じる。さらに、切れ目のない単調な狼の遠吠えが重なる。それはまさに耳を塞ぎたくなるような地獄の合唱と言ってよかった。

輪差《わさ》　鳥獣を捕らえるため輪の形に結んだ紐。

ギデオンが弾けるように椅子から立ち上がると、城と塔をつなぐ幕壁に行った。そして、覗き込むように塔の下の方を見た。

「狼が壕《ほり》にでも落ちたのか？」ギデオンが呟く。

しかし、声は外からではなく塔の中から聞こえてくるのだ。ギデオンは戻ってくると、私たちに言った。

「フリッツ、ゼーバルト、行くぞ！」

私たちは階段を大急ぎで下りて、武具室に駆け込んだ。しかし、そこでは天井に反響する狼の鳴き声しか聞こえなかった。遠くから聞こえていた猟犬たちの吠え声は喘ぎ声にしか聞こえない。恐らく、興奮して吠え続けたせいで声が掠れてきたのだろう。犬をつないでいる鎖が互いに絡まり、犬たちは息が詰まるほど興奮しているのかもしれない。

ギデオンが腰から狩猟ナイフを取った。ゼーバルトも同じように狩猟刀を手にした。二人は私に先立って、歩廊を進む。

狼の遠吠えに導かれるように、私たちは伯爵の居室に向かっていた。ギデオンはもう何も言わない。ただ足を速めるばかりだ。ゼーバルトは長い脚で大股に進む。いっぽう、私は震えが止まらなかった。それは何か忌まわしいことが起こる予兆に思えてならなかった。

伯爵の領地の番人や狩猟係から見習いの料理人に至るまで、城で働く使用人全員が腰を浮かして、右往左往していた。「どうしたのだ？　あの遠吠えはどこから聞こえてくるのだ？」彼らは口々にそう言い合っていた。

私たちは足を止めずに伯爵の寝室に続く廊下を突き進んだ。寝室の入口でマリー・ラグットとすれ違った。どうやら、執事の妻は勇敢にも、私たちに先んじて、伯爵の居室にやってきたらしい。ところが、驚いたことに、気を失ったオディール嬢を抱きかかえているではないか。オディール嬢の頭がマリー・ラグットの腕の中でのけ反り、長い髪の毛が執事の妻の肩越しにはらりと垂れ下がっていた。執事の妻は伯爵令嬢を抱えて、逃げるように出ていった。

実際は、二人とすれ違ったのは一瞬のことで、この悲劇的な光景がちらりと目に入っただけだった。しかし、それ以来、衝撃的なこの光景は何度も私の頭の中で蘇るようになった。執事の妻の肩に預けられたオディール嬢の蒼ざめた顔は、斧の前に従順に首を差し出す子羊を思わせた。しかし、子羊は恐怖のあまり、首を斬られる前にすでに息絶えている。そんな悲劇的なイメージと重なるのだった。

私たちは、伯爵の寝室の前で足を止めた。

狼の遠吠えはこの扉の向こうから聞こえてくる。

私たちは顔を見合わせた。なぜ、こんな野生の声の主が伯爵の寝室にいるのか？　そもそも声の主は誰なのか？　そして、伯爵は？　さまざまな考えが頭の中を駆けめぐった。恐らく、ギデオンとゼーバルトも同じだったろう。しかし、それを話し合っている時間も余裕もなかった。

ギデオンが勢いよく扉を押した。狩猟ナイフを手に部屋の中に飛び込みそうな勢いだったが、敷居のところで立ち止まった。そのまま、その場に立ちすくんでいる。

そして、その顔と言ったら……。私はここまで驚いた人間の顔を見たことがない。目玉が顔から落ちるのではないかと心配になるほど目を剝いていた。そして、鼻筋の通った鼻の両端が鷲の爪の形に広がり、口をあんぐりと開けていた。

私もギデオンの肩越しに部屋の中を覗いてみた。が、目にした光景に凍り付いた。

ニデック伯爵が寝床の上で、両手を前にして蹲り、寝台の赤い垂れ幕の下で、頭を低く下げている。

そして、目をぎらつかせながら、あの陰鬱な声で吠えていたのだ！

狼は……伯爵だったのか⁉　私は思わず、心の中で呟いた。

平板な額、顎が尖った細長い顔、そして頬全体を覆う毛むくじゃらの赤黒い髭、さらに背骨が浮き出た痩せた背中と筋肉質の脚。それだけではない。顔つきも遠吠えも態度も何もかもが、そこにいるのは人間の皮を被った獣《けだもの》だと言っていた！

獣は一瞬、黙り込み、耳を澄ますという動作を繰り返す。また、上下に頭を振り、丈の長い垂れ幕を木の葉のように揺らす。そして、またあの陰鬱な声で吠える。

ギデオンもゼーバルトも、もちろんこの私も足に釘を打たれたかのように、全くその場を動けなかった。極度の恐怖で息を飲んだままだった。

突然、伯爵が押し黙った。野獣が風を嗅ぎ分けるように、伯爵は頭を上げて、耳をそばだてる。

すると、遠くで、雪が積もった樅の林から、別な遠吠えが聞こえてきた。最初は小さく短かったが、次第に長く大きくなり、やがてその遠吠えは猟犬たちの騒ぎを凌ぐようになった。牡狼の声に牝狼が返事をしているのだ！

そのとき、ギデオンが私の方に振り返った。血の気の引いた顔で山の方を指差した。そして、低い声で言った。

「老婆の声だ！」

伯爵は身体を動かさず、頭だけ上げた。首を前に伸ばし、口を開ける。瞳を爛々と輝かせたところを見ると、シュヴァルツヴァルトの誰もいない峡谷に吸い込まれるあの遠吠えが何を言っているのかわかるのだろう。やがて、なんとも言いようのない、悍《おぞ》ましい至福の表情が伯爵の顔全体に広がった。

そのときだ。ギデオンが涙に声を詰まらせながら、叫んだ。

「伯爵、どうなさったのです？」

伯爵はその瞬間、雷にでも打たれたように寝床に倒れた。私たちは伯爵のもとに駆けつけた。

それから、三度目の発作が始まった。それはこれまで以上に酷いものだった。

Ⅸ

ニデック伯爵の最期が近づいている……。

生と死が壮大な戦いを繰り広げている今、医術ができることはあるのか？　私はそう自問せずにいられなかった。見えない戦士が二人、組み合って、全力で戦っている。息を切らし、倒されても起き上り、また立ち向かっていく。そんな死闘を前に、医者は何ができるのだろうか？

壮絶な戦いを固唾を飲んで眺め、苦悶の声を聞き、ただ震えるだけではないのか？

時折、戦いが停止したように見えることがある。命が戦闘のただ中でひとまず撤退し、自陣で休む。

絶望的な状態にあってもなんとか自らを鼓舞するために。しかし、じきに敵に追いつかれる。だから、また一対一の格闘に身を投じる。戦いは前にも増して熾烈を極め、終焉に近づく。

その間、病人は、滝のように冷汗をかき、虚空の一点をじっと見つめ、両腕をぐったりとさせ、もはや自分自身では何をすることもできない。短く、浅く、小刻みに呼吸しているときもあれば、長く、深く、ゆっくりと息を吸っているときもある。それぞれがこの絶望的な戦いのさまざまな段階を示しているのだ。

いっぽう、病人を見守る人々は顔を見合わせることしかできない……。口にこそ出さないが、内心ではこう思っている。「いつの日か、私たちも同じような戦いを経験することだろう。勝者となった死は私たちを自らの洞窟へと連れ去る。蠅を捕まえた蜘蛛のように……。だが、私たちの命は、つまり、魂は、その羽を広げ、新たな世界へと飛び立つだろう。『私は自分が為すべきことを成し遂げた。正々堂々と戦った』そう叫びながら。いっぽう、死は、下界のさらに下から、命が飛び立つのを指を咥えて見ているだけだ。追いかけることなどできはしない。だから、死が手にするのは、骸《むくろ》にすぎない」そう考えて、至高の慰めを得るのである。人間の魂が不滅であることを確信し、正当な裁きを受けられるものと期待する。そして、何があろうと、人間としての心は奪われないと安堵するのだ。

深夜になると、ニデック伯爵はこの戦いに敗れたかに見えた。脈は不規則になり、次第に弱まり、停止する。が、急にまた戻る……。いよいよ、最期のときが近づいているのだ。

私にはもはや、伯爵が死ぬのを見守ることしかできない。そう判断したら、急に疲労感に襲われた。今の医術でできることは全てやった。私は手を尽くした。

だから、ギデオンに言った。今晩は夜通し傍にいてやってくれ……。そして、そのときが来たら、伯爵の目を閉じてやってくれと。

ギデオンは泣き崩れた。が、そんな取り乱した反応をした自分を責めてもいた。「伯爵、どうされたのだ？」絶望的な声を出して、髪の毛を掻きむしる。

私は一人、ヒューグ塔に戻った。軽く食事をする時間があったからだが、食べる気にはならなかった。

暖炉の火が赤々と燃えている。私は服を着たまま寝床に倒れ込んだ。睡魔はすぐにやってきた。私はそのまま泥のように眠った。いずれ誰かのすすり泣く声や呻き声で目を覚ますだろうと思いながら。

私はそうやって、敷石を赤く照らしている暖炉の炉床に顔を向けて、眠ってしまった。

それから一時間も経った頃、瞼《まぶた》が熱く感じられて、少しばかり目を開けた。

ところが、そのとき、とんでもないものが目に飛び込んできたのだ。

いくつかの燠《おき》のおかげで辛うじて明るい暖炉を背景に黒い横顔が浮かび上がっていた。あの疫病神の横顔だった！

老婆が背凭れのない椅子に蹲り、静かに暖をとっているのだ。

私はまず、ここ数日、老婆について考えていたので、幻が現れたのだと考えた。それで、肘をついて身体を起こし、よく見てみた。が、恐怖にかられ、目を丸くした。

紛れもなく、あの疫病神だった。両手で膝を抱えたまま、全く動かない。ニデックに来る途中、雪の中で見かけたときのように、長い首を傾げ、鷲鼻で、唇を震わせている。

私は凍りついた！

疫病神がなぜ、ここにいるのだ？　どうやって断崖絶壁に立つこの塔の天辺にまで来ることができたのだろうか？

これまでギデオンから疫病神が神通力を持っていると散々聞かされていたが、それを目の当たりにした思いだった……。この塔に到着した夜、リヴェルレが岩の壁に向かって吠え続けた光景が目の前に蘇った。

私は寝床の上で身を縮め、息を潜めて、不動の黒い影に目を凝らした。穴の奥から猫を見つめる二十日鼠のように。

それにしても、老婆は全く動かない。岩をくり抜いて作った暖炉の支柱のように不動だ。しかし、唇だけが、何を言っているのか知らないが、小刻みに動いている。

この怪奇現象を前に、この世のものとは思えない存在が全く動かずに、ずっとそこに佇んでいることに、私の中で恐怖心が分刻みで倍増し、心臓の鼓動が速まった。

その状態が少なくとも十五分は続いただろう。一本の樅の小枝に火がついて、一瞬、火花が走った。その後、小枝はシュッと音を立ててしなり、光線が部屋の奥まで照らし出した。

そのわずかな光が老婆の全身を映し出した。老婆は時代がかったブロケードのドレスに身を包んでいた。厚紙のように硬そうな生地は、もともと緋色だったものが紫色に退色したように見える。そして、左手首には重そうなブレスレットを嵌め、たっぷりと垂らした白髪には、一本の黄金の矢を挿していた。

まるで過ぎ去った時代が突然、目の前に現れたようだった。

しかし、疫病神の老婆には、幸いにも、私を攻撃しようとするような敵意が感じられないのだ。むしろ、私が寝ている隙に何かをしようとしているのではないか？

そう考えると、私は少し安堵した。と、そのときだ。老婆がついに立ち上がり、ゆっくりとこちらにやってくるではないか！　今しがた火をつけた松明を片手で掲げながら。

老婆の目は血走り、ひたすら一点を見据えている……。

私は慌てて、飛び起きて、叫ぼうとした。が、筋肉はどこもピクリともしなければ、少しの息も唇まで辿り着かない！

いっぽう、老婆は寝台の天蓋の間から入ってくると、私を覗き込み、不気味な笑みを浮かべた。誰か、助けを呼ばなければ……身を守らなければ……。しかし、私は全身が麻痺したように、全く動けなかった。声さえ出ない。まるで蛇に睨まれた小鳥のように。

そうやって老婆で見つめられている間、時が止まったように思われた。

老婆は何がしたいのだ？　私はこれから起こるであろうあらゆる事態を想像した。

ところが、老婆は突然、後ろを振り返ったのだ。しばし、耳をそばだてていたが、急にすたすたと大股で寝台から離れていった。部屋を横切り、扉に手をかける。

私はようやく、正気に戻った。なんとか勇気を掻き集めると、バネのように寝台から起き上がり、急いで、老婆を追った。老婆は片手に松明を掲げ、もう片方の手で扉を思い切り開けたところだった。

私は疫病神の髪を捕まえようと腕を伸ばした。ところが、歩廊の一番奥に、城と塔をつなぐ幕壁に面した尖塔アーチの穹窿の下に、誰かがいることに気づいた。

なんと、ニデック伯爵その人だった。

死期が迫っているはずのニデック伯爵が巨大な狼の毛皮を纏って、立っていた。狼の上顎を面頬《めんぽお》のように額の上から出し、前足の爪を両肩の上に乗せている。そして、後ろには尻尾を出して、敷石の上を引きずっているのだ。

伯爵は大きな短靴を履いていた。分厚い革を巻紙のような形に縫ったものだ。首元で毛皮を銀の鉤爪で留めている。伯爵の視線に生気はないが、氷のように冷たく据わった目つきをしていて、それが伯爵を強い男に見せていた。まさに臣下に命令を下す領主の顔になっているのだ。

そんな伯爵の様子を見て、私の中でさまざまな考えが交錯した。ここで逃げ出すわけにはいかない。恐怖にのまれたとはいえ、まだ思考力は残っている。私は急いで、窓枠の隙間に身を隠した。

伯爵が険しい表情で老婆を見ながら、部屋に入ってきた。それから二人で低い声で言葉を交わしはじめた。あまりにも小さな声なので、何も聞き取れない。しかし、二人の仕草はわかりやすかった。老婆は寝台を指差しているのだ！

二人は爪先だって暖炉に近づいた。そこで、梁間の影で、老婆が笑みを浮かべながら、大きな袋を開けた。

伯爵はその袋を見るや否や、飛び跳ねるようにして寝台の傍に行って、そこに膝をついた。天蓋の垂れ幕が小刻みに揺れている。伯爵は垂れ幕の襞に隠れてしまい、こちらからは敷石の上の両脚と右から左へ、左から右へと半円を描く尻尾しか見えない。

まさか、殺人が行われているのではないか？　私は胸が締めつけられた。どんなに悍ましくぞっとするような光景であろうと、こうして目の前で繰り広げられるこの無言の行為を越えるものはないだろう。

老婆がまた袋を開けた。その袋を引きずり、寝台にいる伯爵に合流した。寝台の天蓋の垂れ幕がまだ揺れている。壁に二人の影が映し出された。さらに身の毛がよだつほど恐ろしかったのは、血の海が敷石の上に広がり、ゆっくりと暖炉の方へ流れていくのが見えたときだった。が、幸い、それは目の錯覚で、伯爵の靴についていた雪が温かい室内で溶けだしただけだったのだが……。

それでも、敷石の上に点々と続く黒いものから目が離せなかった。舌が喉の奥に引っ込み、そのまま動かなくなった。と、そのときだ。

老女と伯爵がシーツを袋の中に入れたのだ。そして、前足で地面を掘る犬のように性急に、中に押し込む。それが済むと、伯爵は不格好に膨らんだ袋を肩に担ぎ、扉に向かった。袋からシーツがはみ出している。その伯爵の後を老婆が松明を掲げてついていく。それから二人は幕壁を通っていった。

二人の後ろ姿を見ながら、私は両方の膝の震えが止まらなかった。互いにぶつかりあって鈍い音を立てる。私は小さくなって、ひたすら祈った。

しかし、それから二分と経たずに、私は二人の後を追った。突然、抗い難い好奇心が湧いたのだ。

私も幕壁の上を走ってた。塔の尖塔アーチの下にさしかかろうというところで、自分の足元で、大きくて深い貯水池の入口が口を開けていることに気づいたのである。そこから螺旋状の階段が下に続いている。覗いてみると、石でできた紐のような階段を、松明が蛍が飛び交うように、弧を描きながら下へと移動していた。それは次第に遠ざかっていく。

私はそのかすかな光を追って、階段を下りていった。

ところが、突然、その光が消えた。伯爵と老婆は断崖の底に到達したのだろう。私は手摺を頼りに、階段を下りる足を速めた。そのときはまだ、この階段を上って塔に戻るつもりだった。他に出入口がないのだから。

階段の下まで来ると、私は周囲を見まわした。左側に霜に覆われたイラクサや木苺の群生がある。その向こうに見える低い門から月の光がちらちらと差し込んでいた。私は植物の茂みを掻き分け、雪を足で蹴散らしながら進んだ。気がつけば、主塔の麓に辿り着いていた。

一体、誰がこんな抜け穴から城に登ろうと考えるだろう？　そして、誰がこの抜け穴をあの老婆に教えたのだろう？　しかし、今は、そんな疑問に関わっている場合ではない。

目の前に、真昼のように眩《まばゆ》い平野が広がっていた。右手にはシュヴァルツヴァルトの山頂が連なる黒い線と峡谷が果てしなく続いている
幸い風は強くない。それにしても、空気は、冷たかった。しかし、その身を切るような冷気のおかげで、頭がすっきりした。

すぐに伯爵と老婆の姿が見えた。背の高い二つの影がゆっくりと、ここから二百歩ほど離れた丘を登っている。その丘は無数の星が散りばめられた空を背景に、くっきりと浮かび上がっていた。

私は峡谷を下りたところで、二人に追いついた。

伯爵はゆっくりと歩いている。相変わらず袋からはみ出たシーツを引きずりながら……。伯爵と老婆の動きや仕草はどことなく機械的に見えた。今や二人とは二十歩と離れていない。二人はアルテンベルクの土手の道に沿って、ときには暗闇の中を、そして、ときには煌々と昼のように明るい中を進んでいる。月は驚くほど眩い輝きを放っていた。遠くから雲が現れ、月を摑もうと長い手を伸ばすのだが、月はそれを巧みにかわして、毎回逃げてしまう。冷たい月光は鋼の薄板のように、私の心の中に突き刺さった。

できれば、引き返したかった。しかし、抗い難い力が私に葬列のような二人の後を追わせるのだった。

この時点では、まだシュヴァルツヴァルトの小道が見えていた。私は歩きながら、足元で鳴る雪の音を聞き、風に舞う樹木の葉がこすれる音に耳を澄ませた。こうして無言の二人の後をつけてはいるが、なぜこんなことをしているのか、自分でもわからなかった。何らかの不思議な力に駆り立てられているとしか思えなかった。

ついに、二人は森の中に入った。すっかり葉を落とした橅《ぶな》の裸木の下を進んでいる。上の方の枝は互いに絡み合い、雪が積もった道にまだら模様の黒い影を作っていた。私は時々、背後から誰かの足音が聞こえるような気がしてならなかった。

思わず振り向いて見たが、何も見えなかった。

やがて、アルテンベルクの岩山に到着した。この峰々が連なる向こうはシュネーベルクの急流だ。しかし、冬のこの季節、川は流れていない。せいぜい、分厚い氷の下をわずかばかりの水が糸を引くように流れているだけだろう。水が勢いよく流れる音も、渓流のせせらぎも、あるいは風の囁きさえ聞こえない。音のない世界ほど恐ろしいものはない。

ニデック伯爵と老婆は岩山の裂け目を見つけると、躊躇なくそこを上りはじめた。真っ直ぐ前を向き、頂上目指して、一直線に進んで行く。全く迷いがない。いっぽう、私は二人の後をついていくのに茂みに摑まりながら進まざるを得なかった。

その岩山の頂上は、底なしの深淵から突き出た突端のように見えた。私は二人から数歩しか離れていない。二人の向こう側には深い闇が広がっているだけだ。左側に目を向けると、シュネーベルクの急流が凍り、氷柱《つらら》となって下がっている。水が落下するときに近くの樹木や茂みを巻き込み、木蔦まで根こそぎ絡めとる水の躍動が氷の中で止まっていた。それはまさに不動の死の中に生の躍動が閉じ込められてしまったかのようだった。いっぽう、眼の前では無言の二人が操り人形のように無表情で淡々と奇怪な行動をとっている。私はまた背筋が凍り、震えが止まらなくなった。

この山の自然までが、私と同じように恐怖に慄《おのの》いているように感じられた。

伯爵は肩に担いでいた袋を下ろすと、老婆と一緒に岩山の縁から袋を放り投げた。白いシーツが経帷子のように暗黒の深淵を漂った。その様子を覗き込んでいる二人はまるで殺人鬼のように見えた。白く長いシーツが暗闇を漂う光景は今でも私の目に浮かぶ。それはゆっくり、ゆっくり落ちていった。白鳥が天空で撃たれ、羽を広げ、頭を逆さまにして、旋回しながら死の谷に落ちていくように……。

そうして、シーツは奈落の底に消えた。

そのとき、少しずつ月に近づいていた雲がついに、月を捕らえた。月はゆっくりと蒼い雲に覆われ、月明かりが次第に失われていく。

すると、老婆が伯爵の手を取った。と思ったら、あっと言う間に伯爵を連れ去った。まさに目にも留まらぬ早業だった。

今や月は完全に雲に覆い隠された。迂闊に足を出したら、深淵に落下してしまいそうだ。私はその場から動けなくなった。

幸い、数分後には、雲の切れ目からわずかに月が顔を出した。私は周囲を見渡した。岩山の頂上にいたのは私だけだった。しかも、膝まで雪に埋まっている。

私は怖くなって、急いで急斜面を下りた。そして、城を目指してひたすら走った。なぜかひどく動揺していた。まるで犯罪でも犯したように……。

そうやってなんとか山を下りることができたが、ニデック城の当主と老婆の姿は白い平野のどこにも見えなかった。

X

私はニデック城の周囲を彷徨《さまよ》っていた。さっきの出口がどうしても見つからないのだ。

不安と焦りに交互に苛まれる中、私は自問しながら、思いつくままに足を進めた。まさか自分は精神に異常を来したのではあるまいか？　つい今しがた、岩山の山頂で目撃したものは幻だったのだろうか？　私は急に自信が持てなくなった。しかし、目にした一部始終は具体的で鮮明であり、思い返すと恐怖が蘇るのである。

暗闇に松明を高く掲げたあの男は、狼の遠吠えのような唸り声をあげ、冷酷に殺人を犯した。いや、そう思わせる行為を行ったのだ。しかし、ヒューグ塔での行いといい、岩山の山頂であたかも死体を投げ捨てるような振る舞いといい、実に真に迫っていた。そして、男は逃亡した、狼の恰好をして。全てはシュネーベルクの急流だけが知っているとでも言わんばかりに……。そんな考えが私を苦しめた。あの光景がまた眼前に現れ、私は悪夢を見ているような気になった。

私は走っては息を切らし、雪のせいで方向感覚を失い、自分がどこに向かっているのか皆目わからなくなった。

夜明けが近づくにつれて、寒さはますます厳しくなった。私はギデオンを恨んだ。どうしてフライブルクまで私を探しに来たのだと。こんな忌まわしい出来事に関わるようになったのはギデオンのせいなのだ。

いよいよ、精魂尽き果てた。髭は氷で覆われ、耳の半分も凍っている。もうお終いだと諦めたときだった。ようやくニデック城の鉄格子の門を見つけたのだ。私は思い切り呼び鈴を鳴らした。

時刻は恐らく、明け方四時ぐらいだろう。しかし、クナップヴルストはなかなか出て来ない。正門の傍の岩を背にして建っているせむし男の粗末な小屋は静まり返っている。私は着替えに手間取っているのだろうと考えた。恐らくまだ寝ていたはずだからと。

私はもう一度、呼び鈴を鳴らした。

すると、入口の扉から面妖《めんよう》な顔が現れ、私に向かって怒鳴り声をあげた。

「誰だ?」

「私だ……。医師のフリッツだ」

「おお……。少々お待ちを!」

彼は一旦中に引っ込むと、角燈を手にまた現れた。それから、雪が積もった中庭を腰の辺りまで埋まりながら進んで、ようやくやってきた。鉄格子越しにじっと私を見る。

「いやいや、これは申し訳ないことをしました」クナップヴルストが恐縮したように言った。「てっきり、上で、ヒューグ塔でおやすみになっていると思っていましたよ。それがどうしたことか、呼び鈴を鳴らしたのは先生だったとは! ははん、それでわかりましたよ。シュパーヴァーが真夜中にやって来て、『外に出た者はいないな?』と訊ねたのは、そういうわけだったのですね。もちろん、『誰も外出していない』と答えましたがね。実際、先生が出ていくのを俺は見ていないので」

「それよりさっさと門を開けてくれませんか、クナップヴルスト殿! そんな話は後でもいいでしょう」

「おお、そうでした。もう少々のご辛抱……」

せむし男はゆっくり、実にゆっくりと南京錠を外し、鉄格子の門を動かした。その間、私はガチガチと歯を鳴らし、爪先から頭の天辺まで身体を震わせていた。

「先生、お寒いでしょう」まるで今気づいたとでもいうように、せむし男が言った。「ですが、お城には入れませんよ。シュパーヴァーが城内の扉まで閉めちまいましたからね。理由はわかりませんが……。

珍しいですよ。普段はこの鉄格子の門しか閉めないんですから。だから、俺のところで温まってください よ、先生。なに、狭くてむさくるしい部屋ですがね、寒さに震えているときは、細かいことは気になら ないもので」

私はこの長広舌には答えずに、急いでクナップヴルストの後に続いた。

そして、そのむさくるしい部屋とやらに足を踏み入れた。全身が氷のように冷え切って感覚も麻痺していたが、この庵《いおり》のような部屋は雑然としているにもかかわらず、なんとも趣《おもむき》があることに感嘆せずにはいられなかった。スレートの屋根は片方は岩で、もう片方は六〜七ピエほどの高さの壁で支えられ、棟を支える黒ずんだ梁《はり》がむき出しになっている。

この住まいには粗末な寝床を備えた一部屋しかない。その寝床をクナップヴルストが毎日几帳面に整えているようには見えなかった。二つの六角形の小さな窓があり、そこから色褪せた薔薇色と紫の月光が差し込んでいる。部屋の真ん中には樫の一枚板の大きな真四角のテーブルが置かれていた。どうやってこんな大きなテーブルをあの小さな入口から入れることができたのだろうか？　しかし、それを尋ねるのは躊躇われた。

いくつかの棚の上に大小の丸めた羊皮紙や古書が乗せられていた。樫の木のテーブルの上には、アルファベットの大文字だけが描かれた大きくて分厚い書籍が広げられている。表紙は白革で留め金付き。四角には銀の鋲が打たれている。あれは恐らく、歴代の年代記を集めたものだろう。それ以外に家具と呼べるものは、二つの肘掛椅子ぐらいだ。一つは赤褐色の皮の椅子で、もう一つには枕が置いてあった。その枕にクナップヴルストの凹凸のある背骨と不格好な股関節の跡が残っていた。

さらに私はインク壺と羽ペン、煙草入れに目をやった。それから、あちこちに置かれている五〜六個のパイプ、そして、部屋の隅に置かれた小さな鋳鉄のストーブに視線を移した。小さな扉が開いていて、燃え盛る炎から、時々、怒って相手を威嚇する猫の鳴き声にも似た音を立て、火花が飛び散った。

こうしたものが全て、見事にくすんだ琥珀色の色調の中に溶け込み、見る者の心を和ませた。残念なことに、この微妙な色合いの秘密はフランドルの絵画の巨匠たちに持ち去られてしまったのだが……。

「つまり、貴方様は昨夜、外出したのですな?」私がストーブの煙突に手を当て、人心地がついたとき、分厚い書物の前に座ったクナップヴルストが尋ねた。

「ええ、かなり早い時刻に」私はさり気なく答えた。「シュヴァルツヴァルトの樵《きこり》の治療に出かけたのです。誤って、斧で左足を切りつけてしまったのですよ」

この説明にクナップヴルストは納得したようだった。それから、パイプに火をつけた。古い柘植の真っ黒な小さなパイプが顎の下にぶら下がっている。

「先生、煙草は?」

「いや」

「なんと! パイプなら、ほら、このとおり、いくらでもあるのに。これを読んでいたんですよ」テーブルの上に開かれた分厚い書物に黄ばんだ長い指を伸ばして、クナップヴルストが言った。「先生が呼び鈴を鳴らしたとき、ちょうどヘルツォークが書いた年代記を読んでいるところだったのです」

そういうことか。私はあれほど長く待たされた理由がわかった。

「読み終わらせたい章があったのですね？」微笑みながら、私は言った。

「ええ、そのとおりです」クナップヴルストも笑みを返した。

私たちは一緒に笑った。

それから、しばし沈黙が流れた。

私はあらためて、このせむしの門番の人相を眺めた。口の周りに刻まれた無数の深い皺、瞼《まぶた》が垂れ下がった小さな目、そして先が丸くなった不格好な鼻……。何より目を引く分厚い二重の顎。クナップヴルストの風貌にはどこかソクラテスを思わせるものがある。私はストーブの中でパチパチと火が爆ぜる音を聞きながら暖を取り、数奇な人生を送る人々について考えを巡らせた。

「例えば、この小人のように」私は心の中で呟いた。「背中が曲がったこの奇怪な男はニデック城の片隅に引き籠っている。暖炉の後ろでささやく蟋蟀《こおろぎ》のように。城の喧噪の中でひっそりと暮らしているのだ。大がかりな狩りが催されれば、大勢の人々が行き交い、猟犬はひっきりなしに吠え、馬たちは跳ね、角笛の音が響き渡る騒がしさの中、このせむし男だけは書物にかじりつき、過ぎ去った時代のことだけを考えている。周囲では人々が歌ったり、泣いたりして日々を送っているというのに……。春から夏、夏から秋へと季節が変わり、この粗末な部屋にも小さな色褪せた窓からそうした変化が訪れるにもかかわらず……。人々が恋愛に耽り、野心を抱き、金儲けをしようとしている間、つまり、何かをしたいと願い、あるいは渇望し、欲望を抱いている間、この小男は全く何も望まず、期待もせず、何の欲望も抱かない。その代わり、パイプを咥え、古い羊皮紙を眺めているのだ。そして、夢を見る……。今は存在しないもの、あるいは決して存在しなかったもの――どちらにしても似たようなものだ何某《なにぼう》はそんなことを言っている……。何某はそんなことを言っているのだ。『ヘルツォークはこんなことを言ったとは！』という具合に。そして、それがこの男の至福のときなのだろう。皮膚は羊皮紙のように干からび、曲がった背中はますます曲がるだろう。テーブルについた太くて尖った肘の窪みはこの先、さらに少しずつ深くなっていくのだろう。長い指で頬杖をつき、灰色の小さな目でひたすら書物を追う。ラテン語だろうとエトルリア語だろうと、あるはギリシア語だろうと、この博識のせむし男は読めるに違いない。そうやって、彼は恍惚状態となり、好物にありついた猫が舌を鳴らすように、舌なめずりをする。それから、粗末な寝床に横になって、足を組む。そして、達成感に包まれながら、天井に問いかけるのだろう。『おお、天におわす神よ、あなたの教えが厳格に実行されるのは、つまり、義務の遂行が問われるのは、天に到る梯子の上なのでしょうか？　それとも、下なのでしょうか？』と」

私の脚の周りの雪も溶け、ストーブの蒸気が私の中に心地よく浸透し、この部屋の松脂の香りと煙草の煙に包まれて、私はようやく生きた心地がした。

いっぽう、クナップヴルストはテーブルの上にパイプを置くと、また二つに広げた書物の上に手を置いた。

「よろしいですか、フリッツ先生」急に、意識の奥深くから出てきたような極めて重々しい口調で切り出した。「これが律法であり、預言者なのです！」

「どういうことですか、クナップヴルスト殿？」

「羊皮紙に記された古文書が俺は好きなんです！」彼が言った。「この黄ばんで虫に喰われた古い紙が俺たちに残された全てなのです。カール大帝の時代から今に至るまで、過ぎ去った時間が残してくれたものはこれしかありません。隆盛を誇った古くからの名家が消えても、古文書は残った！　ホーエンシュタウフェン朝*の栄光はどこに行ったのでしょうか？　ライニンゲン公国やニデック伯や他の名門の一族の誉《ほまれ》はどこに行ってしまったのでしょう？　彼らの爵位や紋章、勲功や十字軍遠征、あるいは同盟や縁組、そして獲得した領土と征服した国々についてはとっくに忘れ去られています。そうした数々の過去の出来事は、この古文書がなかったら、どうなると思いますか？　無です。無に帰するのですよ！　男爵だろうと公爵だろうと皇太子だろうと存在しなかったも同然になるのです。彼らに直接的あるいは間接的に関わるもの全てがなかったことになってしまう。そうした由緒ある人々が所有していた城や宮殿や砦は壊れてしまえば、時と共に崩壊が進み、いずれ廃墟になる。後は朧気な記憶でしかなくなるのです！　それでも、唯一残っているものがある。それが年代記であり、物語であり、あるいは吟遊詩人やミンネジンガーが口ずさむ叙事詩、つまり、古い記録なのですよ！」

一気にまくしたてたクナップヴルストは、そこで一旦、口を閉ざした。しばしの沈黙の後、また話しはじめた。

「それにもかかわらず、偉大な騎士たちが領地を巡り、あるいは称号を巡って戦いを繰り返していた遠い昔、騎士たちは戦闘には加わらない記録係を軽蔑の眼差しで見てはいなかったでしょうか？　このように難解な文字を書き綴り、記録をつけることを生業とする人々は厚地の毛織物の衣服に身を包み、帯には武器の代わりにインク壺をぶら下げ、旗印に代えてペンを咥えていたのです！　騎士たちは彼らをどれほど見下していたことか。『この者はこの世界で最小の存在、アブラムシの如きもの。無能なうえに何もしようとしない。税の聴取もせず、所領を管理することもない。我々騎士は甲冑をつけ、槍を手に勇猛果敢に戦っているのだ。我々が全てである！』ええ、そう言っていたのですよ。記録係が足を引きずって歩き、冬は寒さに震え、夏は汗にまみれ、そして老いさらばえていくのを侮蔑の眼差しで見ていたのです。ですが、それがどうです？　その世界で最小のアブラムシの如きもののおかげで、騎士たちは埃にまみれた城から、あるいは錆びついた鎧兜から蘇ることができたのですよ！だから、俺はここにある古文書が好きなんです。いや、崇拝していると言ってもいいでしょう。最大の敬意を払っているんです。古い記録というのは、まるで木蔦のように、廃墟を覆い、古くなった城壁が崩壊するのを防ぎ、全てが消滅するのを阻止するのです」

そう言いながら、クナップヴルストは厳かに遠い昔に思いを馳せているようだった。そして、感極まったのか、涙ぐんだ。

気の毒なこのせむし男は、自分の祖先を受け入れ、保護してくれた人々が好きなのだろう。それに、確かに彼の言うことは正しい。その言葉には含蓄がある。

しかし、私には意外だった。

「クナップヴルスト殿、つまり、貴方はラテン語を学んだのですね？」

「ええ、独学ですがね」クナップヴルストが誇らしげに答えた。「ラテン語もギリシア語も古い文法さえわかれば、読めるようになるものです。実は、捨てられようとしていた伯爵の書物がきっかけでし

ホーエンシュタウフェン朝　十二〜十三世紀の神聖ローマ帝国の王朝。

た。人の手から、俺の頭の上に落ちてきたんです。俺は夢中になって読みましたよ。それから少し経って、俺がラテン語の一文を声に出して読んでいるのを伯爵がたまたま、耳にされたのです。伯爵は驚いて、こうお尋ねになった。『誰がおまえにラテン語を教えたのだ?』。だから、俺はこう答えました。『俺自身でございますよ、閣下』とね。それから、色々質問されたが、俺はちゃんと答えることができた。すると、伯爵はこう仰ったんですよ。『これは驚いた! おまえのほうが私よりもよく知っている。おまえを私の古文書保管人とすることにいたそう』そうして、書庫の鍵を渡されたのです。それからもう三十五年経ちました。俺は書庫にある全ての記録を読みました。時々、伯爵は通りがかりに足を止めて、梯子の上にいる俺に声をかけてくれるんです。『おや、クナップヴルスト、そんなところで何をしている?』『御一族の記録を読んでいるところです、閣下』『そうか、楽しいか?』『最高ですよ』『それはよかった! クナップヴルストよ、おまえがいなければ、誰がニデック一族の栄光を知ることができよう』そう仰って、笑いながら去っていかれるのです。先生、俺はここで自分の好きなことをしているんですよ」

「クナップヴルスト殿、ニデックのご城主は実によくできた方なのですね?」

「もちろんですとも、フリッツ先生。なんとお優しい方か! そして、なんと率直でいらっしゃるか!」せむし男が両手を重ねながら言った。「ですが、一つだけ欠点をお持ちです」

「それはどのような?」

「あまり野心をお持ちではない」

「と言うと?」

「伯爵は欲しいものは何でも手中に収めることができるのです。ニデックの当主なのですから！　ドイツの名門中の名門にお生まれになったのです。それがどういうことかわかりますか？　望みさえすれば、大臣にでも元帥にでもなれるということです。それなのに、そうなさろうとはしない。お若い時分から早々と政治の世界から引退されてしまいました。唯一の例外はフランス遠征です。あのときはご自分で兵士を招集して、連隊の先頭に立って進軍されました。ですが、伯爵は常に喧噪から距離を置いて、と言うより、世事には関わろうとせずに暮らしてこられた。伯爵が気に懸けるのは狩りぐらいなものです」

こうした些細な話に私は大いに興味を持った。話は期せずして、私の望んでいた方向に向かいつつある。私はこの機会を十分に利用することにした。

「なるほど、伯爵には大望がないのですね、クナップヴルスト殿？」

「そうなのです、フリッツ先生。全くお持ちではない。実に残念です。なぜなら、大望があってこそ名家の栄光が築かれるのですから。野心のない人間が由緒ある家系にいるのは不幸なことなのです。一族を失望させるだけです。何なら、そんな例をいくつかお話してもいい。商人の一族の幸福は名の知れた名門の家系の名を汚してしまうのです」

私は驚いた。伯爵の過去に関する私の推測は音を立てて崩れた。

「しかし、クナップヴルスト殿、ニデックのご当主は不幸な目に遭っていらっしゃるではありませんか！」

「どのような？」

「奥方に先立たれている……」

「そうでした……。奥方様は……天使のようなお方でした。伯爵は政略結婚ではなく、恋愛結婚をされたのです。オデット伯爵夫人が伯爵にとってまさに喜びそのものだったのです。ですが、奥方様は心の病に罹り、五年間患った末にお亡くなりました。その間、奥方様のご病気を治そうと、どれほど伯爵が手を尽くされたことか……。お二人でイタリアにご旅行に行かれて、お戻りになって数週間後に奥方様は亡くなりました。伯爵は悲しみのあまり、自ら命を絶とうされたぐらいで……。その後二年間というもの、お部屋に引き籠り、誰にも会おうとなさらず、あれほど可愛がっていた猟犬も馬も放っておかれた。それでも、時と共に少しずつ苦悩は薄らいでいきました。ですが、決して消えないものがあるのです、ここに」心臓の位置に指を置き、感情を込めてせむし男が言った。「わかるでしょう？　傷は完全には癒えないのです。古い傷が季節の変わり目に疼く。春になって墓石の上で草が伸びるとき、秋になって落ち葉が大地を覆い尽くすとき、忘れていた痛みが蘇るのですよ。それに、伯爵は決して再婚されようとはしなかった。持てる愛情を全てお嬢様に注いだのです」

「ということは、伯爵の結婚生活はいつも幸せなものだったのですね？」

「幸せそのものです！　そして、それは我々にとっても僥倖《ぎょうこう》でした」

私は押し黙った。伯爵は犯罪など犯していない。犯罪を犯すような人間ではない。クナップヴルストの話を聞けば、それは疑うべくもない。では、あの真夜中の光景は何だったのか？　さらに、疫病神の老婆との関係は？　あの恐ろしい場面は、過去の犯罪を暗示するようなあの行為は、一体何だったのだろうか？

私はすっかりわからなくなった。

クナップヴルストがまたパイプに火をつけた。私にも勧める。今度は付き合うことにした。

やがて、身体が凍えるほどの寒さも溶けてなくなった。私はひどく疲れた後の心地よい気だるさの中にいた。ストーブの傍で、座り心地のよい肘掛椅子に身体を預け、煙草の煙に包まれて、私はひたすら身体を休めた。蟋蟀の鳴き声と薪が燃える音の二重奏に耳を傾けながら。

そうやって、私たちは黙したまま、十五分ほど過ぎただろうか。

「ニデック伯爵はときにオディール様に激怒されることがありますね？」私は敢えて、言ってみた。

すると、クナップヴルストが身震いをした。私に疑わしい目つき、いや、敵意のこもった眼差しを向けて言った。

「わかっています、わかっていますとも！」

私は何か新たな話が聞けるのではないかと期待しながら、横目でせむし男を観察した。しかし、彼は皮肉な口調でこう言うだけだった。

「ニデック城の塔はあまりにも高く、いっぽう、他人の悪口は低く飛ぶ。だから、嫌なことは塔の天辺までは届かないものです」

「確かに。しかし、事実は事実です」

「だから何だと言うのです？　それは病気のせいですよ。一旦、発作が収まれば、伯爵はまたお嬢様にお優しくなるのですから。こう言っては何ですが、二十歳の若い恋人も伯爵以上にお嬢様を慈しむことなどできないでしょう。伯爵にとってお嬢様は生きがいであり、誇りなのです。考えてもみてください。俺は何度となく、伯爵が馬に乗って、お嬢様のために装飾品や花束などを買い求めにいくのを見ている。そういうとき、伯爵はいつもお一人だ。そして、凱旋行進のように、ラッパを鳴らし、贈り物を手に帰っていらっしゃる。これに関しては召使に任せることはありません。あれほどお気に入りのシュパーヴァーにさえ頼みませんよ！　だから、オディールお嬢様はお父上の前では欲しいものを口にすることはありません。伯爵がどんな行動に及ぶかよくご存知だからです。つまり、何が言いたいかというと、ニデック公は誰よりも尊敬すべき人間であり、娘に対しては誰よりも優しい父親であり、そして、これ以上望めないほどよくできたご当主だということです。先代のルートヴィッヒ様なら、伯爵領の森で狩りをする密猟者たちを情け容赦なく絞首刑にしたことでしょう。しかし、伯爵は寛大にもお赦しになった。それだけじゃない。狩猟地の番人として働かせている。シュパーヴァーを見ればわかるでしょう。ルートヴィッヒ様が生きておられたら、今頃、シュパーヴァーの髑髏《しゃれこうべ》が縄に吊るされ、カタカタと音を立てていたことでしょう。しかし、そのシュパーヴァーは今じゃ、伯爵の筆頭猟犬係ときているのですから！」

　なるほど、そういうことなら、伯爵に対する私のさまざまな憶測は悉《ことごと》く外れている。私は両手で頭を抱え、しばらく考え込んだ。

　クナップヴルストは私が眠っていると思ったのだろう、また書物を読みはじめた。

　灰色がかった日差しがこの粗末な小屋にも差し込んできた。ランプの炎が小さくなり、城の中のざわめきが少しずつ聞こえてくる。

　と、そのとき、外で足音が響いた。窓の外を誰かが通るのが見えた。と思ったら、入口の扉が荒々しく開けられた。ギデオンが敷居に立っていた。

XI

ギデオンの蒼ざめた顔とかっと見開いた瞳を見れば、また何か起きたのだろうと想像がついた。しかし、それにしては落ち着いた態度で、私がクナップヴルストの番小屋にいることに驚いた様子もない。

「フリッツ」ぶっきらぼうな口調でギデオンが言った。「おまえを迎えに来た」

私は黙って立ち上がり、ギデオンに従った。

小屋の外に出るとすぐに、ギデオンに腕を摑まれ、もの凄い勢いで引きずられるように城に向かった。

「お嬢様がお話があるそうだ」ギデオンが耳元で囁くように言う。

「オディール様が!?　具合でも悪いのか?」

「いや、お嬢様はすっかりお元気になられた。だがな、とんでもないことが起きたのだ。午前一時頃のことだ。伯爵が今にも息を引きとりそうなので、お嬢様にお知らせしようとした。だが、お嬢様の部屋の前まで行ったが、俺は扉を叩くことができなかった。お嬢様を早々に悲しませる必要がどこにある?　俺は自分自身に言った。その上、こんな真夜中に起こしたら、ただでさえ心労が重なり、弱っておられるのだから、伯爵のご臨終が近いことを知り、お嬢様も死んでしまうかもしれない。俺はその場でしばらく思案した。そして、決心した。責任はこの俺が引き受ける。そう覚悟して、伯爵の部屋に引き返した。ところが、部屋には……誰もいなかったのだ！　こんなことはあり得ない！　死に瀕していた人間が動けるはずがない！　俺は気が狂ったように廻廊を走った。だが、誰もいない。歩廊にも行ってみたが、そこにもいない。俺はどうしていいかわからなくなった。それで、お嬢様の部屋を訪ねた。今度は扉を叩かないわけにはいかなかった。すると、お嬢様が悲鳴をあげながら、出ていらした。『お父様がお亡くなりになったの？』『いや、そうではございません。ですが、お姿が見当たりません』と俺は答えた。『本当ですか？』とお嬢様は驚かれた。『本当です。ちょっと外に出て、戻ってきたら、もういらっしゃらなかったのです』すると、お嬢様がお尋ねになった。『お医者様は、フリッツ様はどちらに？』『ヒューグ塔におります』そう答えると、お嬢様はたいそう驚かれた。『何ですって⁉』それから、急いで部屋着をはおり、ランプを片手に部屋から出ていかれた。俺はその場に残った。十五分も経った頃、お嬢様が戻っていらした。足は雪にまみれ、真っ青なお顔で……。なんともお労しいお姿だった。お嬢様はランプを暖炉の上に置くと、俺をじっと見て、こう言った。『フリッツ様をヒューグ塔にお泊めしたのは、貴方ですか？』俺はそうだと答えた。すると、お嬢様が言った。『なんということを……！　それがどんな災いを招いたか、貴方にはわからないでしょう』それに対して、俺は何か言いたかったが、お嬢様に制された。『もう結構です……。戸締りをして、お休みなさい。今夜は私が父の傍に参りましょう。朝になったら、フリッツ様を呼んで来てください。フリッツ様はクナップヴルストの小屋にいらっしゃいます。私の部屋にお連れするように。

それから、このことは誰にも言ってはなりません。貴方は何も見なかった……だから、何も知らない！　よろしいですね？』」

「それだけか？」

ギデオンが深々と頷いた。

「それで、伯爵は？」

「戻っていらした……お元気な様子で！」

私たちは伯爵の寝室の控えの間に到着した。ギデオンが小さく扉を叩く。それから、おもむろに扉を開き、告げた。

「フリッツを連れて来ました！」

私は部屋に足を踏み入れた。中にはオディール嬢がいた。ギデオンは退出し、扉を閉めた。

伯爵令嬢を前に、私はこれまで抱いたことがないような感情が湧いた。オディール嬢は黒のベルベットの長袖のドレスに身を包み、肘掛椅子の背に手を置いて、立っている。蒼白い顔に熱に浮かされたように瞳だけが異様に輝いていた。

若き女伯爵は落ち着いた気品ある態度だった。

その凛とした佇まいに私は胸を打たれた。

「フリッツ様」オディール嬢は椅子を示しながら、言った。「どうぞお座りください。大事なお話があるのです」

私は黙って指示に従った。

私が椅子に座るのを見届けると、オディール嬢も自分の椅子に腰を下ろした。何かを思い詰めているような固い表情で。

「運命ですわ」大きな青い瞳でひたと私を見つめ、オディール嬢が言った。「それとも神のご意思なのか……。私にはわかりません。貴方様は私たち家族の名誉に関わる秘密を知ってしまわれました」

つまり、オディール嬢は知っていたのだ。

私は驚いて、すぐには言葉が出て来なかった。

「オディール様……」口ごもりながら言った。「あれは偶然にすぎない……」

「わかっています」私の言葉を遮るように、伯爵令嬢が言った。「私は全てを知っています。本当に恐ろしいことです！」

それから、胸が張り裂けるような口調で叫んだ。

「でも、父は罪を犯してはおりません！」

私は身体が震えた。オディール嬢に腕を差し出しながら言った。

「わかっております、オディール様。私は伯爵のお人柄を存じております。これ以上望めないほどご立派で高貴な城主であられる……」

オディール嬢は少し身体を起こし、身構えていた。父親に対するいかなる批判にも反撃すると言わんばかりに……。しかし、私が伯爵を擁護するのを聞き、椅子の上に崩れ、両手で顔を覆って、さめざめと泣き出した。

「貴方様に神のご加護があらんことを……」オディール嬢が呟く。「父にあらぬ嫌疑が掛けられたら、私は生きてはいられません……」

「オディール様、そんなことを仰ってはいけません。誰が夢遊病者の見た幻影を真に受けるでしょうか？」

「フリッツ様の仰るとおりです。私も自分にそう言い聞かせました。ですが、見た目があまりにも……ですから、私、恐ろしくて……お許しください……。貴方様が誠実なお方であることを、私、忘れておりました」

「オディール様、どうぞお気持ちを安らかに」

「いいえ」オディーール嬢が言った。「このまま泣かせてください。涙が私を慰めてくれるのです……。この十年間、どれほど苦しんできたことでしょう……！　かくも長い間、胸の内に収めてきたこの秘密は私を苦しめ続けました。そのせいで、私はいずれ死ぬでしょう……母がそうであったように……。そんな私を神が哀れんでくださったのでしょう。秘密の半分を貴方様に託されたのですから……。貴方様に全てをお話しましょう。そうさせてくださいませ……」

しかし、オディーール嬢はその先を続けることができなかった。嗚咽で声を詰まらせ、そのまま泣きじゃくった。

誇り高く、感受性豊かな性格はこのように作られるのだろう。苦悩を経験した後、それを魂の奥深くに閉じ込める。痛みを細かく粉砕して、心の一番深いところに埋めてしまうのだ。その後は普段どおり、何気なく振る舞う。幸せそうに、少なくても、正気と狂気の狭間で淡々と日々を過ごす。傍にいる人々の目さえ欺くほどに……。しかし、何か衝撃的なことが起こると、あるいは胸が引き裂かれるような出来事に遭遇すると、はたまた思いがけない災いに見舞われると、それまでの危うい均衡が一気に崩れ、全てが崩壊してしまう。一度打ち破ったはずの敵に逆襲されてしまうのだ。そして敵は前よりも手強い相手となっている。閉じ込めていた檻の扉に怒りをぶつけ、力の限り叩き続ける。その結果、全身が震え、嗚咽が胸に込み上げ、長い間封印していた涙が、堰を切ったように流れ出す。

それが今、オディール嬢に起きているに違いない。

しばらくして、オディール嬢が顔を上げた。涙で濡れた頬を拭い、椅子の肘掛に腕を預け、頬に手を当てて、私の背後の壁に掛けられた肖像画をじっと見つめた。そして、もの憂げな口調でゆっくりと話しはじめた。

「過去を振り返り、物心がついた頃まで遡ると、真っ先に母の姿が思い出されます。私の母は長身で、色白の口数の少ない女性でした。当時、母はまだ若く、三十歳になったばかりでしたが、とても老けていました。恐らく、五十代に見えたことでしょう。と申しますのも、まず、真っ白な前髪が皺の刻まれた額を覆っていたからです。でも、それだけではありません。こけた頬、峻厳な横顔、そして、常に苦痛を堪えているように震える唇は母の顔立ちに、苦悩と自尊心が入り混じった、一種独特の風情を与えていました。この三十歳の老女には、背筋を伸ばした威厳のある姿勢と瞳の輝きと子供が見る夢のように清らかで優しい声を除けば、若さの片鱗もありませんでした。母はしばしば、この部屋の中を俯いて、考えごとをしながら、何時間も歩きまわったものです。私はと言えば、一緒にいられるのが嬉しくて、母の周りを走りまわっていました。母が悲しんでいることも知らず、額に刻まれた皺の下に深い悩みが隠されていることにも気づかずに……。ああ、なんと愚かだったのでしょう！　私は過去というものを知らず、現在は、当時の私にとって、喜びそのものでした。そして、未来は……、ええ、未来は明日以降のことだと思っていました！」

オディール嬢が苦笑いを浮かべた。

「時々、母の周りをはしゃぎながら走りまわっているうちに、母にぶつかって転ぶことがありました。そんなときは、母は立ち止まり、足元にいる私を見下ろすと、ゆっくりと腰を屈めて、微かに微笑みながら私の額にキスをしてくれました。それから身体を起こすと、また歩きはじめ、愁いの中へと戻っていくのでした。後になって、幼い頃の思い出を探ろうとしたとき、あの青白い背の高い女性が現れたのです。苦悩を象徴するように……」オディール嬢が私の背後の壁に掛けられた一枚の肖像画を指差した。「あのような姿になったのは、父が信じているように、病気のせいではありません。この恐ろしい逃れられない秘密のせいなのです！」

私は後ろを振り向いた。オディール嬢が示した肖像画に目を留めた途端、戦慄を覚えた。

血の気が失せ、やつれた面長の顔には、冷たく硬直した屍《しかばね》の刻印がされているようだった。そして、深く窪んだ二つの眼窩から、黒々とした瞳が熱を帯びた異様な輝きを放ちながら、見る者を捕らえて離さない！

私はしばし、言葉を失った。

「この女性はひどく苦しんだに違いない」私は胸のうちで言った。文字通り、胸が締めつけられた。

「母がどのように、この耐え難い事実を知ったのか、私にはわかりません」オディール嬢が再び口を開いた。「ですが、母は疫病神が不思議な力を持っていることを知っていました。そして、ヒューグ塔の部屋での逢瀬も……。全てを知っていたのです。それでも、母は父を疑おうとはしませんでした。ええ、決して！　それでも、次第に衰弱していったのです。今、私がそうであるように」

私は思わず、顔を手で覆った。涙が止まらなかった。

「ある夜のこと」オディール嬢が続けた。「当時、私は十歳でした。いっぽう、母は、今にして思えば、気力だけで生きており、すでに死期が迫っていたのです。季節は冬、私はまだ眠っていましたが、突然、冷たい震える手で手首を掴まれたのです。ハッとして目を覚ますと、目の前に女の人が一人、立っていました。片方の手で松明を持ち、もう片方の手で私の腕を握っている。ドレスの裾には雪が付着していました。そして、全身を震わせていました。瞳には暗い炎が宿り、顔にかかった長い白髪の隙から私を射るように見つめている。その女性はなんと、母だったのです！　母は言いました。『オディール、起きなさい。着替えるのです。貴女に伝えなければならないことがあるのです』私は怖くて震えながら、着替えました。それから、母に連れられてヒューグ塔に行きました。母はまず、ぽっかりと開いた貯水池の入口を私に見せました。そして、ヒューグ塔を指差しながら言いました『あそこからお父様が出ていらっしゃるわ。牝狼と一緒に。でも、怖がる必要はありません。お父様には貴女の姿は見えないのだから』すると、確かに、不気味な大きな袋を担いだ父が牝狼と一緒に出てきたのです。母は私を抱いて、二人の後をつけました。そして、アルテンベルクでのあの光景を私に見せたのです。『娘よ、よく見ておきなさい』母は悲鳴のような声で言いました。『なぜなら、私はもうじき死ぬからです。私の死後、この秘密を守るのは貴女です。私に代わって、貴女がお父様を見守るのです、たった一人で……。わかりましたね？　必ず、貴女一人だけで守るのです。お父様から目を離してはなりません。ニデックの一族の名誉がかかっているのですから！』その後、母と私は城に戻りましたが、そうやって、決して破ってはならない掟とそのためにやるべきことを私に託して二週間後に母は亡くなりました。それ以来、私は母の言いつけを厳格に守ってまいりました。でも、そのためにどれほど犠牲を払ったことでしょう！　フリッツ様もご覧になったでしょう？　私は父に背かざるを得ませんでした。その結果、父を苦しめているのです！　私が結婚すれば、他人を城に入れることになります。そうなれば私たち一族の秘密が知られてしまうでしょう。だから私は抵抗したのです。父の夢遊病のことはニデック城の誰も知りません。父が昨夜、発作を起こさなければ、私が臥せることもなかったでしょう。父の傍で介護をすることもできたでしょう。そして、相変わらずたった一人で恐ろしい秘密を抱えていたことでしょう……。でも、神のご意思は必ずしもそうではありませんでした。今や私たち一族の名誉は貴方様の手に握られたも同然……。ですから、今ここで貴方様に、昨夜目撃されたことをこの先、決して口外しないと約束して欲しいと言うこともできます。私にはその権利が……」

「オディール様」私はそこで思わず、立ち上がった。「私は断じてそのようなことは……」

「いいえ」オディール嬢が威厳に満ちた声で言った。「はやまらないでください。私は貴方様を非難するつもりなど毛頭ございません。誓いは卑しい心根の持ち主には無意味、誠実なお人柄には無用というものです。貴方様は私たちの秘密を守ってくださるでしょう。私は確信しております。なぜなら、お医者様には守秘義務があるからですわ！　実は、私は貴方様にそれ以外のものを求めているのです。それ以上のものと申し上げたほうがいいかもしれません。それ故、貴方様に全てをお話しなければならないと判断したのです」

オディール嬢はゆっくりと立ち上がった。

「フリッツ様」思い詰めたようなオディール嬢の声に私は打ち震えた。「私には勇気が足りません。与えられた使命の重さに喘いでいるのです。私を助け、支えてくださるような友がいればどんなに心強いことでしょう。貴方様にはそんな私の心の友になっていただけないでしょうか？」

私は感極まり、立ち上がった。

「オディール様、そのお申し出、喜んでお引き受けいたしましょう。まさに身に余る光栄です。しかしながら、一つだけ申し上げたいことがございます」

「仰ってください」

「私は友としての義務も全て果たす所存です」

「と仰いますと？」

「ニデック家には謎があります。この謎をなんとしても解明しなければなりません。そのためには、あの疫病神を捕まえる必要があります。その正体は何か、何が望みなのか、そして、どこからやってくるのか突き止めなければ……」

「まあ！」オディール嬢が激しく頭を振る。「そんなこと不可能ですわ！」

「果たして、そうでしょうか？　神は私に目をつけられたのです。シュパーヴァーにフライブルクまで私を迎えにいかせたぐらいですから」

「そうかもしれません」オディール嬢が重々しく言った。「神は無用なことはなさいません。では、貴方様の心が命じるままに行動なさってください。貴方様に全てお任せします」

私は差し出された伯爵令嬢の手に口づけをすると、心の中で令嬢に対して惜しみない称賛を送りつつ、部屋を出ていった。オディール嬢はいかにもか弱い女性でありながら、健気にも困難に立ち向かっている。

与えられた使命を正々堂々と果たそうとする姿ほど高貴なものはない。

XII

オディール嬢と話をした一時間後、私はギデオンと一緒に大急ぎでニデック城を出た。

馬の首にしがみついたギデオンからは「はいよー！」という掛け声しか聞こえてこない。

その疾走するさまは、ギデオンが乗ったメクレンブルグの鬣が風になびき、尻尾は直線となり、伸びた四つの脚が宙に浮き、そのまま静止しているようだった。まさに、空気を切り裂くように走っているのだ。いっぽう、私のアルデンネ種は果たしてこちらの言うことを理解しているのか心配になるほどだ。リヴェルレもついてきた。私たちの傍らを矢のように全速力で走っている。私たちは一心不乱に突っ走った。

ニデック城の塔はすでに遙か後ろにある。私はいつものように前を走っているギデオンの背中に向かって叫んだ。

「止まれ、親父さん！　止まってくれ！　先を急ぐ前に話さなければならないことがある！」

ギデオンが回れ右をして、戻ってきた。

「左に曲がるのか、右に曲がるのか、それだけ言ってくれ、フリッツ」

「違うのだ。こちらに来てくれ。この遠出の目的を親父さんに知ってもらわなければならない。一言で言うと、疫病神を捕まえることだ」

ギデオンのくすんだ面長の顔が一瞬、喜びに輝き、瞳が輝きを放った。

「ああ、やはりな。いずれそういうときが来るだろうと思っていた」

そして、肩を動かし、背中のカービン銃を掌に滑らせた。

その仕草を見て、私は慌てた。

「待ってくれ、親父さん！　疫病神を殺してはいけない。生け捕りにするのだ」

「生け捕りだと？」

「そうだ。親父さんが後悔せずに済むように前もって言っておくが、疫病神と伯爵は運命を共にしている。だから、老婆に命中した弾丸は伯爵をも貫いてしまうのだ」

「それは確かか、フリッツ？」

「確かだ」

ギデオンが押し黙った。私たちの馬、フォックスとレペルは向かい合って互いに首を振っている。蹄で雪を掻き、遠出ができて満足だとでも言わんばかりに。いっぽう、リヴェルレは早くも暇を持て余して欠伸をし、痩せた背骨を伸ばしたり縮めたりしている。まるで前進するときの蛇そっくりだ。ギデオンはカービン銃に手を掛けたまま動かない。が、急に、銃を背中に戻すと、きっぱりと言った。

「いいだろう！　あの疫病神を生きたまま捕獲するとしよう。必要とあらば、慎重に行動することにしよう。だがな、それはおまえが考えているほど簡単なことではないぞ、フリッツ」

そして、私たちの周りをぐるりと階段状に取り囲む山々の方に手を伸ばしながら、続けた。

「見るがいい。アルテンベルク、ビルケンヴァルト、シュネーベルク、そして、オクセンホーヌ、リータルにベレンコッフの山頂が見えるだろう。これからもう少し上っていけば、かつてのプファルツ選帝侯領の平野まで果てしなく広がる五十の山々の頂を見ることになろう。そこにあるのは岩山と峡谷と山間の細い道、そして、その間を流れる滝や急流だ。それ以外は森だ。色々な森が広がっている。ここは樅の森だが、もう少し行くと橅《ぶな》の森になり、さらに先に行くと、樫の森になる。疫病神の老婆はこれらの森の中を移動しているのだ。健脚なうえに目も良い。そして、鼻が利く。一里離れたところからでも人の気配を感じることができる。敵は手強いぞ。さあ、行こう！」

「簡単に捕まえられるなら、わざわざ親父さんに頼んだりするものか！」

「おまえに褒められるとは、嬉しいじゃないか、フリッツ！　しかしな、奴の足跡の手掛りを摑むのに、どれほど勇気と忍耐が要るか……」

「それなら心配いらない。私が見つけよう」

「おまえが？」

「ああ」

「足跡を見つける術を知っているとでも？」

「知っているとも」

「なるほど。おまえが怖いもの知らずで、俺よりもこの道の知識があると考えているのであれば、止むを得まい……。先に行け。俺はおまえについていくとしよう」

　自分の得意とする領域に大胆にも私が口を出したことで、熟練の猟師が自尊心を傷つけられ、むっとしているのは想像に難くない。私は密かに微笑みながら、さっさとギデオンの前に出た。そして、老婆の足跡に遭遇するだろうという確信の下に、すぐに左に曲がった。あの老婆は、城の隠し戸から伯爵と一緒に出ていった後、山に戻るために平野を通ったに違いないのだ。

　ギデオンは私の後ろを進んでいた。無頓着を装い口笛を吹いている。そのうち、独り言のように呟く声が聞こえてきた。

「では、平野に牝狼の足跡を探しにいくとするか！　奴は、いつものように、森の外れを進んだと確信している人間もいるというのに……。ところが、牝狼は今やあちこち散歩しているらしい。ポケットに手を入れて、まるで、フライブルクの住人のように……」

　私は耳を閉ざして、聞こえない振りをしていた。ところが、突然、ギデオンが驚きの声をあげた。そして、振り返った私を眼光鋭く見つめた。

「フリッツ、何か隠しているな」

「どうしてそんなことを言うのだ？」

「この足跡を見つけるのに、この俺でも一週間は探したことだろう。ところが、おまえはあっと言う間にいとも易々と見つけた。山に不慣れなおまえが……。おかしいじゃないか」

「では、足跡はどこに？」

「おい、自分の足元を見る振りをするのはやめよ！」

そう言って、ギデオンは少し離れたところに見える白い筋状のものを指差した。

「ほら、あそこだ」

そう言うや否や、ギデオンは走り出した。今度は私がその後に付いていった。約二分後、私たちは馬から下りた。そこにあったのは、間違いなく、疫病神の足跡だった。

「それにしても、この足跡がどこから来たのか知りたいものだ」ギデオンが腕組みをしながら、唸った。

「それは気にしなくてもいいんじゃないか」

「それもそうだな。フリッツ、俺の言うことは気にするな。俺は時々、独り言を言うのだ。大事なことはこの足跡がどこまで続いているかだ」

そう言うと、ギデオンは雪の上に膝をつき、足跡を注意深く眺めた。

「足跡はまだ新しい」それが最初の指摘だった。私はギデオンの言葉を注意深く聞いた。「これは昨夜のものだ！　だが、奇妙だな。伯爵が発作を起こされている間、老婆は城の周りをうろついておったのに」

ギデオンはさらに仔細に足跡を眺めている。

「奴がここを通ったのは明け方の三時から四時の間だ」

「どうしてそんなことがわかる？」

「まず、足跡が鮮明だ。そして、足跡の周囲には氷霰《こおりあられ》がある。昨夜、午前零時頃、俺は門を閉めるため外に出たが、氷霰が降っていた。しかし、足跡の上にはない。だから、足跡がついたのはその後ということになるだろう」

「確かに、親父さんの言うとおりだ。だが、足跡がもっと遅い時間につけられた可能性もあるのではないか？　例えば、午前八時とか九時とか」

「いや、そんなことはない。よく見ろ。足跡が雨氷で覆われているだろう。霧は早朝にしか出ないものだ。従って、老婆の奴はここを氷霰が降った後から霧が下りる前までに通過したことになる」

私はギデオンの鋭い洞察力に感服した。

ギデオンは立ち上がると、両手を叩いて手についていた雪を払う。そして、もの思いに耽っているような顔で、自分自身に言い聞かせるように言いはじめた。「仮に、少し遅らせて、午前五時にここを通過したとしよう。今、何時だ？　正午か、フリッツ？」

「十二時十五分前だ」

「ということは、老婆は俺たちより七時間分、先にいるということだ。俺たちは奴が歩いた行程を全て辿らなければならない。馬で行けば、歩いて二時間かかるところ一時間で済む。奴が相変わらず歩いているとすれば、夜七時か八時には追いつくだろう。さあ、出かけよう、フリッツ！」

私たちは老婆の足跡を追って、再び出発した。足跡は真っ直ぐ山に向かっている。

馬を急がせながら、ギデオンが私に向かって言った。

「もし、幸運にも、あの忌々しい疫病神がどこか、穴にでも入って、一、二時間、一休みしてくれたら、日が暮れる前に奴を捕まえることができるかもしれん」

「そう願おう、親父さん！」

「いやいや、そんなことは期待するな。老いた牝狼は今でも移動している。疲れを知らない強靭な体力の持ち主だ。シュヴァルツヴァルトの険しい山道を全て走破するだろう。ふと、思い着いて言ったまでのことよ。もし、偶然にも、奴がどこかで足を止めていたとすれば、何よりだ。俺たちはついている。しかし、奴がずっと歩き続けていても、構うものか、俺たちは諦めない！　さあ、とにかく先を急ごう。フォックス、はいよー！」

それにしても、なんとも奇妙な状況に陥った。私は馬を走らせながら、考えを巡らせた。私たち人間に似た存在を狩ろうというのだから……。実は、あの得体の知れない老婆は私たちと同じような存在なのではないだろうか？　そんな疑問がつきまとう。私たちと同じように不滅の魂を持ち、私たちと同じように感じ、考え、思い悩む。確かに、邪《よこしま》な本能が老婆を牝狼に近づけたのは間違いない。そして、老婆の運命には大きな謎がつきまとっていることも確かだ。きっと彷徨える人生が老婆から道徳心を消し去り、人間としての性質を奪ってしまったのだろう。しかし、だからと言って、人間が獣に振るうような乱暴をあの老婆に対して行っていいはずがない。

そうは言っても、野生の情熱に駆り立てられるように私たちは老婆の後を追って急いだ。私自身、身体の中で熱く血がたぎるのを感じた。あの不気味な生き物を捕獲するまでは、何があろうと決して引き返さない。私は固く心に決めていた。

私たちは雪が降りしきる中を突き進んだ。時々、馬蹄で蹴られた雪が、型抜き器から出てきたような氷の破片となって飛び散り、耳元で鋭い音を立てた。

ギデオンは、ときには鼻を外に出し、赤毛の濃い口髭を風に晒し、ときには灰色の瞳で地面の足跡を追う。その姿を見て、私は子供の頃に見たあの有名なバシキール人*を思い出した。ギデオンの馬が大型で筋肉隆々とした無駄がない体形で、鬣《たてがみ》が堂々と長く、グレーハウンドのように引き締まった胴体だったことも、そんな想像を掻きたてられる一因だった。

リヴェルレは喜びのあまり、時々、私たちの馬の高さまで、飛び跳ねた。ついに疫病神と対峙すると思うと、私は身体の震えを止めることができなかった。リヴェルレなら老婆が叫び声をあげる前に八つ裂きにするだろう。

しかし、あの疫病神はどれほど私たちを走らせれば気が済むのか？　どの丘陵も大きく迂回している。丘陵の頂には必ず、偽の足跡があった。

「ここもだ」ギデオンが叫んだ。「だが、大したことはない。ここなら遠くからでも見えるからな。しかし、森に入ったらこうはいかない。目を皿にようにして見る必要がある。あの忌々しい疫病神はこうやって偽の足跡を作るのだ！　奴は自分の足跡を消して面白がっているのだ。そして、風に吹き晒されたこの高台までやってくると、一気に小川まで滑り下り、オランダカラシが繁茂する小川を通って、ヒースの荒野の一角に辿り着いたのだろう。この二つの足跡を消して、もちろん、奴は俺たちを迷わせるつもりだったのだ！」

私たちは樅の木の森の入口にやってきた。この種の森では、雪は枝の上に留まっている。その中を通っていくのは容易ではない。ギデオンは雪面をよく見るために馬を下りた。そして、私の影にならないように、私の右側を歩きはじめた。

地面の多くが落ち葉と曲がった樅の小枝で覆われており、そうした場所には足跡はつかない。したがって、ギデオンは雪が積もっている平地で老婆の足跡を探していた。

結局、この樅の林を抜けるのに一時間かかった。かつては密猟者として自由に森を歩きまわったギデオンも口髭を噛み、大きな鼻の穴をさらに膨らませている。私が何か言おうとする度に、ギデオンに遮られた。

「俺に話しかけるな、俺の邪魔をするな！」

そのうち、私たちはようやく左手にある小さな谷を下りた。ギデオンがヒースの荒野の斜面にある牝狼の足跡を指差しながら言った。

「これは古いな。だから、偽物ではない。俺たちは間違いなく老婆の後を辿っている」

「どうしてそう言える？」

「疫病神の奴は、後ろに下がるときには三歩横に行く癖がある。その後、元いた位置に戻り、今度は五、六歩反対側に行く。その後でいきなり空地へ飛び移る。だが、誰からもつけられていないという確信があるときは、自分の足跡を工作する必要がない。今頃は茂みの中を猪のように突っ走っていることだろうよ。だから、追跡するのは難しくない。奴を確保したのも同然だ。そういうわけで、この辺で一服しようではないか」

バシキール人　カフカスの遊牧民。本作の時代では、ロシア帝国の圧政に抗して農民たちと共に武装蜂起した。

そこで、私たちは少し足を止めた。ギデオンがにわかに活気づいた表情で私を見ながら、興奮を抑えられないように晴々とした声で言った。

「フリッツよ、今日は俺の人生で最良の日となるかもしれんぞ！　もし、老婆を捕まえたら、俺はあいつをぼろ布の束のようにフォックスの尻に紐で括りつけてやる。だが、一つ困ったことがある」

「何だ？」

「狩猟ラッパを持ってくるのを忘れたのよ。ニデック城が近くなったら、俺様のご帰還を高らかに知らせてやったものを……。はははは！」

ギデオンはパイプに火をつけ、私たちはまた出発した。

牝狼の足跡は今度は森の斜面についていた。急勾配な斜面だったので、私たちは何度か馬を下り、手綱を引いて馬を誘導しなければならなかった。

「奴は右に曲がっている」ギデオンが言った。「そっちは山が垂直に切り立っている。俺たちは一人が二頭の馬を手で支え、もう一人が足跡を追って切り立った山の斜面をよじ登るしかなさそうだ。だが、問題はそろそろ陽が暮れるということだ！」

斜面を登りきると、壮大な景色が広がっていた。氷に覆われた巨大な灰色の岩々がところどころで尖った角を空に向けている。それは雪の海原から岩礁がのぞいているようにも見えた。

それにしても、高い山々の真冬の光景ほどもの悲しいものはない。山々の頂と峡谷、落葉して冬枯れた木々、そして、霜に覆われて輝くヒースを見ていると、曰く言い難い孤独と寂寥感が湧いてくる。何より胸を締めつけられるのは静寂だ。葉っぱが一枚固くなった雪の上に落ちる音さえ聞こえる。あるいは、小枝が幹から切れる音まで響く。この絶対的な静寂が重くのしかかる。これが無なのかと思うと気が遠くなりそうになる。

人間はなんとちっぽけな存在だろう！　私は思わず呟いた。二冬も続けば、地上から生命は消滅してしまうだろう。

時々、私たちのうちどちらかは声を出す欲求に駆られ、意味のないことを口走った。

「ああ、もうすぐ到着だ！……何て寒いんだ！」

あるいは、

「おい、リヴェルレ、耳が垂れているぞ！」

いずれも自分自身が聞くためで、自分自身に言い聞かせるためだ。

「おお！　私は元気にやっている……ふむふむ！」

しかし、残念ながら、馬たちは次第に疲れを見せはじめた。胸先まで項垂れ、出発したときのように元気な嘶《いなな》きも聞かせてくれない。

しかも、このシュヴァルツヴァルトの複雑な進軍はいつ終わるとも知れなかった。老婆はこの山の孤独が好きなのだろう。もはや使う者もいない炭焼き小屋の周りを一周したかと思えば、その先では苔むした岩々に繁殖している草木の根を引き抜いていた。さらにその先へ行くと、一本の樹木の根元に座っていた痕跡があった。しかも、その痕跡はまだ新しい。せいぜい二時間ほど前のことだろう。私たちはにわかに元気になり、一層闘志が湧いた。しかし、辺りは見る見るうちに暗くなった。

それにしても、奇妙だ。私は自問した。ニデック城を出発して以来、樵にも炭焼き人にも木挽職人にもすれ違わないのだ。真冬のこの時期、シュヴァルツヴァルトには人っ子一人いないのだろうか、北米の平原《ステップ》のように？

五時になって、夜の帳が下りはじめた。ギデオンが足を止め、私に向かって言った。

「フリッツよ、俺たちは出発するのが二時間ほど遅かった。恐らく牝狼の奴はずっと俺たちの先を行っている。だが、これから十分と経たずに、真っ暗になるだろう。竈《かまど》の中のようにな。そこでだ、これからラ・ロッシュ－クルーズに向かったほうがいいと思う。ここから二十分ほど行ったところだ。そこで、火を起こし、持ってきた食糧を食べて、荷物を軽くするのだ。そして、月が出たらすぐに、足跡の追跡を再開するとしよう。老婆の奴が化け物でもない限り、間違いなく、どこかの木の根元で寒さに凍えて死んでいるだろうよ。なんとなれば、人間と同じような生き物なら、この寒さの中、ぶっ通しで歩き続けることなど不可能だからだ。誰よりもシュヴァルツヴァルトを歩きまわるゼーバルトでさえ、そんな強行軍には耐えられないだろうさ！　どうだ、フリッツ、おまえの考えは？」

「それ以外の選択肢はなさそうだな。第一、私はもう空腹を感じなくなった」

「わかった。では、出発だ！」

ギデオンが先頭に立ち、切り立った二つの岩山に挟まれた険しい峡谷に足を踏み入れた。林立する樅の木の枝々が絡み合っている下を通り、ほとんど水の枯れた谷川の底を歩いた。ところどころ、この深い谷底のどこから来るのかわからないが、微かな光が川底に僅かに残った鉛のような水溜まりに反射していた。

闇が濃くなり、ラペルの手綱をとるのを諦めざるを得なくなった。滑りやすい小石の上を歩く二頭の馬の蹄の音が、尾長猿の甲高い笑い声のように、不気味に響き渡る。そして、次々と岩山に木霊した。やがて、遠くに見える青い点が私たちが近づくにつれて、大きくなっていく。そこが峡谷の出口なのだ。

「フリッツよ」ギデオンが口を開いた。「俺たちは今、トゥンケルバッハの谷川の河床にいるのよ。ここからシュヴァルツヴァルトで最も険しい道のりが始まるのだ。この道の終わりは〈やかましい大釜〉と呼ばれ、行き止まりだ。春になり、雪解けの季節ともなれば、トゥンケルバッハは二百ピエの高さからそれまで溜め込んでいた水を一気に吐き出す。凄まじい轟音と共にな。水が一斉に吹き出し、周囲の山々に雨のように降り注ぐのだ。ときにはラ・ロッシュ－クルーズの深い洞窟さえ水浸しになるほどだ。だがな、今なら洞窟は火薬入れのように乾いているはずだ。そこで俺たちは焚火ができるだろうさ」

ギデオンの話を聞きながら、私はその最難関という道のりを想像してみた。そして、こう考えた。野獣が本能的に、空から極力遠ざかり、人の心を楽しませる全てのものから離れるように、人目につかない隠れ場を探そうとするのは、何かを悔いているからではないかと。多くの動物は太陽の光の下で生を営んでいる。例えば、山羊は尖った岩山の上に立ち、馬は野原を駆けまわる。そして、犬は主人の隣ではしゃぎまわり、鳥は燦々と陽の光を浴びて水浴をする。そこには生きる喜びがある。動物たちは陽の光の中でダンスをし、歓喜の声をあげる。ノロジカは巨木の木陰で、あるいは青々とした餌場で鳴く。安息の場所にいるかのようにのびやかに。その光景は牧歌的だ。いっぽう、猪はどこか粗野で無愛想で、奴らが好んで突進していく叢林のようだ。鷲は自尊心が高く、連中が棲息する切り立った岩山のように高慢に見える。そして、ライオンは彼らの棲みかである洞窟の堂々たる円蓋のように威厳に満ちている。しかし、狼や狐や胸白貂《むなじろてん》は闇を探す。こうした獣たちには必ず、恐怖がつきまとう。まるでいつまでも後悔の念を引きずっているように……。

そんなことを考えながら歩いていると、急に冷たい風に頬を打たれた。峡谷の終わりが近づきつつあるのだ。そのとき、突然、私たちの頭上百歩ほどの高さの岩に赤みを帯びた光が走った。樅の木の暗緑色を赤く染め、霜に覆われた枝が一瞬、煌めいた。

「おお！」ギデオンが押し殺した声を出した。「奴を見つけたぞ！」

その言葉に胸が高鳴った。ギデオンと共に足を速める。

リヴェルレが私たちの傍らで低い唸り声をあげている。

「逃げられないだろうか？」私は小さな声で尋ねた。

「その心配はない。あいつは鼠捕りにかかった鼠も同然だ。〈やかましい大釜〉には出口がない。おまけに周囲を二百ピエの高さの岩山で囲まれている。ははは！　性悪の疫病神め、すぐにおまえを捕まえてやるわ！」

ギデオンはそう言うと、馬から下りて、私に馬の手綱を預け、凍った流れに足を入れた。緊張と興奮で身体が震える。静寂の中でギデオンが手にしたカービン銃のカチカチという音がやけに響く。その小さな金属音に私の神経が逆立った。

「ギデオン、何をするつもりだ？」

「心配するな、脅かしてやるだけだ」

「それならいいが、でも、流血は駄目だ！　忘れてくれるなよ、私が言ったことを。『疫病神を貫いた弾丸は伯爵をも貫いてしまう』のだから」

「わかっている」

しかし、ギデオンは私の言葉をそれ以上聞かず、走っていった。凍った水の中を走るバシャバシャという音が聞こえた。が、すぐにその音が止まった。碧い色を背景に、ギデオンの背の高い後ろ姿が見える。その影がしばらく動かない。私は身を屈め、辺りを注意深く見まわしてから、少しずつ前進した。ギデオンがこちらを振り向いたときには、私はギデオンから三歩と離れていなかった。

「しっ！」ギデオンが不可解な表情を見せた。「見てみろ！」

目を上げると、山の中の石切り場のように切り立った断崖に口を開けた洞窟の奥に、焚火が見える。アーチ形の天井をその炎が螺旋状に照らしている。そして、焚火の前に男が一人、しゃがんでいた。男が着ている上着に私は見覚えがあった。あのツィマー男爵が着ていたものだ。

男爵は、額を両手で抱えたまま動かない。男爵の後ろには何か黒いものが横たわっている。さらに、少し離れたところに男爵の馬がいた。暗がりの中にいるので、こちらからは半身しか見えないが、耳をぴんと立て、私たちをじっと見つめている。鼻の穴を大きく開きながら。

私は言葉を失った。

どうして、ここに、こんな人里離れたところに、ツィマー男爵がいるのだろう？　一体、何をしに来たのだろうか？　道に迷っただけなのか？

私は頭の中でさまざまな推測をした。そのとき、男爵の馬が突然、嘶いた。

男爵が頭を上げた。

「どうしたのだ、ドネール？」馬に声をかけた。

それから、私たちの方に顔を向けた。そして、私たちに気づいた瞬間、ぐわっと目を見開いた。

青ざめた顔に骨ばった輪郭、薄い唇と黒々と太い眉、そして、眉間に刻まれた垂直の長い皺……。こんな状況でなければ、そんな男爵の顔立ちを私は大いに称賛しただろう。しかし、そのときはむしろ、言いようのない不安に襲われた。私は怖くて仕方がなかった。

突然、男爵が声を上げた。

「誰だ？」

「私めです、閣下」男爵の方に一歩、近づきながら、ギデオンが返事をした。「ニデック伯爵の猟犬係、シュパーヴァーでございます！」

男爵の目に光が走った。しかし、顔の筋肉はぴくりとも動かない。男爵は立ち上がり、ペリースを肩にかけ直した。いっぽう、私は二頭の馬と突然、情けない声で唸りはじめた犬を引っ張った。

こんなとき、冷静でいられる人間などいるだろうか？　リヴェルレの奇妙な唸り声に私は恐怖に駆られ、全身に寒気が走った。

ギデオンと男爵は五十歩ほど間を置いて、洞窟の上と下で向かい合っていた。ギデオンは肩にカービン銃をかけ、洞窟の下にいる。いっぽう、男爵は洞窟から出て、入口の高台に立ち、頭を反らして、尊大な眼差しで私たちを睨みつけている。

「何の用だ？」男爵が攻撃的な態度で言った。

「我らはある女を探しております」ギデオンが答える。「毎年決まった時期に現れ、ニデック城の周りをうろつく女でございます。我らはその女を捕まえるように言われているのです」

「その女は何か盗みでも働いたのか？」

「いいえ」

「それとも、人でも殺したか？」

「いいえ、閣下」

「では、なぜその女を捕らえようとする？　いかなる理由でその女を追っているのだ？」

するとギデオンが姿勢を正し、灰色の目で男爵を睨みつけた。

「では、閣下はいかなる理由でその女を匿《かくま》われるのですか？　そこに女がいるのはわかっています。洞窟の奥に姿が見えるのですから。しかし、なぜ、閣下は我らの問題に関わろうとなさるのです？　まして、ここはニデック伯爵の領内。我らには正当な権利があります。女を引き渡していただきたい」

男爵の顔から血の気が引いた。猛々しい口調で答える。

「貴様らに話すことなど何もない」

「言葉にお気をつけください」ギデオンがすかさず答えた。「私は穏やかに話をしております。我らはニデックの当主イェリ＝ハンス様の名の下に女を追ってきたのです。ですから、私には女を引き渡すよう貴方に命じる権利がある。それなのに、貴方はまともに応じようとはなさらない」

「貴様の権利だと……？」男爵が顔を歪ませながら言った。「権利と言うなら、この私にもある！」

「では、どんな権利か聞かせてもらいましょう」ギデオンが叫んだ。鼻が怒りで震えている。

「ふん」しかし、男爵は取り合おうとしない。「貴様に話すことなど何もない。だから、帰れ！」

「それは我らが決めること」ギデオンが洞窟の方に一歩、足を進めた。

するると、男爵が狩猟ナイフを懐から出した。私は急いで、二人の間に割って入ろうとした。ところが、間が悪いことに、リヴェルレが綱を振り切って逃げた。その衝撃で私は地面に倒された。一瞬、男爵の姿が見えなくなった。が、同時に、洞窟の奥から野生の叫びが響き渡った。急いで身体を起こすと、焚火の前で立っている老婆の姿が見えたのだ。ぼろぼろの服を身に着け、頭を後に反らし、髪の毛を肩になびかせている。老婆は天に向かって痩せ細った長い二の腕を上げ、不気味な悲鳴をあげていた。まるで真冬の凍えるような寒い夜に、死ぬほど腹を空かせた狼が空に向かって吠えるように。

私は生涯であれほど恐ろしい光景を見たことはない。ギデオンはその場に釘付けとなった。一点を見据え、口を半分開けたまま、そのまま石になるかと思われた。リヴェルレは予期せぬ老婆の出現に、肝をつぶしたのか、一瞬、立ち止まった。しかし、すぐに身体を丸め、怒りで背中の毛を逆立てて、再び唸り声をあげながら、獲物に向かって突進した。洞窟の入口は地上から八～十ピエの高さにあるが、そうでなければ、リヴェルレはひと飛びで老婆に達していただろう。今でもそのとき、リヴェルレがすっかり霜に覆われた茂みを飛び越えたときの音が蘇ってくる。その瞬間、男爵は老婆の前に身体を投げ出した。胸が引き裂かれるような声で叫びながら。

「母上！」

いっぽう、リヴェルレはもう一度、獲物に到達するための最後の跳躍を試みたところだった。しかし、ギデオンが目にも留まらぬ早業で、犬に銃で狙いを定めたのが見えた。と思ったら、次の瞬間には男爵の足元にリヴェルレが落下したのだ！

それは一瞬の出来事だった。洞窟内が閃光で明るくなり、爆発音が洞窟に響き渡り、隅々にまで木霊した。その後、静寂が重くのしかかった。稲妻の後の夜の闇にように。

カービン銃の火薬の煙が消えたとき、リヴェルレは洞窟の入口に横たわっていた。そして、老婆は男爵の腕の中で失神していた。ギデオンの顔からは血の気が失せ、暗い目で男爵を見つめていた。カービン銃を地面に投げ出したまま……。顔を引き攣らせ、怒りを抑えるように目を細めた。

「ブルデリック様」カービン銃に手を伸ばしながら、ギデオンが男爵に声をかけた。「ご覧のように、私は大事な友を殺してしまいました。このお方を……貴方様のお母上を救うために……。お母上の運命が我が主人、ニデック伯爵の運命と繋がっていることに神に感謝されることだ……。その方を連れていってください！　そして、二度とこの地に足を踏み入れないでいただきたい。この次は、容赦しません」

それから、倒れている愛犬を一瞥した。

「リヴェルレ、許してくれ！」ギデオンの悲痛な声が響いた。「ああ！　ここでこんな運命が待っていようとは……！　フリッツ、行こう！　急いでここから立ち去ろう……。俺は何をしでかすかわからんぞ！」

フォックスの鬣を摑んで、鞍に跨《また》ろうとしていたが、急にこらえ切れなくなったのか、ギデオンは馬の肩に頭を預け、子供のように、泣きじゃくったのである。

XIII

ギデオンは去った。自らの外套で包んだリヴェルレの亡骸と共に。しかし、私はギデオンと一緒に立ち去るわけにはいかなかった。私には医者としての責務がある。医者として哀れな老婆を見捨てることなどできなかったのだ。

それに、正直に言えば、奇怪な姿の老婆をもっと近くで見てみたいという好奇心にも駆られていたのである。それ故、ギデオンが凍りついた谷川を引き返し、その姿が暗闇の中に消えるや否や、私は崖をよじ登り、洞窟に向かった。

そこで、目にしたものは実に奇妙な光景だった。

大きな白い毛皮の外套の上に、髪には一本の黄金の矢を挿し、赤紫色の長袖のドレスを纏った老婆が横たわっていた。胸の上が重ねられた手が痙攣している。

そのときの老婆の姿を、私は決して忘れることはないだろう。生命が燃え尽きる直前の身体が痙攣を起こし、禿鷹のような老女の頭を揺らしていた。かっと見開かれた目は虚空の一点を見つめ、口が半分開いている。それは見るも恐ろしい光景だった。フレデグンド*の最期もこのように無残なものだったのではないかと思うほどだった。

いっぽう、男爵は母親の傍らに跪き、なんとか母親を蘇生させようとしていた。しかし、老婆がもはや助からないことは明らかだった。私はさすがに憐憫の情を禁じ得なかった。そこで、老婆の脈を取ろうと屈んだ。ところが、男爵が叫んだ。

「触るな！」苛立った声だった。「そんな無礼は許さない！」

「私は医者です、閣下」

男爵は言葉を失い、まじまじと私の顔を見ていたが、やがて、立ち上がった。

「そうとは知らず、失礼した」低い声で言った。「お許しください」

男爵は顔面蒼白で、唇を震わせている。

やや間を置いて、再び口を開いた。

「母の容態は？」

「ご臨終です……お母上はお亡くなりになりました」

しかし、男爵は何も答えず、大きな岩の上に腰を下ろした。両手で額を抱え、肘を膝に付き、呆然と一点を見つめている。

いっぽう、私は焚火の傍にしゃがんだ。炎が洞窟の天井を舐めるように照らし、老婆の硬直した顔にほのかな赤銅色の光を注いだ。

私たちは押し黙ったまま、二つの石像のように、身じろぎもしなかった。そうやって一時間も経っ

フレデグンド 五四〇？　五四九？—五九七　メロヴィング朝キルペリク一世の妃。美貌を武器に策略の限りを尽くした。

た頃、急に男爵が顔を上げ、話しかけてきた。

「この状況に私はすっかり混乱しています。これが私の母です……。生まれてこのかた二十六年間、母のことなら全てわかっているつもりだった。ところが、今、こうして不可解で恐ろしい現実に直面している……。貴方は医者だ。これまでこのような悍ましい出来事に遭遇されたことはありませんか？」

「閣下」私は率直に答えることにした。「まさにニデック伯爵がお母上のご病気とよく似た症状に苦しんでおられます。そこで、閣下がこれまで目の当たりにしたお母上の症状を話してはいただけないでしょうか？　そうすれば、私も喜んで知っていることを率直にお話しましょう。お互いの情報を交換することで、もしかしたら、私は伯爵を助ける方法を見つけることができるかもしれないのです」

「そういうことであれば、喜んでご協力しましょう」

男爵は余計な前置きをせず、母親だったブルデリック男爵夫人について語りはじめた。

それによると、ブルデリック男爵夫人はザクセンで最も知られた名門貴族の出身だという。毎年秋になると、昔から仕えていた老僕が一人連れ、イタリアの旅に出ていた。ところが、自分の死期が迫っていることを知ったこの老僕は男爵にどうしてもお目にかかりたいと言ったそうだ。なんとしてもお耳に入れたいことがあるというので、男爵は老僕に会った。すると、老僕は死の床で、長い間後悔に苛まれていた様子で、こう言ったという。「奥方様はイタリアに行っていたのではありません。本当はお一人でシュヴァルツヴァルトの山々を巡っていたのです」。しかし、老僕はその目的までは承知していなかった。それでも、過酷な旅だと想像していたそうだ。「なにしろ、お戻りになった奥方様はたいそうお疲れで、お召し物もぼろぼろになっており、息も絶え絶えのご様子で、その後回復されるまで数週間の休息が必要だったのですから」

それだけ言うと、老僕は胸のつかえがおりたのか、安堵した様子だったという。

では、母親はシュヴァルツヴァルトで何をしていたのか？　男爵はどうしても突き止めずにはいられなくなった。そこで、早速、母親の後を追って、まずバーデンまでやってきた。それから、シュヴァルツヴァルトの峡谷に入っていく母親を気づかれないように慎重に追って、ここまで来たということだった。つまり、ゼーバルトが山の中で見たという足跡は、男爵の足跡だったのである。

男爵がそこまで打ち明けてくれた以上、男爵夫人の出現がニデック伯爵の健康状態に著しい影響を与えていたことをもはや隠す必要はないと私は判断した。伯爵の症状だけでなく、それ以外の状況についても男爵の耳に入れた。

それからしばらく、私たちは二人とも黙り込んだ。ニデック伯爵と男爵夫人はそれまで面識がなかったにもかかわらず、互いに磁石のように惹きつけ合ったのだろう。そして、二人は恐らく、自分たちが何をしているかわからないまま、悲劇的な振る舞いをしていたのだ。男爵夫人に至っては、ニデック城を訪れたことなどないにもかかわらず、秘密の出入り口を知っており、あの岩山の山頂での芝居に必要な衣装まで持っていた。恐らくは、どこか、誰にもわからない場所から持ち出したのだろう。男爵夫人はそこに磁石のような不思議な力で誘導されたに違いない。それにしても、こんな奇妙なことが起こり得るのだろうか？　私も男爵も途方に暮れるばかりだった。が、やがて、私たちはある結論に達した。即ち、私たちが生きている限り、どんな恐ろしいことにも遭遇するということだ。そして、なぜ、男爵夫人がこのような謎の死を遂げなければならなかったのか、その真相を突き止めることは、恐らくは無理だろう。神が決して私たちに明かそうとしない秘密の類だろうからと。

そうこうしているうちに、夜も白みはじめた。遠くで梟の声が聞こえる。首の長い瓶から出てくるような奇妙な鳴き声で、夜の闇が後退しはじめたことを告げている。少しすると、谷川の奥から馬の嘶《いなな》きが聞こえてきた。すると、曙光の中から、男爵の従者の爺が砲架《ほうか》*を伴って現れた。砲架は藁と寝具で覆われている。私たちは男爵夫人を砲架に乗せた。

その後、私は馬に跨った。馬は凍った川に足を入れたまま一夜を過ごし、足がかじかんでいるはずなのに、そのことに不満を示す様子もない。私は谷川の出口まで砲架を見送った。そこで私たちは、あたかも貴族と市民が挨拶を交わすように、重々しく別れの挨拶を交わし、男爵一行はヒルシュランドに、私はニデック城に向かった。

九時頃、城に到着すると、すぐにオディール嬢を訪ね、昨夜起きたことの詳細を報告した。

その後、伯爵の寝室に向かった。伯爵の容態はすこぶる満足できるものだった。もちろん、酷い発作に苦しんだ後だったので、大分疲れているようではあったが、明らかに伯爵は自分自身を取り戻しつつあり、高熱もすっかり下がっていた。

伯爵は確実に快方に向かっていた。

数日後、老伯爵が回復期に入ったことを見届けて、私はそろそろフライブルクに戻ろうと考えた。ところが、その伯爵からここニデックに移って来ないかと誘われたのである。そのために身に余るような条件を提示され、私は伯爵の申し出を断ることができなかった。

その後、私はすっかり元気を取り戻した伯爵に誘われ、猪狩りのお供をした。私にとって初体験となったこの日の出来事を忘れることはできないだろう。特に、猪を追って、落馬せずに十二時間ぶっ通しでシュヴァルツヴァルトの雪深い山中を駆けめぐった後に、松明を掲げての帰還は圧巻だった。

夕食をとり、へとへとに疲れた身体を引きずるようにヒューグ塔を上っていたとき、途中でギデオンの部屋の前を通ると、少し開いた扉から賑やかな声が聞こえてきた。私は思わず足を止め、中を覗いた。すると、実に楽しそうな光景が目に飛び込んできた。どっしりとした樫のテーブルに二十人ほどの嬉々とした顔がひしめき合っているのだ。天井から吊り下げられた二つの鉄製のランプが全員の顔を生き生きと照らし出している。

しかも、テーブルのそこかしこでグラスが打ち合わされているではないか！

そして、ギデオンがいる。白髪を逆立て、骨ばった額と飲み物に濡れた顎鬚が灯りの下で浮かび上がり、黒い瞳がランプの光を反射する。ギデオンは右側にマリー・ラグットを従え、左にはクナップヴルストを座らせていた。ニデックの古文書係の日焼けしたような頬がほんのり薔薇色に染まっている。彼は黒光りする年代ものの彫銀の脚付きの大杯を手にしていた。胸には肩帯の記章が光っている。クナップヴルストは狩猟用の恰好をするのが習慣なのだ。

それは、いかにも喜びに満ちた、陽気な、目にも楽しい祝宴の光景だった。

マリー・ラグットの頬には小さな赤い斑点が散らばっている。大きなチュールの縁なし帽を被って

砲架《ほうか》 砲身を乗せる台。

いるが、頭を動かす度にチュールが宙を舞う。そして、彼女はよく笑っていた。誰とでも、実に賑やかに……。

いっぽう、ギデオンの左側に座っているクナップヴルストは、頭がギデオンの肘の高さしかないので、何だか大きな瓢簞《ひょうたん》でも見ているようだった。それから、執事のトビー・オッフェンロッホがいる。ワインの澱《おり》にまみれたのではないかと思えるほど、赤ら顔になっていた。鬘《かつら》は座っている椅子の脚下で、木の義足はテーブルの下で元の場所に戻されるのを待っている。そして、そこから少し離れた席にゼーバルトの憂鬱そうな面長の顔が見えた。ゼーバルトは自分のグラスの底を眺めながら、静かに笑っていた。

さらに、城で働く使用人、召使や女中たちも集まっていた。彼らは代々続く名家に仕え、その恩恵にあずかる名もなき小さな人々だ。樫の木の根元に生える苔や木蔦や朝顔のように。

テーブルの上に目をやると、真っ先に切り口が緋色の同心円の大きなハムが目に飛び込んできた。続いて、花模様の装飾が施された皿が並ぶ間に置かれたライン地方のワインの瓶、そして、銀の小さな鎖のついたウルムパイプ、最後に刃先が輝く大型のナイフに目が留まった。

そうしたもの全てに琥珀色のランプの光が広がり、古びた灰色の壁は影に隠れた。その壁にはギデオンのラッパと角笛と小さな牧人用の角笛が黄金の円環《サークル》のように掛けられているのだ。

これほどユニークな光景もないだろう。

丸い天井に人々の声が反響し、あたかも天から歌声が下りてくるようだ。

ギデオンは、大杯を掲げ、庶出の城伯アットー・ル・ノワールの歌を口ずさんでいる。

我こそがこの山々の王……！

その間、アッフェンタールのワインが紅の雫となって、ギデオンの顎鬚の一本一本の毛先で小刻みに揺れていた。やがて、私に気づくと、歌うのを止め、手招きをした。

「フリッツ！　おまえが来るのを待っていたぞ。こんなに嬉しいと思ったのは実に久しぶりのことだ。我らが宴にようこそ！」

確かに、リヴェルレを死なせて以来、ギデオンが笑っているのを見たことがなかったので、これは嬉しい驚きだった。すると、ギデオンは厳粛な表情で続けた。

「俺たちはお館様の快癒を祝っているところだ。それに合わせて、クナップヴルストがニデック城の物語を聞かせてくれるのだ」

その声に、全員が私の方に振り向いた。

その直後、私は万雷の歓声で迎えられた。

ゼーバルトに導かれ、マリー・ラグットの隣の席についた。そして、呆気に取られている間に、大きなボヘミアン・グラスを持たされていた。

古い広間に弾けるような笑い声が飛び交った。ギデオンは左腕を私の首に回し、持っている大杯を高々と掲げた。いつもは厳めしい顔つきのギデオンだが、どんな勇者もいささか酒が過ぎたときにはそうなるように、相好を崩して、大声を出した。

「これが俺の倅だ！　倅と俺……、俺と倅……、死ぬまで変わらん！　我らがフリッツ医師に乾杯！」

すると、クナップヴルストが座っていた椅子の上で立ち上がり、真っ二つに割れた蕪のような恰好で、私の方に身体を屈めて、持っていたグラスを差し出した。いっぽう、マリー・ラグットは相変わらず、帽子の後ろのリボンを大きな翼のように四方に羽ばたかせている。そして、ゼーバルトは、ヒースの茂みの中に立つ密猟者の影のように、椅子の前で背筋を伸ばして立ち、「フリッツ医師に乾杯！」と口の中で繰り返していた。その間、ゼーバルトのグラスから泡が溢れて流れ出し、床の敷石の上に飛び散った。

一瞬、静かになった。全員が各自のグラスを飲み干す。グラスがテーブルにぶつかる小さな音がしたと思ったら、全員が一斉にグラスをテーブルに置いた。

「ブラボー！」ギデオンが言った。

そして、私の方を向いて、続けた。

「フリッツ、俺たちはすでにお館様とオディールお嬢様お二人に乾杯をしたのだ。おまえも同じようにやれ！」

そう言われて、私は大杯を二杯、飲み干さなければならなくなった。そこで、私は厳粛に大杯を掲げ、一息に飲み干し、さらにそれをもう一度繰り返した。いつの間にか、大勢の人が私の周りに集まってきた。老いも若きも、見目麗しい者もそうではない者もいたが、しかし、誰もが善良で親切で優しそうだ。とは言え、私は若い使用人たちに自然に目が向いた。そこでしばらく彼らと目で会話を楽しんだ。

ギデオンは相変わらず、歌を口ずさみ、陽気に笑っていたが、急に、クナップヴルストの背中の瘤に手を置いた。

「一同、静粛に！」ギデオンが声を張りあげた。「ここにニデックの館の全ての記憶が刻まれている。この瘤は言ってみれば、ニデック一族の木霊のようなものだ！」

クナップヴルストはそんな口上にも全く腹を立てる様子もなく、感激したようにギデオンを見つめて、言った。

「そして、ギデオン、あんたはいつか俺が話した黒い騎兵そのものだ！　ああ、そうとも。あんたは威勢もいいし、髭もある。何より、昔の騎兵の心意気がある！　もし、今、あの窓が開いて、大勢の黒い騎兵がやって来て、その中の一人が闇の中からあんたに手を差し出したら、どうする？」

「その騎兵と握手を交わしてから、こう言うだろう。『同志よ、中に入って、寛いでくれ。ワインは美味いし、ここにいる娘たちは初代の城主ヒューグ・ニデックの時代と変わらぬ器量良しぞろいだ』とな。さあ、ご覧あれ！」

ギデオンはそう言うと、テーブルの周りで微笑んでいる若い女性たちを示した。

全員、ニデックの美しい娘たちだった。恥ずかし気に頬を染める者もいれば、碧い瞳を覆い隠すほどの長い睫毛をゆっくりと上げる者もいる。私はニデックの古城にこれほど美しい薔薇が咲き誇っていようとは思ってもいなかった。そのときまで気づかなかったとは、全く迂闊だった。

「一同、静粛に！」再び、ギデオンが声を張りあげた。「俺たちの友、クナップヴルストにさっきの話をもう一度、話してもらおうじゃないか」

「何でまた、同じ話をしなければならないんだ？」クナップヴルストはどうも乗り気ではないらしい。

「俺はあの話が気に入っているのだ」

「俺はもっと面白い話を知っている」

「クナップヴルスト、聞け！」ギデオンが人差し指を上げ、仰々しく言った。「さっきの話をまた聞きたいのにはわけがあるのだ。同じ話をしたくないと言うなら、多少省略しても構わんぞ。とにかく、あの話には意味があるのだ。フリッツ、よく聞くのだぞ」

ほろ酔い加減のせむし男は両肘をテーブルの上につき、二つの拳で両頬を支え、飛び出した目をさらに剝いて、甲高い声で語りはじめた。

「では、お集まりの方々、お聞きあれ！　ニデックの年代記を著したベルンハルト・ヘルツォークによれば、狼と呼ばれたヒューグ城伯も寄る年波には勝てず、頭巾を被るようになった。頭巾とは帷子《かたびら》の縁なし帽子で、戦闘の際に、騎士はこれですっぽりと大兜を覆っていたものだ。しかし、外の空気が吸いたくなったときには、兜を取って、頭巾だけを被った。そうすると、大兜の飾り布が肩の上に落ちるのだった。

ヒューグ伯は、八十二歳になるまで、常に甲冑を身に着けていたが、その頃には息苦しさを感じるようになっていた。

そこで、城の礼拝堂の司祭であるオットー・フォン・ブルラッハ、長男ヒューグと次男バルトルド、そして、ザクセンのブルドリック候に嫁いだ娘のベルト・ラ・ルースを呼び、こう告げた。『おまえたちの母、牝狼は、この儂にその爪を貸してくれたことがある……。牝狼の血は儂の血と混じり合い、おまえたちによって何代にも渡って継承されていくだろう。そして、雪が降り積もるシュヴァルツヴァルトでさめざめと泣くことになろう。それを聞いてある者は、北風が泣いているというだろう。あるいは、梟が鳴いているという者もいるだろう。だが、それはおまえたちの血であり、儂の血であり、牝狼の血なのだ。そして、その牝狼の血が儂に最初の妻エドヴィジュを殺させたのだ。教会で神の御前で夫婦の誓いを交わした妻の首を、儂はこの手で絞めて殺した……。牝狼よ、呪われるがいい！　なんとなれば、〈父の犯した罪の報いはその子孫に及ぶであろう、正義がなされるその日まで〉と書かれているのだから』

そう言い残して、老伯は死んだ。

それ以来、北風がすすり泣き、梟が鋭い鳴き声をあげる。そして、夜道に迷った旅人たちはそれが牝狼の血がすすり泣く声だとは知らない。何世紀にも渡って受け継がれたものとは知る由もないだろう。ヘルツォークは言う。『ヒューグの最初の妻、エドヴィジュ・ラ・ブロンドが天使となってニデック城に現れ、時の城主を許し、慰めるその日まで、何代にも渡って、牝狼は泣き続けるであろう……！』と」

そこで、ギデオンが立ち上がった。かがり籠から松明を一本取る。それから、クナップヴルストに図書室の鍵をよこせと迫った。図書室の主は唐突な要望に驚いた様子だったが、それでもギデオンに鍵を渡した。

ギデオンは私についてくるよう目で合図をした。

私たちは暗い大歩廊を足早に通った。次に武具室を抜けた。やがて、長い廻廊の奥に古文書を納めた書庫が見えた。

辺りは静まり返り、一切の音がしない。まるで無人の城にいるようだ。

廻廊を急ぎながら、私は時々、後ろを振り返った。異様に長く伸びた私たち二人の影が大きな壁掛けの上に映っている。まるで亡霊のようなその姿は、絶えず、奇妙に歪んだ。

私は自分たちの影に心を奪われると同時に、恐怖に襲われた。

ギデオンが古い樫の木の扉を一気に開ける。そして、手にしていた松明を掲げた。ギデオンの横顔が暗闇に浮かび上がった。逆立った白髪の髪に青ざめた顔……。まず、ギデオンが中に入った。エドヴィジュの肖像画の前まで進む。初めて図書室に足を踏み入れたとき、オディール嬢と瓜二つなので驚いたあの肖像画だ。肖像画を前に、ギデオンが厳粛な口調で言った。

「許しと慰めのために戻ってくるべきはこの方なのだが……、実は、もうお戻りになっている。そして、今、城にいて、老伯爵の傍にいるのだ。フリッツよ、見よ、この方を！　誰かわかるか？　オディール様じゃ！」

それから、ヒューグ伯の後妻の肖像画に身体を向けた。

「そして、これが牝狼フルディネだ。千年の間、シュヴァルツヴァルトの峡谷で泣き続けておったのだ。この女のせいで、俺の愛するリヴェルレが死んでしまった。だが、これからはニデックの城主たちは心安らかに眠れるだろう。なぜなら、正義はなされた。一族の守護天使が戻ってきたのだから！」

怪物

アンブローズ・ビアス

宮﨑真紀 訳

The Damned Thing

by Ambrose Bierce

一　テーブルの上にあっても、それは食べ物とは限らない

でこぼこした木のテーブルの端に置かれた獣脂蠟燭《ろうそく》の光で、男が本の中身をなんとか読もうとしている。それは本というより、ずいぶんと使い込まれた古い帳簿で、男がときどきもっと明るいところで見ようと蠟燭の炎にページを近づけることからすると、かなり読みにくい文字らしい。そうして本が灯りを遮《さえぎ》ると部屋の半分が影になり、そこにいる人々の顔や姿が闇に沈む。帳簿を読んでいる者のほかに八人の男がいた。七人はごつごつしたむき出しの丸太の壁を背に身じろぎもせず、むっつりと座り込んでいる。狭い部屋なので、男たちのいる場所はテーブルからそう遠くない。一人でも手を伸ばせば、両腕を脇にしてテーブルに仰向けに横たわっている八人目の男に触れることができただろう。体の一部を布で覆われたその男は死人だった。

帳簿を手にした男は声に出して中身を読んでいるわけではなく、ほかもみな口をつぐんでいる。何かが起きるのを、誰もが今か今かと待っていた。待っていないのは死人だけだ。外には空疎な闇がた

ち込め、窓代わりの壁の穴から、夜ならではの耳慣れない野生の音があれこれ忍び込んでくる。いわく言いがたい不安をかきたてる、長々と響くコヨーテの遠吠え。木々で蠢《うごめ》く、疲れを知らない虫たちの静かな脈動。日中の明るい囀《さえず》りとはあまりにもかけ離れた、夜鳥《よどり》たちの奇妙な鳴き声。不器用に飛びまわる大型の甲虫の低い羽音。その他もろもろ小さな音が重なり合って生まれる謎めいた和音は、つねに聞こえていたようだが、考えなしに音をかき鳴らして居場所を知らせていた愚かさをふいに悟ったかのように、突然途切れたりする。だが、そこにいる人々はそんなことにはいっさい気づいていない。実生活には何の意味も持たないことに無駄な興味を寄せる、そんな酔狂とは無縁な連中だった。それは、彼らのいかつい顔に刻まれた皺《しわ》一本一本を見れば明らかだ。蠟燭一つしかない薄暗さの中でさえ、はっきりとわかる。彼らは間違いなく、この近辺の住人、つまり農民や樵《きこり》だった。

帳簿を読んでいる男はほかとは少々違っていて、あれは世事に通じた世慣れた男だと評する者もいたにはいただろうが、服装を見れば、まわりを囲む男たちとある意味お仲間だとわかった。その上着はサンフランシスコではとても通用しなかっただろうし、靴も都会仕様ではないし、脇の床に置かれた帽子（何もかぶっていないのは彼だけだった）にしても、装飾品の一つだと考える者がいたとしたら、帽子本来の目的がわかっていないと言える。愛想のいい、人好きのする顔つきだが、どこか厳《いか》めしさも感じられる。ただしそれは上に立つ者としてふさわしいふうを装っているか、あるいは努力のすえに身につけたものなのかもしれない。なにしろ彼は検死官なのだ。今読んでいるその本を彼が手にしているのも、彼のお役目ゆえだ。本は死者の私物の中に、つまり現在検死がおこなわれているその小屋で見つかったものだった。

検死官は本を読み終えると、胸ポケットに入れた。そのときドアが開いて、若い男が入ってきた。生まれも育ちも山地ではないと明らかにわかった。いかにも都会人らしい服装だったからだ。しかし、長旅のせいか、服がずいぶん埃っぽかった。実際、彼はこの検死に立ち会うため、馬を飛ばしてきたのだった。

検死官は会釈をしたが、ほかは誰も彼に挨拶をしなかった。

「お待ちしていましたよ」検死官が言った。「ぜひとも今夜じゅうに仕事をすませてしまいたいのでね」

若者は微笑んだ。「お待たせして申し訳ありませんでした。ちょっと出かけていたものですから。べつに貴殿の召喚から逃げようとしたわけではなく、そもそもここに呼ばれ、お話しすることになる出来事について、新聞に記事を投稿したかったので」

検死官はにやりとした。

「あなたが新聞に投稿したという記事は、ここであなたが宣誓証言する話とはおそらく異なるのでしょうな」

若者は憤然として答えた。顔が紅潮したのが傍目からもわかる。「どう思うかはあなたの勝手だ。複写紙を使って書いたから、送ったものの写しがここにある。あんまり信じがたい話だから、報道としてではなく、物語として書いたんです。一部は宣誓証言としても使えると思いますよ」

「でも信じがたい話なのでしょう?」

「それはあなたにはどうでもいいことではないですか?　宣誓したうえで事実だと僕が言えば」

若者の見るからに腹を立てた様子にも、検死官はとくに動じたようには見えず、しばらく無言のまま視線を床に落としていた。小屋の脇のほうにいる男たちは小声でこそこそと話をしていたが、死人の顔からは目を離そうとしなかった。やがて検死官が目を上げて言った。「審問*を再開しよう」

男たちはそれぞれ帽子を脱いだ。証人が宣誓した。

「名前は？」検死官が尋ねる。

「ウィリアム・ハーカーです」

「年齢は？」

「二十七歳です」

「亡くなったヒュー・モーガンをご存じですね？」

「はい」

「彼が死亡したとき、あなたはそこに居合わせた？」

「近くにいました」

「それはどんなふうに起きたんですか？　つまりあなたから見て、ということですが」

「狩猟と釣りをするために、彼を訪ねてここに来ていました。でも目的はそれだけじゃなかった。僕は彼のことを、彼のちょっと変わった孤独な暮らしを観察しに来たんです。小説の登場人物として、いいモデルになりそうだと思った。僕はときどき小説を書くんです」

審問　検死審問。人が死亡（とくに変死）した際に、検死官が死因を特定する、公開の審問。

「私もときどき読みますよ」

「ありがとうございます」

「小説一般です。あなたの、という意味ではない」

陪審員の何人かが笑いを漏らした。陰鬱な雰囲気の中では、ユーモアが際立つ。戦闘の合間に兵士はどんなにつまらないことでも笑うものだし、死者のいる部屋ではふいに冗談が人々の心をつかむ。

「この男が死んだ状況について話してください」検死官が言った。「よければノートやメモを参照してもらってもかまわない」

証人は了解し、胸ポケットから原稿を取り出すと、蠟燭に近づけた。それから目的の箇所までページを繰り、読み始めた。

二　カラスムギの原野での出来事

「……まだ夜が明けきらぬうちに、僕らは家を出発しました。目的は鶉《うずら》狩りで、おのおの散弾銃を携えていましたが、犬は一匹しかいませんでした。ある稜線を指さし、その向こう側に最高の狩場があると言うモーガンに従って、僕らは低木の茂みを突っ切っていく小径をたどったのです。稜線を越えたところは比較的起伏の少ない平原で、野生のカラスムギにみっしりと覆われていました。低木の茂みを抜けたとき、モーガンは僕のほんの数ヤード先を進んでいました。そのとき突然、少し離れた右正面前方のカラスムギの中で何か動物がのたうちまわっているような音が聞こえたのです。そのあたりの草が激しく揺れているのも見えました。

『鹿を驚かせてしまったみたいだな』僕は言いました。『ライフルを持ってくればよかった』

ところがモーガンはすでに足を止めて、揺れ動く茂みを無言でじっと見つめながら二連の銃身の撃鉄を両方とも起こし、いつでも撃てるよう銃を構えました。彼はどこか動揺しているように見え、僕は驚きました。モーガンは、たとえふいに危険が身に迫っても、落ち着いて対処できる稀有な人間だという評判だったからです。

『おいおい』僕は言葉をかけました。『鶉用の弾《たま》で鹿を仕留めるつもりじゃないよな?』

やはりモーガンは答えません。それでも、わずかにこちらに向いた彼の顔を見て、僕はその蒼白さにぎょっとしました。そこにきてようやく僕も事の重大さを思い知り、もしかしてハイイログマでも襲ってくるのか、とそのときは考えました。僕はモーガンの横に近づきながら、自分も銃の撃鉄を起こしました。

今は茂みは静まり、音もやんでいましたが、モーガンは変わらず前方に注意を払っています。

『何なんだ、いったい?　何のしわざだ?』僕は尋ねました。

『怪物だ』彼はこちらを見もせずに答えました。声は不自然にしわがれ、見てわかるほど体がぶるぶる震えていました。

僕が言葉を継ごうとしたとき、さっき騒動があった場所の近くで、カラスムギが説明のつかないおかしな動きをしているのが目に入りました。いやまったく、表現のしようがないのです。カラスムギが風でそよいでいるかのように見えるのですが、風は草を薙ぎ倒しているというより、押しつぶしていました。草はそうして目に見えない力で次々に地面にひしゃげていき、しかもその動きはゆっくりとこちらに近づいてきていました。

まったく説明のつかない未知の現象で、あれほど妙に胸かき乱された経験はほかにないくらいでしたが、なぜか怖くはなかったことを覚えています。じつは以前こんなことがありました。今ここでそれを話すのは、あのときに限って、そのことを思い出したからです。開いていた窓から何気なく外に目を向けたら、すぐ近くにあった小ぶりな木が、一瞬、少し遠くにあるもっと背の高い木立ちの一本のように見えたのです。ほかの木々と同じ高さや太さに見えながら、より存在感を持ち、細部がやけにくっきりしていたので、変に違和感がありました。空気遠近法の法則が見せたただの錯覚なのですが、僕はそのときはっとして、寒気さえ覚えたのでした。人はそんなふうに、お馴染みの自然法則が正しく働くのが当然だと思い込んでいるため、そこからふらふらと逸脱して見えるものには身の危険を感じ、意外な災難が降りかかってきそうな気がして不安になるのです。だから、目視する限り原因のわからない草の動きも、ゆっくりと、しかし迷いなく近づいてくる押しつぶされた草の道も、本当に禍々しいものでした。モーガンは本気で怯えているように見え、揺れ動くカラスムギに向かって、いきなり銃の狙いを定めて実弾を二発とも発砲したときには、さすがに僕も目を疑いました。そして、硝煙がまだ消えもしないうちに張り裂けんばかりの吠え声――まるで野獣の叫びのようでした――が轟いたかと思うと、モーガンはとっさに銃を地面に放り出し、一目散に逃げだしたのです。その瞬間、僕は、煙の中から現れた目に見えない何かに体当たりされて、地面にどうと倒れ込みました。何か柔らかくて重たいものが、僕を思いきり突き飛ばしたようでした。

なんとか立ち上がって、いつの間にか手から叩き落されていたらしき銃を拾い上げようとしたそのとき、断末魔の苦痛にあえぐかのようなモーガンの苦しげな悲鳴と、それにまじって、犬の喧嘩で耳にするたぐいの荒々しいしゃがれた吠え声が聞こえてきました。僕は言うに言われぬ恐怖に駆られ、懸命に立ち上がると、モーガンが逃げた方角に目をやりました。ああ、神よ、もう二度とあんな恐ろしい光景を僕に見せたもうな！　三十ヤードも離れていないところにわが友がいたのです。片膝をつき、頭をぞっとするような角度にのけぞらせ、帽子はすでに見当たらず、長い髪を振り乱し、全身が前後左右にがくがくと揺れ動いていました。そして、右腕を高く上げていましたが、手首から先がなくなっているように見えたのです。少なくとも、僕には見えませんでした。もう一方の腕もやはり消えています。今もときどき記憶の中からこの異様な光景がよみがえるのですが、僕にはやはりモーガンの体の一部しか認識できません。まるで彼が部分的にかき消され──そうとしか表現のしようがないのです──、やがて姿勢が変わると、消えていたところがまた見える、そんな具合でした。

すべてはわずか数秒の出来事だったはずですが、それでもそのあいだモーガンは、決然と敵に挑んだものの、重量も力も格上の相手に無残に打ち負かされる格闘家を思わせる、ありとあらゆるポーズをとり続けました。僕には彼の姿しか見えず、しかしその姿かたちがときとしてはっきりしなくなるのです。この出来事が続くあいだ、モーガンの叫び声や悪態がずっと聞こえていました。でもその声は、人間にしろ獣にしろ喉からあんな轟音をはたして出せるものだろうかと思うような、すべてを包み込んでしまう憤怒の雄叫びの隙間からかろうじて漏れてくるかのようでした。

つかのま僕はただ一人、どうしていいかわからずにその場でただ立ちすくんでいましたが、やおら銃を捨て、友人を助けに駆けだしました。彼は何かの発作か、ひきつけでも起こしたのだと、僕はどこかで信じていたのです。でも、そばにたどり着く前に、モーガンは地面に崩れ落ちて静かになりました。あたりにはすでに静寂が降りていましたが、そのとき僕は、あのカラスムギを押しつぶすさっきと同じ謎の動きが、倒れているモーガンの周囲の激しく踏み荒らされたあたりから森に向かって再開されたのを目にし、今そこで起きた恐ろしい出来事を見たとき以上にぞっとしました。それが森にたどり着くと、ようやく僕はその動きから目を引き剝がすことができ、友人のほうを見たのです。彼はすでに事切れていました」

三　人は裸なりとも、襤褸《ぼろ》にはくるまれりか

検死官は椅子から立ち上がり、死人の脇に立った。シーツの隅を持ち上げてさっと剝ぎ取り、全身をあらわにする。死人は全裸で、蠟燭の灯りに照らされた体は粘土のような黄色みを帯びていた。明らかに打撲による内出血と思われる青黒い痣があちこちに広がり、胸や脇腹は棍棒で殴られたかのように見えた。裂傷もひどく、皮膚がずたずただった。

検死官はテーブルの端に移動し、死人の顎を覆って頭頂部で結んである絹のハンカチをほどいた。ハンカチが取り除かれたとき、かつて喉だった場所がそこにさらされた。もっとよく見ようと立ち上がっ

ていた数人の陪審員は、自分の余計な好奇心を後悔し、顔をそむけた。証人のハーカーは吐き気を催して、朦朧《もうろう》としながら窓代わりの壁の開口部に近づき、そこから身を乗り出した。検死官は死人の首にハンカチを掛けると部屋の隅に行き、服の山から一枚一枚取り出し、掲げては確認した。どれも無残に引き裂かれ、血でごわごわしている。だが陪審員たちは近くで見ようとはせず、あまり関心がなさそうだ。じつはそこにいる者は、すでにそのどれも確認済みだった。初めて見聞きするものといえば、ハーカーの証言だけだったのだ。

「さて紳士諸君」検死官が言った。「証拠はこれですべて開示されたと思う。君たちにやってもらわねばならないことは、すでに説明したとおりだ。何も質問がなければ、外に出て評決について検討してくれたまえ」

陪審長が立ち上がった。粗末な服を着た、背の高い、髭をたくわえた六十代の男だ。

「一つだけお尋ねしてえんですがね、検死官殿」彼が言った。「あんたが呼んだこの最後の証人は、いってえどこの精神病院を脱け出してきたんですかね？」

「ハーカーさん」検死官は重々しい落ち着いた口調で尋ねた。「あなたが最後に脱け出した精神病院はどちらですか？」

ハーカーはまた怒りで顔を真っ赤にしたが、何も言わなかった。七人の陪審員は立ち上がり、静々と小屋から出ていった。

「あんなふうに僕を侮辱するなら」ハーカーは、部屋にいるのが自分と検死官、それに死人だけになるとすぐ、そう食ってかかった。「もう失礼させてもらいます」

「ええ、どうぞ」

すたすたと部屋から出ていこうとしたハーカーだったが、ドアの掛け金に手を置いたところで足を止めた。作家としての彼がそうさせたのだ。どうやら彼の職業意識は自尊心にも勝るらしい。ハーカーは振り返って言った。

「貴殿がお持ちのその本ですが……モーガンの日記のようですね。中身にずいぶん関心があるようにお見受けします。僕が証言するあいだも、貴殿はずっとそれを読んでいた。拝見させてもらえませんか？　大衆はきっとそれを――」

「本の内容がこの事件に影響を与えることはないでしょう」検死官はそう答えて、日記を上着のポケットに滑り込ませた。「全部本人が亡くなる前に書かれたものですから」

ハーカーが小屋を出ていくと、陪審員たちが入れ替わりに戻ってきて、テーブルの脇に立った。テーブルの上の遺体は今ではシーツで覆われていたが、輪郭がくっきりと見えている。陪審長が蠟燭の近くに座り、胸ポケットから鉛筆と小さな紙きれを取り出して、以下の評決をなんとかちまちまと書き込み、陪審たちも、程度に差こそあれ、それぞれに苦労して全員署名した。

《われわれ陪審は、その遺体の死因はピューマに襲われたものと判断するが、それでも、何かの発作を起こした結果だと考える者も何人かいたことを付け加えておく》

四　墓の中からの弁明

故ヒュー・モーガンの日記には、おそらく科学的価値があると思われる、なかなか興味深い意見が提示されている。彼の検死の際には、その日記は証拠品には含まれていなかった。これを読ませて陪審を混乱させるのは賢明ではないと検死官は考えたのだろう。最初の記入の日付ははっきりしない。ページの上のほうが破り取られているからだ。残存している部分は以下のようなものである。

《……は半円を描くように走りまわっていたが、円の中心からはけっして顔をそらさず、やがてまたふと立ち止まると、激しく吠えた。そしてとうとう藪の中に全速力で走って逃げ込んだ。最初は、犬は気がふれてしまったのかと思った。しかし帰宅すると、きっと罰を受けると思っていたのだろう、それでびくびくしている以外は、普段と何も変わらなかった。

犬は鼻でものを見ることができるのだろうか？　匂いが、それを発散しているもののイメージを嗅覚神経に植えつけたりするのか？　……》

《九月二日　昨夜、家の東側の稜線の上にのぼった星を見ていたら、それが連続して次々に姿を消すのがわかった——左から右へと。毎回一瞬、それも一度に数個ずつ、〝食《しょく》〟のように消える。全稜線にわたって、稜線から角度にして一、二度以内にある星がときどき見えなくなるのだ。まるで、星と私のあいだを何かが横切っているかのようだ。だが私にはその正体が見えないし、星にもその輪郭を浮かび上がらせるだけの幅がない。くそ、いらいらする……》

それから数週間分の記載がない。三ページほど破り取られているのだ。

《九月二十七日　あいつがまたこのあたりに来ていた。毎日、あいつがいた証拠が見つかる。鹿弾《しかだま》＊を二発込めた銃を手に、同じ隠れ場所でまた寝ずの番をした。朝になったとき、以前と同じように、つけられたばかりの足跡がそこにあった。だが、誓ってもいい、私は眠らなかった。実際、こんな状態じゃ眠れやしない。最悪だ、とても耐えられない！　もしこの驚くべき体験が現実なら、私はそのうち頭がおかしくなる。そしてもし幻覚だったとしたら、私はすでに頭がおかしいということだ》
《十月三日　私は絶対にここを動かない。あんなやつのせいで、逃げ出してたまるものか。そうとも、ここは私の家だ。私の土地なのだ。臆病者は敗者だ……》
《十月五日　もうこれ以上我慢ならない。私はハーカーをここに招き、数週間一緒に過ごすことにした。彼は冷静でまっとうな頭脳の持ち主だ。はたして私を狂人だと思うかどうか、彼の態度から判断しよう》
《十月七日　問題の答えがわかった。昨夜突然、啓示のようにひらめいたのだ。単純なことだった。じつに単純だ！
　われわれ人間には聞こえない音がある。音階の両極端の音は、人間の耳という不完全な楽器の弦をかき鳴らさない。高音すぎる、あるいは低音すぎるのだ。私はときどき、木の天辺を、場合によっては数本の木の天辺を占領して、大声で囀《さえず》っているクロウタドリの群れを見ることがある。すると突然、まさに一瞬にして、群れが同時に飛び立ち、どこかに飛び去ってしまう。いったいどうやって？　鳥たちそれぞれの目に、群れ全体が見えているわけではない。樹冠部の木の枝が邪魔をしているからだ。リーダーがいたとして、その姿がどの鳥にも見える場所などあるわけがない。どんなにピーピー大騒ぎしていても彼らには聞こえる、でも私には聞こえない、警告や命令を意味する甲高い高音のシグナルがあるに違いない。同じように、クロウタドリだけでなく、ほかの鳥たち、たとえば遠く離れたあちこちの茂みにいる――丘のこちら側とあちら側に散っている場合さえある――鶉たちが、しんと静まり返っているさなかにいっせいに飛び立つのを見たこともある。

船乗りたちのあいだでは、海面でひなたぼっこをしたり遊んだりしているクジラの群れが、たがいに何マイルも離れ、あいだに陸地さえ挟んでいたとしても、ときにいっせいに海中に潜り、あっという間に姿を消してしまうことが知られている。きっと何か合図が送られたのだ。それはマストの先端や甲板にいる水夫たちの耳には聞こえないほど低い音だが、その振動は感じられる。ちょうど、聖堂の石材がパイプオルガンの低音で震えるように。

音だけでなく、じつは色もそうだ。太陽スペクトルの両端には、〝化学線〟*とも呼ばれる紫外線やら赤外線やらが存在することが化学者の研究からわかっている。それぞれ色――光の構成に不可欠な色――で表されるとはいえ、われわれには知覚できない色だ。人間の目もまた不完全な道具であり、見える範囲は実際の〝色の音階〟のうちのほんの数オクターブにすぎない。私はやはり狂ってなどいない。そうとも、人には見えない色がある。

そして、ああ何たることだ、あの怪物の体はまさにそういう色なのだ！》

鹿弾《しかだま》　鳥猟用のものよりも大粒の散弾。

〝化学線〟　紫外線の別名。赤外線が熱的な作用を及ぼすのに対し、化学的な作用が顕著なための呼称。

夜の声

W・H・ホジスン
植草昌実 訳

The Voice in the Night
by William Hope Hodgson

星のない、真っ暗な夜だった。船は風の凪《な》いだ海に停まっていた。どのあたりかは見当もつかない。この一週間というもの太陽は見えず、海霧はマストのてっぺんから下りてきて船をすっぽりと覆い、気の滅入る日々が続いていた。

風がないので、みなで舵柄《かじづか》＊を動かないようにしたあと、俺は一人、甲板に残った。小僧を入れて三人の乗組員は船首側の居室で、このちっぽけな船の船長で親友のウィルは、船長室の左舷寄りにしつらえた寝台で、眠っているところだった。

突然、闇の中から声が聞こえてきた。

「おぉーい、そこの船よぉー！」

人の声が聞こえるなどとは思いもしなかったので、俺は驚いて返事もできなかった。

声はまた聞こえた――ちょっと人のものとは思えない嗄《か》れた声が、左舷側の闇の向こうから聞こえてきた。

「おぉーい、そこの船よぉー！」

「おぉーい！」どうにか気をとりなおして、俺は応えた。「あんた、誰だい？　何の用だ？」

「警戒することはありません」俺がうろたえているのを声から察したか、奇妙な声はこう言った。「私はただの――年寄りです」

返答には間があったが、それがなぜかわかったのは、あとになっての話だ。

「横付けしないのか？」うろたえたのに気づかれたのが癪《しゃく》にさわって、俺はぶっきらぼうに返した。

「い、いえ――できないんです。それはいけません。つまり――」声が途切れ、あたりはしんとした。

「なぜだ？」さらに驚いて、俺は尋ねた。「いけないって、どういうことだ？　あんた、どこにいる？」

しばらく耳をそばだてていたが、返事はなかった。得体の知れないものが来たのを不審に思い、すぐさま羅針盤*に歩み寄ると、わきに置いたランプを取った。動いたついでに、ウィルを起こそうと甲板を踵《かかと》で踏み鳴らした。舷側*に戻ると、静まり返った海に向かい、黄色い光の筋を投げつけた。すると、圧《お》し殺したような悲鳴と、慌ててオールを水に突っ込む音が聞こえた。だが、何も見えなかったように思う。光の先に何かいたような気もしたが、何もなかった。

「おぉーい、そこの人よぉー！」俺は叫んだ。「いったい何のつもりだ？」

だが、聞こえるのは、ボートが遠ざかっていくらしい、かすかな音だけだった。

舵柄　船の舵を回すとき握る取っ手。舵棒とも。
羅針盤　航海用のコンパス。三十二等分した円形の板を磁針の上に張り、水平を保って方位を示す。
舷側　船の側面。船縁《ふなべり》、船端《ふなばた》とも。

後部舷側からウィルの声がした。

「何かあったのか、ジョージ」

「来てくれ、ウィル」俺は言った。

「どうしたんだ」甲板を横切りながら、ウィルは言った。

俺は今しがたのおかしなことを話した。ウィルはときどき質問を挟んだ。聞き終えたあと、黙っていたのはほんの一時《いっとき》で、やつは両手を口に当て、呼びかけた。

「おぉーい、そこのボートよぉー！」

遠くからかすかに返事が聞こえたので、ウィルはさらに呼びかけた。しばしの静寂ののち、用心深くオールを操る音がしたので、ウィルはもう一度、声をかけた。

今度は返事があった。「明かりを向けないでください」

「そうはいかない」俺はつぶやいたが、言われたとおりにしろ、とウィルが言うので、ランプを舷側に下ろした。

「近づけ」とウィルが言い、オールの音が続いた。だが、五、六尋*あたりまで近づいたところで、また止んだ。

「横付けにしな」ウィルが言った。「この船には何の危険もない」

「明かりを向けないと約束してくれますか」

「何が言いたいんだ」俺は声を荒らげた。「なぜまたそんなに光を怖れる？」

「それは――」と声は言い、途切れた。

「どうした？」俺は性急に口を挟んだ。

ウィルが俺の肩に手を置いた。「ちょっと静かにしてくれ」声を落として言った。「俺が訊く」

そして、手すりから身を乗り出した。

「わかったよ、ミスター」ウィルは言った。「この大海原で、あんたがこんなふうにこの船を尋ねてくるなんて、まったく思いがけないことなんだ。だから、何のつもりでそう言うのか、まるで見当もつかなくてね。あんた、一人だと言ったね。だが、俺たちとしちゃ、見て確かめたいんだよ。どういうわけで、明かりを嫌うのかい？」

ウィルが言い終えると、オールの音がしはじめ、それから、またあの声がした。遠ざかっていても、その哀れな声からは、失望しているさまが聞き取れた。

「すまなかった——私が悪かった！　面倒を起こす気はない。ただ腹が減っていてね。私も——連れ合いも」

それきり声はなく、ただオールで水を掻く音が、とぎれとぎれに聞こえるばかりになった。

「行くな！」ウィルが声をかけた。「こっちも追い返す気はない。戻ってこいよ。心配なら、ランプには覆いをかけておくから」

やつは俺に目を向けた。

「冗談なら度が過ぎるが、悪さをするようにも思えなくてね」

五、六尋　十メートル前後。一尋は約一・八メートル。

問いかけるような口調だったので、俺は応えた。

「そうだな、船が難破して、かわいそうに頭がちょっとおかしくなってるんだろう」

オールの音が近づいてきた。

「ランプを羅針盤の台に戻しておいてくれ」ウィルはそう言うと、手すりから身を乗り出して、聞き耳を立てていた。俺はランプを置くと、やつの隣に行った。オールの音はまた五、六尋あたりにまで近づいてきた。

「横付けしないか」普段の口調でウィルは言った。「ランプは羅針盤の向こうに置いた」

「いえ――できません」声が答えた。「これ以上は近づかないほうがいい。それに、食べるものを分けてもらっても――お返しするものがない」

「礼など無用さ」と言ってから、ウィルの口調は歯切れが悪くなった。「持てるだけ持っていってくれ――」と言ったが、黙りこんだ。

「ご親切に！」声は大きくなった。「神様がすべてを見そなわし、あなたがたに御恵《みめぐ》みを賜《たまわ》りますよう――」言葉はかすれ、途切れた。

「ところで――お連れ合いは？」ウィルが尋ねた。「一緒なんじゃ――」

「島に置いてきました」声が戻ってきた。

「島だって？」俺は尋ねた。

「名も知らぬ島です」声は答えた。「もし神様が――」と言いかけたが、急に途切れて静かになった。

「お連れ合いを迎えにボートを出せるが」ウィルが言った。

「いけません！」急に語気が強くなった。「とんでもない。島に来てはいけない」声はまた途切れた。

そのあとで聞こえた声には、非難するような響きがあった。

「思い切って声をかけたのは――あいつが苦しんでいるのを、放っておけなかったからなんだ」

「すまない、忘れていた」ウィルが声をあげた。「ちょっと待っててくれ。あんたが誰でもかまわない、渡すものをすぐ用意する」
二、三分して、ウィルは両手に食料を抱えて戻ってきた。そして、手すりのそばで立ち止まり、尋ねた。
「積み込むのに横付けしないか」

「いや――できそうにありません」と言ってはいたが、その声には切実な望みが聞き取れた――闇に隠れているこの哀れな老人は、ウィルの手にあるものを今すぐ受け取りたいのだと、すぐに気づいた。が、俺にはわからないが何かを怖れていて、船に横付けして受け取るのは避けたいのだ。姿を見せようとしないのは、頭がおかしくなっているからではなく、むしろ正気そのもので、堪えがたいほどの恐怖に直面しているからだ、と、瞬時に気づいた。

「まあいいさ、ウィル」あれこれ思いはするが、声の主への憐れみがすべてを押しのけた。「箱を取ってくる。取れるところまで流してやるさ」

浮かした箱を鉤竿《ボートフック》で船縁から闇の中へと押しやった。一分もしないうちに、抑えた歓声が聞こえ、見えない相手が箱を受け取ったのがわかった。

少したって、声の主は心からの感謝とともに別れの挨拶をしたので、これで良かったのだと俺は思った。挨拶のあとすぐに、オールの音が聞こえた。

「すぐ帰っちまうんだな」ウィルはちょっと傷ついたようにつぶやいた。

「どうかな」俺は言った。「また来そうな気がする。今は食べることが最優先なんだろう」

「連れ合いがいると言ってたしな」と言うと、ウィルはしばらく黙りこんだが、こう口を切った。

「こんな妙なことは、漁に出るようになって以来、初めてだ」

「まったくだな」と答えると、俺も黙った。

時が過ぎていった――一時間、二時間と。だが、ウィルは船長室には戻らず、俺と一緒にいた。奇妙な出来事のあとで、眠気が吹き飛んでしまったのだろう。

それから二十分ほどしたとき、静かな海からオールの音が聞こえてきた。

「聞けよ！」声を抑えてはいたが、ウィルが興奮しているのがわかった。

「来たか。思ったとおりだ」俺も小声で言った。

近づくにつれ、オールの音のあいだが長く、漕ぎ方がしっかりしているのが聞き取れた。渡した食料が役に立ったようだ。

まだ船まで距離はあるが、オールの動きは止まり、あの奇妙な声が闇の向こうから聞こえてきた。

「おぉーい、そこの船よぉー！」

「さっきの人か？」ウィルが訊いた。

「そうです」声が答えた。「すぐに行ってしまったのは――急いでいたんです」

「お連れ合いは？」ウィルは尋ねた。

「彼女――連れ合いはお礼を申しておりました。天に召されましたが、お礼は申し続けていることでしょう」

ウィルは困惑して、言いかけた言葉を引っ込めた。俺は黙っていた。間の悪い沈黙のあいだ、これまでの訝《いぶか》しむ思いに代わって、声の主への同情が胸に広がっていた。

声は続けた。

「私たち――連れ合いと私は、あなたがたのお恵みと神様のお慈悲を分かち合いながら、話しました――」

ウィルは何か言いかけたが、言葉にならなかった。

「今晩のご親切は、神様のお導きなのですから、どうかご謙遜なさらないように」と、声は言った。

「神様はご存じです」

言葉が止み、ゆうに一分は静まり返った。それから、声がまた聞こえた。

「二人で話しあいました――互いの身に起きたことを。共にどれほど怖ろしい目にあったかは、誰にも語らないでおこうと思っていました――命が尽きるまで。連れ合いも同じように思っていましたが、ご親切をいただき、お話しするのが神様の思し召しに叶うと考えをあらためました。私たちが苦しんできた、あの日から――今までのことを――」

「いつから？」ウィルがそっと尋ねた。

「〈阿呆鳥号《アルバトロス》〉が沈んだときからです」

「えっ！」俺は思わず口を挟んだ。「六カ月前にニューカッスルからサンフランシスコに向かって出たきり、消息を絶ったあの船か」

「その船です」声は答えた。「赤道から二、三度ほど北のあたりで、嵐に遭ってマストが折れました。朝になって、ひどく浸水しているのがわかりましたが、凪《なぎ》になると船員たちは我先に救命艇《ボート》に乗り込み、若い婦人――私の婚約者です――と私は取り残されてしまいました。

私たちが荷物をまとめているあいだに、船員たちはボートを出してしまいました。そんな不人情なまねをしたのも、沈没を怖れたあまりなのでしょう。甲板に出たときにはもう、ボートは水平線に向かって小さく見えるばかりになっていました。ですが、私たちは望みを手放さず、小さな筏《いかだ》を作りました。それから、飲み水や乾パンや、持っていけるだけのものを積み込みました。船がどんどん沈んでいくので、私たちは筏に乗り込み、海に出ました。

筏は潮の流れに乗ったようで、船から離れていくのがわかりました。手元の時計で三時間もすると、船は見えなくなり、折れたマストが遠ざかるばかりになりました。日が暮れるとともに霧が立ちこめ、夜のあいだに深くなっていきました。翌朝はすっかり霧にとざされ、海は静まりかえっていました。

その霧の中を漂流しつづけましたが、四日目の夕暮れに、波が陸地に打ちつける音が遠く聞こえました。音はだんだんはっきりしてきて、真夜中を過ぎる頃には、筏を囲むように聞こえてきました。筏は何度か、うねりに乗り上げましたが、やがて海は静まり、波の打ちつける音は進行方向の後ろから聞こえるようになりました。

朝になって、筏が広い礁湖《しょうこ》のようなところに入っているのに気づきましたが、私たちは霧の中に見た大きな船の影に気を取られ、今どこにいるのかまでは考えられませんでした。もう安心だと思い、二人でひざまずいて神様に感謝の祈りを捧げました。もっとも、あとになって、そうではなかったと知るわけですが。

筏を船に近づけ、乗せてくれと声をかけましたが、答えはありませんでした。舷側に接触するぎりぎりのところまで寄せると、ロープが下がっていたので、登ってみました。灰色の茸《きのこ》が黴《かび》のようにロープに生え、舷側のあちこちにも広がって鉛色の染みになっていたので、登るのはひと苦労でした。手すりを摑んで体を引き上げ、船の上に立ちました。甲板は一面、灰色の塊に覆われていて、中には高さが数フィートにもなるものもありました。それでも、船には誰かいるのではないか、という期待のほうが勝《まさ》っていました。大声で呼びかけてみましたが、返事はありません。船尾楼甲板*の下のドアまで行きました。開いて中を覗き込んでみました。澱《よど》んだような臭いがこもっていたので、誰も乗っていないと察し、急いでドアをしめました。急に孤独感が募ってきました。

私は登ってきた舷側に戻りました。私の——愛する人は、おとなしく筏に座って待っていました。見下ろす私に気づいて、誰かいたのかと問いかけました。この船は人がいなくなってずいぶんたつようだ、と私は答え、もう少し待ってくれるなら、登ってこられるよう梯子か何か探してくる、と言いました。二人なら、船に何かないか探せるだろう、とも。少しして、甲板の反対側で縄梯子を見つけました。それを下ろして一分もせずに、彼女は私のそばに来てくれました。

二人で船尾側の船室を調べてみましたが、人がいた形跡は見つかりませんでした。船室のいたると

船尾楼甲板　下に船室があるため一段高くなった船尾の甲板。

ころに、見たこともない茸が生えていましたが、掃除すればいい、と彼女は言いました。

船尾側には誰もいないとわかったので、私たちは無気味な灰色の塊のあいだを抜けて船首側に行き、さらに調べてみましたが、結局わかったのは、ここにいるのは私たち二人だけ、ということでした。

誰もいないことを確かめたので、私たちは船尾に戻り、できるだけ居心地のよい場所を作ることにしました。まずは二部屋の船室を片づけ、掃除をして、そのあと食料を探しました。幸いにもすぐ見つかり、神様の御加護に感謝しました。ポンプが真水を汲み上げられるのがわかり、動くようにしてみたところ、旨くはないが飲める水が得られるとわかりました。

それから何日かは、私たちは陸《おか》に上がらずに、船内で過ごしました。住み心地を良くするために、こまめに手を入れていました。ですが、望んでいたほどにはよい住み処でないと、すぐにわかりました。最初に取り除いた奇妙な茸も、一昼夜で最初と同じさまに戻っていたので、私たちは落胆するというよりも、ぼんやりした不安を覚えました。

それでも私たちはあきらめず、また掃除をし、茸を掻き落としたあとを、食料保管庫で見つけた石炭酸*で洗いました。しかし、一週間もしないうちに、茸はもとどおりになり、剝がしたせいで広がったのか、ほかの場所にも生えてきました。

七日目の朝、私の愛する人が目を覚ますと、枕の、顔のそばのあたりに茸が点々と生えていました。彼女は着替えるやいなや、私のいるところまで飛んできました。そのとき私は、朝食の仕度をしに調理室で火を熾《おこ》していました。

『ねえ見て、ジョン』彼女は私を船室まで連れていきました。枕を見て、私は震えあがりました。そして、すぐにこの船を下りて、もっと暮らしやすいところを陸地に探しにいくことにしました。

わずかな持ち物をあわててまとめましたが、そこにも茸は生えだしていて、彼女のショールの一枚にも、縁に小さな塊がついていていました。彼女には言わずに、私は茸の生えたものをすべて、船縁から投げ捨てました。

筏は最初に横付けしたところにそのままありましたが、あまりに頼りなく、操るのも難しいので、船尾にかけてあった小さなボートを下ろし、浜辺に向かいました。ですが、近づいてみると、行く先にも私たちを追い出した灰色の茸が猛威をふるっているのがわかりました。あちこちで信じがたいほどに大きく、塚のようにそびえ立ち、風が吹くと生きているぞと言わんばかりに震えていました。巨大な手のように伸びたものもあれば、平たくぬめぬめと広がっているものもありました。別の場所では、気味悪くねじれた樹木のようなものや、ひどく曲がりくねったものもあり――どれもがしきりに揺れていました。

陸地には怖ろしい茸が生えていないところはないように思いましたが、そうではありませんでした。少し離れたところに、なだらかな白い砂地を見つけ、私たちはそこに落ち着くことにしました。砂ではなさそうでしたが、何なのか私にはわかりませんでした。ただ、そこには茸が生えていない、というだけで十分でした。その砂地のような白い一角だけを除くと、他の場所は忌まわしい灰色に覆われていました。

石炭酸　フェノール、ヒドロキシベンゼンの別名。消臭剤、消毒剤として使用された。

どんなところであれ、茸がない場所に落ち着けたときの喜びは、おわかりにはなれないでしょう。それから、船に戻って必要なものを取ってきました。船の帆を持ってきて、小さなテントを二張り作りました。不格好でもそれで事足りました。二人で住み、必要なものも手近に置けて、四週間ほどはさほど不自由もなく、安泰に過ごしていられました――むしろ、幸せに過ごしたと言ってもいいほどでした。

はじめて彼女に茸が生えたのは、右手の親指でした。小さな灰色の黒子《ほくろ》のような、丸い斑点でした。ああ、神様！　彼女がそれを見せたとき、私は恐怖のあまり、心臓が飛び出すように思いました。二人でそこをまず石炭酸で、そのあと水で洗いました。翌朝、彼女は親指を見せました。またも灰色のいぼのようなものができていました。私たちはただ黙って、顔を見合わせていました。それから、私は黙ったまま、茸を取り除きはじめました。その最中に、彼女が急に声をかけました。

『あなたの顔にあるのは？』不安げな口調でした。私は手で探ってみました。

『そう、耳のそばの生え際のところ。ちょっと前のほうに』指が触れたとき、私は悟りました。

『きみの親指が先だ』と私は言いました。彼女は言われたとおりにしましたが、取り除くまでは私に触れるのを怖れているようでした。親指を洗い、消毒したあと、彼女は私の顔からそれを取り除いてくれました。ひととおり終えたあと、私たちは座って、自分たちの身の上に起きている怖ろしいことについて話しあいました。今はともに、死よりも悪いことの最中《さなか》にいるのですから。水と食料をボートに積んで、ここから出ていこうとも話しましたが、どう考えても望みは薄いうえに、私たちはすでに寄生されていました。なので、ここに留まることにしました。神様の御心にお任せしよう、と。私たちはただ待ちました。

一カ月がたち、二カ月、三カ月と過ぎ、体に茸が生えているところも増えていきました。それでも、私たちが怖れと闘い続けていたからでしょう、進行は危ぶむほど早くはありませんでした。

ときどき、必要なものを取りに、船まで行きました。船では茸がしぶとく繁茂していました。主甲板の塊のひとつは、私の身長ほどにも伸びていました。

この島から出ることは、とうにあきらめていました。自分たちを苦しめるものとともに、健康な人たちのいるところに戻っていくのは、とても赦《ゆる》されることではありませんから。

そう悟り、心に決めると、水と食料を節約しなくてはならないと気づきました。私たちが生きられるのはあと何年か、わからないのですから。

さっき、私は自分のことを、老いぼれだと言いました。年齢で言えば、けっしてそうではないのですが。ですが――その――」

彼は言葉につまり、また急に話を戻した。

「お話ししたとおり、食料を節約しなくてはならないとはわかっていました。でも、当の食料がどれだけ乏しくなっているか、私たちは知りませんでした。それから一週間後、中身が十分にあると思い込んでいた貯蔵庫は空っぽで、中身のよくわからない野菜か肉の缶詰のほかには、最初に開けた貯蔵庫にあった食料しかないことがわかりました。

そうと知った私は、できるかぎりのことをしようと、礁湖で魚を釣ろうとしましたが、思うようにはいきませんでした。いくぶん自棄《やけ》になって、外海で試してみることにしました。

外海では見慣れない魚が釣れましたが、いつも釣れるわけでもなく、餓えをしのぐには足りませんでした。私たちが死ぬのだとしたら、寄生されてではなく、餓死するのだ、と思いました。

そんな状況のまま、四カ月目も過ぎていきました。そして、私は怖ろしいものを目にしました。ある日の正午近く、船から残り少ない乾パンを持って戻ると、愛する人がテントの入口に座り、何かを食べていました。

『おや、それは何だい？』私は浜に踏み出すや、声をかけました。彼女は私の声に取り乱したようで、恥ずかしげに顔を背《そむ》けると、何かを砂浜の隅に投げ捨てました。私は訝《いぶか》しんで歩み寄ると、それを拾いました。灰色の茸の欠片《かけら》でした。

それを手にしてそばに行くと、彼女の顔は青ざめ、それから真っ赤になりました。

そのさまに私は戸惑いましたが、すぐに怖ろしくなりました。

『ねえ、いったいどうしたんだい』と言ったきり、言葉が出せなくなりました。彼女はわっと泣きだしました。次第に落ち着きを取り戻すと、はじめて食べたのが昨日で——味はよかった、と彼女は言いました。私は彼女をひざまずかせ、どんなに空腹になっても、二度と茸を口にしないよう誓わせました。誓ったあとで彼女は、食欲を覚えたのは突然のことで、その直前までは嫌悪感しか覚えなかった、と言いました。

その日も晩《おそ》く、私は落ち着けず、彼女の話に動揺したまま、砂のようなもので白く続く曲がりくねった道を、茸の生えているところまで踏み込んでいきました。前にも一度、入ってみたことはありましたが、奥までは行きませんでした。ですが、そのときは、私は思い乱れるまま、これまで入ったことのない奥のほうまで行ってしまいました。

突然、左手から気味の悪い、嗄れた声がしました。驚いて目を向けると、肘近くにあった茸の群生が、妙な動きをしました。まるで意思を持つかのように揺れていたのです。そのとき、群生の形が、ゆがんではいるが人間に似ているのに気づきました。そう思うやいなや、引き裂くような嫌な音がかすかに聞こえ、灰色の塊の中から枝のような腕が一本、私のほうに伸びてきました。形ははっきりしないが、頭のように見える灰色の球体が、こちらを見ているような気がしました。呆然と立ちすくむ私の顔を、その穢《けが》らわしい腕がかすめました。怖ろしさのあまり、私は悲鳴をあげ、逃げかけました。腕が触れたあたりの唇に、甘みを感じました。唇を舐めるやいなや、人外の食欲に取り憑かれました。私は戻り、茸を掴み取りました。何度も――何度も。食べても食べても足りませんでした。食欲に駆られるうちに、昼間に目にしたことを思い出しました。神様がお助けくださったのでしょう。私は手にしていた茸の欠片を投げ捨てました。そして、惨めさと罪悪感でいっぱいになりながら、テントに戻りました。

彼女は私を見るやいなや、何があったのか、その愛ゆえに気づいたのでしょう。静かに迎えて落ち着かせてくれたので、私は自分が急に弱くなってしまったと話しましたが、その前に起きたことは言わないでおきました。彼女を怖がらせたくはなかったのです。

しかし、この出来事以来、私の頭から恐怖が離れなくなりました。礁湖の船の乗組員が迎えた末路に、私たちを待ち受ける忌まわしい最期を見てしまったのですから。

それからは、あの穢らわしい糧《かて》への欲求が身についてしまっても、私たちは懸命に堪えました。しかし、もうその罰は避けられなくなっていました。茸は私たちの体内を、怖ろしい速さで占拠しているのですから。もはやなすすべはなく、私たちは人間でなくなっていくほかないのです。日一日、刻一刻と。ただの人間の男と女だったというのに！

そして、あの茸への欲求は日に日に強まり、抗《あらが》いがたくなっていくのです。

一週間前に乾パンが尽きました。そのあと、私は魚を三尾釣りました。今晩も釣りをしていて、霧の向こうにあるあなたたちの船に気づいたのです。だから、声をかけてしまいました。それからのことは、あなたがたもご存じのとおりで、見捨てられた私たちの魂がご親切で救われたことは、神様も認めてくださることでしょう。あなたがたに、神様の祝福がありますように」

オールの音がした。一漕ぎ、また一漕ぎと。霧の向こうから、悲しげな声がかすかに聞こえてきた。

「神様の御加護を！　さようなら！」

「さようなら」言葉にできない思いを胸に、俺たちは嗄れた声を合わせて応えた。

俺はあたりを見まわした。夜が明けはじめていた。

霧を通して暗い海に射す日の光が、遠ざかるボートをぼんやりと照らしていた。左右のオールのあいだで何かが動いている。それは海綿《かいめん》のように見えた——大きな、灰色の、動く海綿だ。オールは規則正しく動いていた。オールもボートも同じ灰色のものに覆われて、漕ぎ手の手とオールの境目は見えなかった。漕ぎ手の頭はオールの動きに合わせて、前後に揺れていた。ボートは光の外に出ていき、そのものは前後に揺れながら、霧の中に消えていった。

青白い猿

M・P・シール
植草昌実 訳

The Pale Ape

by Matthew Phipps Shiell

途方もなく大きな豚が現れた。

——アリストパネス*

昨日また湖畔に立ち、ハージェン館を眺めているうちに、わたしがそこで過ごした日々のことを書きとめておきたくなりました。冬の風が、枯れた羊歯《しだ》や葉の落ちた枝を揺るがせ、南の中庭に樺の枯葉を降らせる音はしても、鳥たちの声は聞こえませんでした。

お屋敷に初めて参りましたとき、わたしはまだ若く、朗らかなだけが取り柄と言われたものでした。年月《としつき》が過ぎ、今は髪もすっかり白くなりましたが、あのときのことはけっして忘れはしません。

親しい中でもとりわけ高貴な、それも五人の方々から御推薦をいただいて、ハージェン館に御奉公にあがったのは、一八〇八年の秋のことでした。着いたのは十一月十日の夕方でした。あの日の言葉にしようのない気持ちは、今も忘れられません。お屋敷が目に入るとほぼ同時に、遠くから水の流れ落ちる音が聞こえて、なんだか怖いな、と思いました——お屋敷の裏手の山には滝がいくつもあり、その水音が聞こえただけなのですが。その晩は、滝の音が耳についてしまって、言われたことがよく聞き取れず難儀しましたが、二日三日とたつうちに、すっかり慣れてしまいました。
御主人のサー・フィリップ・リスター御本人にお目にかかれるまで、四日の間がありました。長くお仕えしている執事のダヴェンポートさんからは、お具合がよろしくないとうかがっておりましたが、サー・フィリップはわたしを歓迎して「気置きなくお過ごしなさい」という丁寧なお手紙をくださいました。なので、最初の何日かは、教え子になる姪御さまと親しくしたり、お屋敷の中の〈エリザベス女王*の間〉――ベッドの枕元には、天鵞絨《ビロード》に白い糸で刺繍した、王家の御紋が飾ってありました――から、猿たちを飼っていて滝もあるお庭のあちこちまで、見てまわったりして過ごしました。そのうち、このお屋敷はなんだか淋しいな、と思うようになりました。ときどき出会う庭師さん二、三人と、一人いる厩舎《うまや》番さんを加えても、住んでいるのは十人もいないと気づいたものですから。厨房は、今は教会の礼拝堂くらいでしか見かけない鏡板張りで、六つの武具を意匠にしたリスター・リン家の紋章をステンドグラスにした窓があり、料理人さんと助手の人が小さく淋しげに見えるほど、広いとこ

アリストパネス　古代ギリシャの喜劇作家、詩人（紀元前四四六頃～三八五頃）。「女の議会」「鳥」「雲」などの戯曲が現存する。この引用の出典は不明。なお、紀元前五世紀のギリシャの歴史家ヘロドトス（生没年不詳）の主著『歴史』第一巻に、オリンポス山に「途方もなく大きい野猪が現れた」（松平千秋訳『ヘロドトス　歴史』上巻・岩波文庫より）という、類似した記述がある。

エリザベス女王　イングランド・アイルランド女王エリザベス一世（在位一五五八―一六〇三）のこと。終生未婚で「ヴァージン・クイーン」と呼ばれ、その治世は内政は安定し文化は隆盛、航海も盛んとなり、イングランドの黄金期と称された。

ろでした。お屋敷の東棟は、五十五年前に火事にあってからは捨て置かれたままで、小間使いたちも近づこうとはしませんでした。

姪御さまに連れられて猿を見にいったのは四日目、小春日和のお昼前のことでした。猿は三頭、黒猩々《チンパンジー》が二頭と手長猿が一頭で、お屋敷から六百ヤードほど離れた崖の東側に、それぞれ金網を張った小屋の中にいました。猿たちは、栗の木の陰でくすくす笑ったりおしゃべりしたり、木の瘤《こぶ》に座って哲学者よろしく考えこんでいたり、歌声を聞くように水の流れに耳を傾けていたりと、気ままに過ごしていました。小屋は四つありましたが、四つめの中には何もいませんでした。姪御さまがそのわけを話してくれました。

「ヌーンズ先生、四つめの檻にいたお猿は、とても大きくて、青白い顔をしていたんですって。わたしがここに来たときは、もう死んじゃったあとでした。でも、満月の夜には幽霊になって出てくるらしいの」

「まさかね、エズミ」わたしは言いました。姪御さまのお名前はエズミ・マータゴン。マータゴン伯爵と、サー・フィリップの妹御マーガレット・リスターさまの御息女で、十二歳になったばかりだというのに御両親を亡くし、伯父さまの許に身を寄せていました。漆黒の巻き毛をした美しい妖精のような少女でしたが、転がる水銀のように変わりやすい気性で、はしゃぎまわったかと思えば悲しげに沈みこむのは、いつものことでした。

「まだ見たことはないけど」大きな目でわたしをじっと見ながら、エズミはさも重要なことのように言いました。

「猿の幽霊を？」わたしは声を抑えて訊ねました。

答えるかわりに元気よく駆けだしながら、エズミは大きな声で言いました。

「こっちよ。きっと聞こえる！」エズミについてお庭を北に行くと、滝からの飛沫《しぶき》が飛ぶ暗い小道を下り、小さな滝が落ちるところにたどり着きました。飛び石を踏んで滝の裏側に行くと、そこには洞窟があり、水煙を絶え間なく浴びた植物が青々と繁っていました。あとについて洞窟に踏み込むと、エズミはわたしの耳元で、雷鳴のように轟《とどろ》く滝の水音に負けじと大きな声で言いました。「教えてあげる。ここは〈猿が滝《ジ・エイプ》〉っていうのよ」

しばらく――とはいえ三分か、長くても六分ほどでしょうか――滝の水音しかしないなか、どうしてそんな名前なのか尋ねかけたとき、その理由はこれだ、と思わずにはいられない音が、はっきりと、力強く聞こえてきました。それはすぐ止んだかと思うと、また聞こえてきました。その場にいた三十分あまりのあいだに五回、間隔は一定ではありませんでしたが、なんらかの周期性をもっているようでした。風が滝に吹きつけると水の通り道が変わり、鳴き声のような奇妙な音をたてるのだろうと考えて、自分を納得させました。

エズミがまた大きな声で言いました。「ねえ、ヌーンズ先生、ここにずっといて、あの音を聞きつづけていたら、どうなると思う？」わからないので、どうなるの、と問い返すと、エズミはこう答えました。

「頭がおかしくなっちゃう！」

「そんな」と、わたしは言いました。

エズミは顔を曇らせ、しばらくしてこう言いました。「わたしはおかしくなる。そう決まってるの。リスター家で三人、リン家では一人――母方のお祖母さまもなったんだから。頭がおかしくなる血筋なんだと思う」

それを聞いて、はっとしました――この子の言うことは信じるに値する、と気づいたのです。笑い声のように聞こえる流れの音には、どこか嘲《あざけ》るような響きがありました。わたしはエズミの手を取りました。「行きましょう」

その日の夕方、大広間に一緒にいるとき、エズミは歳のわりにはしっかりした口調で、笑う滝の話は従兄《いとこ》のハギンズにはしないように、と言いました。六歳の頃までハージェン館にいたハギンズ青年は、近く二、三か月の休暇でインドから帰国し、そのうちのひと月をこのお屋敷で、わたしたちと一緒に過ごすことになっていたのです。

その日の晩餐の席で、ようやくサー・フィリップ・リスターにお目にかかれました。エズミと、家政婦のワイズマンさんとわたし、いつも物静かなダヴェンポートさんを加えた五人が、南の窓から中庭を望む広い食堂の、こぢんまりとした席で食事をとりました。

食堂はタペストリに囲まれ、彫刻を施したジャコビアン朝*のテーブルがいくつも設《しつら》えられていて、暗く沈んでいました。暖炉で薪が燃えるのが、鋳物の背板越しに見えました。食事のあと、サー・フィリップは楢材の炉棚の前で、エズミやわたしの相手をしてくださいましたが、ほんの十分ほどで、いつもお一人でいらっしゃるお部屋にお戻りになってしまいました。

翌々日も、その次の日も、サー・フィリップは晩餐においでになりました。その日の晩餐の席で、おしゃべりに夢中になったエズミが、ふとこんなことを口にしました。「ヌーンズ先生がいらっしゃったら、フィリップ伯父さまもお食事を御一緒するようになったのね」――それを聞いたサー・フィリップは、鳥が飛び去るかのように席を立ち、そのあとは何日も人前においでにはなりませんでした。

お目にかかれないのが残念でなりませんでした。サー・フィリップはいつも落ち着いておられ、堂々としていながら偉ぶらないので、わたしは心惹かれていたのです。美丈夫とは言えない、人によっては風変わりと言いそうですが、目を惹くお顔だちの、大柄なかたでした。皺のない、俳優のような面持ちで、髪は長めにしておられ、梟《ふくろう》を思わせるほど大きな目は、普段は伏し目がちなのに目差しは強く、それでいてどこか悲しげで、ひそかな含羞の影を帯びているように見えました。お歳は四十五歳くらいに見えました。

サー・フィリップは、古王国時代*（古代エジプトの第三王朝から第六王朝まで）のうち第四王朝*についての、六巻にわたる大著の御執筆にお取り組みとのことで、お部屋から出てくることなく、わた

ジャコビアン朝　エリザベス朝の後、ジェイムズ一世（在一六〇三―二五）の治世期間。

古王国時代　紀元前二六八六頃―二一八一頃、エジプトで王権が確立し、王墓ピラミッドが建設されたため「ピラミッド時代」とも、首都の名にちなみ「メンフィス時代」とも呼ばれる。

第四王朝　紀元前二六一三頃～二四九四頃。古王国時代のうちエジプトがもっとも栄えた。初代スネフル王は巨大ピラミッドの建設をし、息子クフ以降、カフラー、メンカウラーと続く三王の「ギーザの三大ピラミッド」に至る。

しが次にお目にかかれるまで、三週間がたっていました。それまでのあいだ、エズミとわたしはともに、冒険的な学習をしていました——たった二時間のあいだでも、何人もいるかのように目まぐるしく変わる子を相手にするのは、わたしにとっては冒険的なことでした。エズミは頭が痛いと言って休んでいたはずなのに、飢えた禿鷹よろしく本を貪り読み、急に飽きて冬の山鼠《やまね》のように眠ってしまい、起きるや沈みこんで涙に暮れ、きまぐれにはしゃぎだしては度を超して、しまいにはワインが飲みたいと言いだすのですから。でも、幼いのにものをよく知っていて、わたしが答えに詰まるような質問を、しばしばしてきたものでした。

　四週目のお昼近く、沈みこんでしまったエズミを散歩に連れ出すと、サー・フィリップがお部屋からお出になったところに来合わせました。金網に顔を近づけて、手長猿を御覧になっていました——とても熱心な御様子でしたが、わたしたちが近づいたのには、すぐお気づきになったようでした。それでも、こちらに目を向けるや、驚かれたのか居住まいを正しました。そのあとは、いつもの人当たりのよいお話しぶり、お庭の猿についてや、それぞれの種の特徴のことなどを、少しお時間をとって教えてくださいました。猿たちにはエジプトの王にちなんだ名がつけられていました。黒猩々《チンパンジー》は「ペピ二世*」と「ケティ*」、手長猿は「セティ一世*」と。サー・フィリップは、お戯れなのか真面目なのか、その手長猿を指さしては「こいつめ！　こいつめ！」とおっしゃっていましたが、何のおつもりなのか、わたしにはわかりませんでした。

　お話の途中で急に、昼食は外でピクニックのようにしないかとサー・フィリップがおっしゃったので、エズミもわたしも喜んでおつきあいする、と答えました。でも、三分もしないうちに、サー・フィリップは「やはり仕事に戻らねば」と小声でつぶやき、お部屋に戻ってしまわれたので、驚くほかありませんでした！

それからまた三週間も、お目にかかれない日々が続きました。大広間には日当たりのよい回廊が、一段高く設えられていて――昔は大広間の食卓に着く家来たちをそこから眺め渡したこともあったそうです――わたしはそこの長椅子にエズミと掛けて、彼女の勉強を見ることが多くなりました。わたしの人生のあいだでも、そこで過ごした日々は、思い出しても不思議なばかりで、あのようなところが「無何有郷《ユートピア》」＊だったのかと思えてなりません。大広間はただ広いだけで、天井も飾り気なく、壁は楢の腰板が張ってあるほかは、ただ白いばかりでした。ただ、ステンドグラスで紋章を描いた十四の大きな窓に日の光が射すと、古いばかりの広間は荘厳な場に変わりました……今は夢のように遠く去って、

ペピ二世　ネフェルカラー・ペピ（紀元前二二七八―二一八四）。エジプト第六王朝のファラオ。六歳で即位し、百歳で歿するまで在位したと伝えられる。

ケティ　エジプト第九王朝（紀元前二一六〇頃―二一三〇頃）の初代の王、ケティ一世のことか。

セティ一世　古代エジプトが大国として隆盛を極めた第十九王朝（紀元前一二九三頃―一一八五頃）の二代目の王（在位・前一二九一―一二七八）。その名は軍神セトにちなむ。ラムセス一世の息子にして、ラムセス二世の父。

無何有郷《ユートピア》　イギリスの思想家トマス・モア（一四七八―一五三五）の著書『ユートピア』（一五一六）に描かれた架空の理想郷。

ふたたび見ることは叶いませんが。

サー・フィリップから短いお手紙を頂戴したのは、ハージェン館に来て十三週目、木曜日の午後のことでした。親指を怪我してしまったので、もしお願いしてよければ、口述筆記をしてほしい、と書いてありました。お受けしたくても、そのあいだエズミはどうしていればいいのか、心配になりました。あの子を一人にしておきたくなかったのです！　それでもお断りはできず、その日のうちに聖域よろしき書斎へとうかがいました。片腕を三角巾で首からかけたサー・フィリップは、跳ねるように立ち上がると早口でお詫びになり、何度もお礼をおっしゃいましたが、恥ずかしくお思いになったのか、急に黙りこんでしまわれました。

　わたしが古い書き物机に向かうと、サー・フィリップは同じくらいに時代のついた長椅子にお掛けになり、目を閉じるとクフ王*やカフラー王*についてのあれこれや、「ピラミッド時代」のさまざまなことを、低い声で口述なさいました。聞いたままを書き取るうちに、御自身が古代エジプトの人で、わたしもその時代にいるかのような気になり、今がいつだったのかわからなくなってきました。やがてサー・フィリップはお疲れになったのか、その先をどうするかお考えがまとまらなくなったのか、左手を額に押し当てて目をかたく閉じておられましたが、やがて勢いよく立ち、「ありがとう！　ありがとう！」と繰り返しおっしゃいながら、お手を差し伸べてきました。そのさまはあまりに唐突で、お手に触れると雪のように冷えきっていました。わたしはそそくさと書斎からおいとましました。

　その夜はいつもどおり十一時に、お屋敷の中では離れた、いくぶん寂しい自分の部屋に下がり、すぐに寝ついてしまいました。が、二時間ほどあとに、なんだか怖くなって目を覚ましてしまいました

――なぜかはわからないのですが、とても怖くて、気づくとベッドに身を起こしていました――夢で聞いたのか、本当に聞こえたのか、不審な音が耳に残っていて、身震いが止まらず、汗が眉を濡らしていました。開いたままの二つの窓から満月が床を照らし、タペストリの細かい模様を浮かび上がらせていました。夜風が悲しげな音をたてて杉の葉をざわめかせ、枝先が揺れて窓を叩きつづけていました。わたしは何分か姿勢を変えず、深夜にことさら静まり返ったお屋敷の中に響く、自分の心臓や、枝葉を震わす風や、滝の流れの音に耳をすませているうちに、あたりを漂う生霊のようなものが見えてくるのではないか、という気さえしてきました。そんな時間がもう少し長く続いていたら、わたしは気を失うか、堪えきれずに悲鳴をあげていたかもしれません。すぐに、何か別の音が聞こえてきました――面白がっているような、小さな笑い声が、空耳ではなく、はっきりと。髪の毛が逆立つような恐怖とともに怒りも込み上げ、わたしは考えもせずベッドを下りて、窓に駆け寄りました。笑い声が止むや、杉の枝のあいだを動く音がしたので、何ものか見てやろうと思ったのです。

それを見て、わたしは気が遠くなりました――気を失ったのは見てすぐなのか、間《ま》があったのかは、わかりません。わたしは楢材の椅子に額をもたせかけ、床に座りこんでいて、大時計が三時を告げる

クフ　エジプト第四王朝の二代目の王（在位・紀元前二五八九―二五六六）。その名をギーザ最大のピラミッドに遺す。

カフラー　エジプト第四王朝の三代目の王（在位・紀元前二五六六―二五三二）。クフ王の息子。ギーザ第二のピラミッドとスフィンクス像は彼が建てたとされる。

音で我に返りました。すぐに気を失ったのだとしても、わたしは見たものをはっきり覚えていました。月明かりが届いていなくても、青白い顔をした猿のような獣が杉の梢にいるのを、たしかに見たのです――それは枝から逆さまにぶら下がって、窓の鎖と枝とあいだから、部屋の中を覗きこんでいました。そして、気を失う直前か、倒れてすぐにか、笑い声が聞こえたように思いました。それから、抗議とも嘆願とも、命令ともつかない叫び声が、どこからともなく聞こえてきました。圧し殺したような叫びは怖れているのか、苦しんでいるのか、薄らぐ意識の中で、いつか滝で聞いた笑い声と入り交じっていきました。

それでも、溺れる人があげたかのような、あの怖ろしい悲鳴が夢だったとは、とても思えませんでした。あの声はダヴェンポートさんのものだったのではないか、という気がしてならず、翌朝から四日も見かけなくなったので、わたしは確信しました。

家政婦のワイズマンさんも、何日かのあいだ顔色が悪く、ときどきぼんやりしていましたが、ダヴェンポートさんのことを尋ねると、具合を悪くしている、と教えてくれました。あの夜のことは何も訊かれませんでしたが、わたしに一度ならず向けた視線が鋭く、不安と疑念を浮かべていたのには気づきました。それから三日後の夕方に、ようやくお目にかかれたサー・フィリップも、どこか似たような御様子でした。わたしの手を取ってくださったのは優しいお気遣いと思いましたが、こちらに向けるまなざしはもの問いたげでした。ダヴェンポートさんをお見かけしたのは、お庭の木の下に出てこられたときでしたが、大病を乗り越えたお年寄りそのもので、血の気のないお顔は痛々しいばかりでした。首に巻いた包帯も、すさまじい力で締めつけられた痕を隠しきってはいませんでした。

ほんの何日かのうちに、ハージェン館は不幸に見舞われたかのようになってしまいました。エズミは笑わなくなり、誰もが声をひそめて言葉を交わすようになりました。一人一人が口に出せない秘密を抱えこんでいて、それを互いが承知しているかのように。いったい何がどうなっているのかを突き止めようと、わたしは何日かを費やして調べようとしましたが、徒労に終わりました。自分も落ち着きを失い、それを隠しておけなくなってきました。明るいうちでも部屋に入るのがためらわれ、ほかの部屋に変えてほしくなり、怖れを抑えきれなくなりました。夜は眠るあいだも明かりを灯し、横になってもなかば目覚めていました。もともと神経質なたちではないのですが、恐怖が病《やまい》のようにわたしを蝕《むしば》んでいたのでしょう。あの夜にわたしを見ていたあの目が、頭から離れなくなってしまいました。怯えに憑かれた今のわたしにとって、ハージェン館はまさに暗黒の根源でした。しかし、ある日突然、そんな暗い悩みは、光を浴びたかのようにすべて消え去りました。わたしは闇夜の怖ろしさを早々に忘れ去り、憂鬱が逃げていった嬉しさに駆けまわりたくなったほどでした。

その理由はごく簡単なものでした。とある午後に、わたしとエズミはあの日当たりのいい回廊で、長椅子に掛けて文法の本を広げていました。そこに突然、一人の若い男の人が、床から急に立ち上がったかのようにわたしたちの後ろから現れると、両手でエズミに目隠しをして、わたしに笑いかけました。「ハギンズお兄さま！」エズミは大きな声をあげました。従兄がこんなに早くハージェン館に帰ってくるとは、夢にも思っていなかったのです。青年はがっしりした腕で従妹を抱き上げると、わざと音をたててキスをし、嬉しさを伝えようと大げさにはしゃいで見せました。そのあと、わたしの目をまっすぐ見つめたので、わたしも見つめ返しました。

生まれるよりもずっと前から、この人を知っている——なぜだか、そんな気がしてきました。その思いは大きくなり、渦潮のようにわたしを取り巻き、急《せ》き立てました。というのも、翌日エズミが風邪で寝込んでしまい、この寂しいお屋敷で、わたしはハギンズ・リスターとほとんど二人きりで過ごすことになってしまったからでした。若いくせに古いものに興味があるのか、興味があるふりをしているのか、彫刻つきの衣装箱《カッソーネ》*や昔の刺繍、金色に輝くスペイン製の硝子器、天使像をあしらった燭台といった、お屋敷にある昔のものを見たがりました。食事のときは二人きりになり、ときどきワイズマンさんが一緒になるくらいでした。サー・フィリップは前にも増して、お部屋からお出にならなくなりました。

それから四日後の夕方、ハギンズさまとお庭を散策していたとき、サー・フィリップが急にお出ましになり、黙ったまま眉をひそめると、帽子に手をかけて会釈するや足早に通り過ぎていきました。ですが、少し行くと立ち止まって、立てた指をわたしたちに振って見せました。何をおっしゃりたいのかわからないので、声をかけようとしたのですが、できませんでした。サー・フィリップはそのまま行ってしまわれました。わたしはその背中を見て、とても腹立たしくなったのを覚えています。ですが、神様にお詫びしなくてはなりません。サー・フィリップ・リスターという人がいらっしゃるのを、わたしは忘れかねないほどだったのですから。

わたしはハギンズさまを、猿の小屋や女王の間へ、滝は一箇所を除いてお連れし、象嵌《ぞうがん》で飾ったスペイン製の箪笥や、チューダー様式*の暖炉を御覧に入れ、回廊を御案内しました。それでもまだ、お気はすまないようでした。大階段の踊り場には、きらびやかな色遣いの輿《こし》*が置かれてあり、紋章のステンドグラスを通した光を受けて、さらに色とりどりに輝いていました。ハギンズさまはわたしを輿に座らせました。昼間の大階段なのに、夜の聖堂の中でもあるかのように、わたしたち二人のほかには誰もいませんでした。この寂しいハージェン館は、わたしたちを弄び、運命をあらぬかたに導くかのようでした——彼は輿の前をふさぐようにひざまずくと、涙まじりに思いのたけを語りだしました。その気持ちを受けてつい涙ぐんでしまい、うつむくと、彼はその唇をわたしの唇に重ねました。わたしは抗《あらが》おうとは思いもしませんでした。ハギンズ・リスターはわたしのもとに来て、わたしを見て、そして勝ったのです。彼に抱きしめられると、蜂蜜に溺れているような、宙を舞い踊っているような気がしてきました。

砂漠を吹きぬけては砂紋を描いていく強い風のように、彼は性急に結婚を求めてきました。六か月以内に結婚を発表できるよう手配するが、それまでは内密に、ただ手続きだけは早く、とまで言ってきました。一人で話を進めるので、わたしは形ばかりに抗議しましたが、もちろん本心ではないので、何の役にもたちませんでした。まちがいなく彼はすでに、いちばん身近にいる大切な人で、わたしは

衣装箱《カッソーネ》　十四—十六世紀にイタリアで作られた衣装箱。表面を彫刻で飾り、婚礼時の贈り物とされた。
チューダー様式　十五—十七世紀イングランドの建築様式。プライベートな居室の快適さが重視され、部屋には暖炉が備えられた。
輿《こし》　身分の高い人を座らせ、人力で運ぶ乗り物。椅子駕籠ともいう。

すっかりその手の中に包みこまれていたのですから。ある日、お昼前にお屋敷を抜け出し、近くの小さな町セント・アーヴェンズで彼と落ち合うと、ある場所で婚姻届を提出しました。そこを出たとき、サー・フィリップ・リスターが十ヤードばかり先を歩いているのに気づいて、心臓が口から飛び出すかと思うほど驚きました。お屋敷から出たためしもない人なのに、昼日中のセント・アーヴェンズの表通りを、御愛用の楢のステッキを手に歩いていくのを、目《ま》のあたりにしたのです。ふとこちらのほうを振り向いたとき、気が昂ぶっておられたのか、血の気のないお顔をしておられたのがわかりました。胸のうちは熱いほどなのに、そのときは凍えるほどの寒気を覚えました。

お屋敷に帰る足取りがふらついていたのは、愛しい人と結ばれて夢見心地だったのもあれば、帰りがけに二人であげた祝杯のワインの酔いもあったのでしょう。天にも昇る思いだったほかには、その日の残りをどう過ごしていたか、あまりよく覚えていません。ただ、エズミに気づかれないようにと、実にならない努力をしていたことは思い出せます。ようやく起き上がれるようになったエズミには形ばかりに勉強を教え、愛しい人とは夕方まで顔を合わせないようにし、夜も彼の溜息を背中で聞いて、そそくさと自分の部屋に下がりました。

錠を下ろせばいいだけなのに、椅子を置いて部屋の扉を開かないようにしたのは、あとで思えばあまりに子供じみたふるまいでした。それでもしばらくは寝つけず、満月を見上げていましたが、やがて夢のような一日の疲れのせいで、うとうとしはじめました。

吼えるような叫びに目を覚ましました。後にも先にも聞いたことのない、轟くような声でした。怖れと悲しみの底に追いつめられ、懸命に神様に救いを求めているかのように聞こえました。わたしはすぐ床にひざまずき、声をあげて祈りました。「全能なる神様、この家にある悪しきものすべてから、わたしの愛する人をお守りください」と。そしてガウンをはおると、部屋から出ました。

　廊下に駆け出し、手にした燭台に火を点けようとしたとき、死んだ獣を前にしたジャッカルがあげる声のような、低くひそかな笑い声が、どこからともなく聞こえてきました。わたしの手は震えだし、マッチの火を蠟燭《ろうそく》の芯に近づけることもできなくなりました。火が指先に近づき、熱さのあまり軸を投げ捨てました。走りながら、もう一本を擦ったとき、その小さな灯りですぐそばに見えたのは――目に見えたというより、そこにいるのがわかったのですが――怖ろしい獣でした。その瞬間、マッチの火はひとりでに消えたのか、それが吹き消したのか、真っ暗な中でとても冷たいものに触れました。その冷たさは痛いほどで、わたしは怖ろしさに身動きも取れず、ただ立っているばかりでした。わずかなあいだに気を取り直し、燭台を投げ出して廊下を走りました。突き当たりの扉はいつものように開いている、と信じていたのに、閉まっていたので、どうすればいいのかわからなくなってしまいました。ただ閉まっているのではなく、錠が下ろしてあったのです！　わたしは立ち尽くし、泣きながらも声をかぎりに叫びました。「ハギンズ！　サー・フィリップ！　ダヴェンポートさん！　ハギンズ！」と。耳をすませても、聞こえるのは自分の鼓動と、遠い滝の音だけで、あたりは静まり返っていました――わたしの呼びかけに応える人はいませんでした。

　わたしの部屋はお屋敷の端のほうにあったので、驚くほどのことではなかったのでしょう。でも、わたしはここで身動きも取れず、ただ怯えるばかりで、今にもあの怖ろしいものに襲われて、殺されてしまうのではないか、とさえ思っていました。が、三十秒ほどして、扉の向こうから階段を下りる足音が聞こえてきました。重いものを引きずりながら下りているようで、どすん、どすん、という音が規則正しく足音を追っていました。何がたてているのかわからない重い音は、なんとも気味が悪く、その場にじっとしていられなくなるほどでした。気づいたときは窓から外に出ていて、地上五十フィートのところを、隣の窓に移ろうとしていました。窓枠の幅は一フィートもないのに、どうしてそんな真似をしようとしたか、なぜ落ちなかったのか、今もわかりません。鼻先がつくほど壁に身を寄せ、月は雲に隠れていても朧《おぼろ》に明るい夜空の下、風が吹きつけた霧雨が薄く凍てついた窓枠を、めまいを抑えて声を殺し、震えながら隣の窓へと足を進めました。窓にたどり着き、中に飛びこむや、気が遠くなってしばらくは動けませんでした。それでも、階段を下りていくあの音は、まだ聞こえていました。それが下りきったとき、何がどうしたのか、そのあとを追ってみようという勇気が、胸の奥から湧いてきました。

階段では身を低くし、這うようにそろそろと、一段ずつ足を運びました。半ばまで下りたあたりで、一階から何かを引きずるような音がしたように思いました。わたしはそのまま下りていきました。音の主は外に出ていったようで、どの扉から出たかの見当はつきました。そちらに向かいかけると、裸足のつま先が何か冷たいものに触れ、わたしはその上に両手をついて倒れました。そのとき、暗さと怖さとで、つい声をあげてしまいました。でも、倒れた拍子にマッチ箱が揺れて鳴ったので、落としていなかったのに安心し、火を灯してみようと思いました。しばらくためらいましたが、思いきってマッチを擦ってみると、床に身を投げ出しているのが寝間着姿のダヴェンポートさんだとわかりました。目を開いていても、もう何も見えてはいないと、一目でわかりました。

そのとき、どこか遠くないところで、扉が閉まる音がしました。厨房の入口の脇にある、お庭の北側に出る通用口の扉だと、すぐにわかりました。なぜか力づけられるような気がして、わたしは立ち上がり、音のしたほうへと向かいました。小さな通用口をそっと開くと、雪の上に踏み出しました。お庭の北の方に目をやると、砂利敷きの小道の先に、誰かを抱えて歩いていく青白い猿の姿が見えました。猿は運んでいた人を地面に横たえ、その上に屈みこみました。そして、怖ろしい声をあげたので、わたしは咄嗟《とっさ》に手近な石を拾い上げ、投げつけました。

石はまっすぐ飛んで、猿の頭に当たりました。

数秒の間を置いて、猿はのろのろと身を起こすと、足を引きずりながら、お庭の暗がりに姿を消しました。

わたしは勇をふるって倒れている人に近づき、それが絞め殺されたハギンズ・リスターと見るや、愛する人の亡骸《なきがら》の上に倒れてしまいました。

気づいたときは午前十時になっていました。目を開くと、ベッドの両側からエズミとワイズマンさんが覗きこんでいました。

ワイズマンさんは、ただわたしをじっと見ているだけでした。エズミは笑顔で首をかしげ、数をかぞえるようにせわしなく、指を曲げ伸ばししていました。正気を失っていることが、一目でわかりました。

でも、わたしは起き上がるどころか、ものを言うことも、考えることもできませんでした。

バーサという若い小間使いが部屋に入ってくると、小声で「まだ見つかりません」と告げ、ワイズマンさんがやはり小声で何か答えるのを聞いて、サー・フィリップ・リスターがいなくなったことが察せられました。

でも、わたしは何もできず、ただ黙って横になり、目を閉じているばかりでした。

お昼近くに、サー・フィリップを捜している男の人たちが、まだ見つからないし手掛かりもない、と言っているのを聞きました。が、夕方になって、あの〈猿が滝《ジ・エイプ》〉の裏の洞窟で倒れているのが見つかり、広間に運ばれてきました。

ワイズマンさんがわたしのそばに飛ぶように戻ってくると、旦那様はお亡くなりになる前に、一目だけでもあなたに会いたいとおっしゃっている、と目に涙を浮かべて言うので、起こして服を着せてもらい、サー・フィリップの臨終の床へと向かいました。

そのとき、わたしはすでに知っていました――ベッドから動けないでいるあいだに、ワイズマンさんが泣きながら話してくれたのです。サー・フィリップ・リスターのお母上は、あの滝の笑うような音に取り憑かれて聴き入るようになり、そのあとで生まれたサー・フィリップは、心が動揺すると獣のように荒れ狂い、それが夜にまで続くと、衣類を脱ぎ捨てるように人間らしさを捨て去って、衝動的に人を殺してしまいかねなくなった――わたしの前では、とても優しく、内気で、真面目なかただったのに！　サー・フィリップがわたしの手に触れ、最期の声で喘ぐように「あなたを愛していました」と言ったとき、身も心も震えて止まらなくなりました。その日はずっと虚脱していて、その震えがなければ、わたしも死んでしまったか、正気をなくしてしまったかもしれません。夜は更け、広間には明かりがぼんやり灯るばかりでしたが、サー・フィリップの体じゅうに生えた、悪鬼じみた剛毛を見てとるには十分でした。毛の長さはゆうに一インチはあり、緑みを帯びて、大猩々《ゴリラ》の体毛のように全身を覆っていました。首の下から手首まで、きれいに生えそろって、毛皮の外套《コート》を着ているように見えました。どこも薄くはならず、一様に濃く、深く生えていました。

そんな姿でも、サー・フィリップはわたしを愛してくれていたのです。このときようやく、わたしはその気持ちがわかりました。邪《よこしま》な嫉妬も、片思いゆえのものだったのです。いまわの際に、彼は人間の目で、穏やかに、優しく、「あなたを愛していました」と繰り返し言いたげに、わたしの目を見つめました。そして、最後の力で腕を動かすと、わたしが投げた石が頭につけた傷を指さしました。わたしは神様に聞こえるほどに声を張りあげ、サー・フィリップのために、わたし自身のために、ハージェン館のすべての人たちのために泣きました。そして長い毛にびっしりと覆われた彼の胸に、怖いとも思わず顔を埋めました。サー・フィリップも、ハギンズ・リスターも死んでしまい、わたし一人が残されました。

壁の中の鼠

H・P・ラヴクラフト

夏来健次 訳

The Rats in the Walls

by Howard Phillips Lovecraft

一九二三年七月十六日、最後の建築作業員が仕事を終えたあと、わたしはエクサム僧院《プライオリ》*に居を移した。外郭のみにひとしい廃墟が残っているだけの建築物だったため、再建はたいへんな難事業になった。それでもかつてわが祖先が住居とした場所だと思えば、出費は惜しめなかった。詳細はほとんどわかっていないが、ジェームズ一世*の治世のころなにかしら途方もない悲劇が襲い、当主及びその子供のうち五人が数人の従僕もろともに死亡し、以降は人が住んだことがない建物だった。その事件のとき当主の三番めの子、つまりわたしの直系の祖にあたる人物だけが生き残り、ために疑惑と恐怖の暗雲に包まれて、以後は疎《うと》み忌まれる血筋となった。家督を引き継いだこの唯一の生存者は人殺しと蔑《さげす》まれたのみならず、地所建物を王室に没収されたが、なぜか無実を訴えはせず、資産を回復しようと努めることもなかった。法の責めとも良心の呵責ともちがう、なにかもっと大きな恐れに衝《つ》き動かされるかのように、旧《ふる》い時代の痕跡を己《おの》が視界からも記憶からも消し去りたいとの訴えを狂乱のうちに叫び立てたきり、この人物すなわち第十一代エクサム男爵ウォルター・デ・ラ・ポーア*は新大陸のヴァージニア植民地*へ逃げるように移り住み、つぎの世紀にデラポーア*一族として知られる家統《いえすじ》を築いた。

僧院は住む者もないままになっていたが、後年にはノリス家に帰属する資産となり、その奇妙なまでに複合的な建築様式のゆえに盛んに研究されることとなった。アングロサクソン様式*もしくはロマネスク様式*と見られる下部構造の上にゴシック様式*の塔が林立し、しかも最下層の基礎部分はさらに旧い時代の様式もしくは複数の様式群の混成物と見られた——すなわちローマ帝国支配時代*か、言い伝えがたしかならケルト人*の時代、あるいは古代ウェールズの様式さえありうるとされた。この基礎部分の構造はじつに風変わりで、そもそも僧院はアンチェスター村の西方三マイルに切り立つ崖の上に建ち、そこから見おろせる荒涼たる谷を形作っている硬質な石灰岩の絶壁の片側と、建物の基礎とが一体化しているのだ。建築家や考古学者はこの忘れられた時代の遺物を好んで検分してきたが、しかし地元民は僧院を忌み嫌っていた。わたしの祖先がそこに住んでいたころから人々は数百年も厭悪《えんお》

僧院《プライオリ》　ここでは僧院風城館を指す。

ジェームズ一世　ステュアート朝のスコットランド、イングランド、アイルランド王（一五六六—一六二五）。在位一六〇三—二五。

デ・ラ・ポーア　原綴 de la Poer ポーにアクセントを置く。

ヴァージニア植民地　一六〇七年設立。二四年に王室領に。一七七六年、独立宣言により、合衆国ヴァージニア領となる。

デラポーア　原綴 Delapore デにアクセントを置く。

しつづけ、打ち捨てられてきたために繁茂する苔《こけ》や黴《かび》に覆われた今でさえなお変わらず疎《うと》んじている。アンチェスターに来てから一日も経たずして、わが一族の旧住居が呪われた場所とされているのを知ることになった。そしてまさに今週、僧院は解体業者によって爆破され、建物基礎部分の瓦礫《がれき》にいたるまで、残らず慌《あわただ》しく廃棄されることになる。

わが直系の祖が初めて新大陸植民地に移り住んだときの財産の貧しさは昔から聞き及んでいたし、その人物が当時疑惑の霧に包まれていたことも承知してはいた。だがその詳細となると、デラポーア家では代々口を噤《つぐ》む方針を採ってきたため、わたしはほとんどなにも知らない状態に置かれつづけた。わが家系の歴代当主たちは近隣のほかの農場主たちとは異なり、祖先が十字軍に参加したとか、中世やルネッサンス期に英雄的活躍をしたといった自慢話をすることもなければ、継承してきた由緒ある伝統といったものもなく、ただひとつ、父の死後にのみ開けるべしとの遺言とともに南北戦争前から代々受けわたされてきた、封印された家伝書があるきりだった。わが一族の栄達はすべて最初の移住ののちに成されてきたものであって、ヴァージニアの慣習に倣《なら》って控えめで口数少なにとどめてきたとはいえ、それはたしかに誇りと誉れに満ちた栄華だった。

だが南北戦争の渦中でわが家の資産は消滅し、カーファックスの町に流れるジェームズ川の岸辺に建っていた屋敷が焼失したことにより、一家の実体は根本的に変わってしまった。北軍の襲撃に伴う放火によってわが祖父が死に、一族の全員を過去につなぎとめていた件《くだん》の封書もともに失われた。わたしは当時七歳だったが、火災のようすは今でも思いだせる。北軍兵士たちの鬨《とき》の声、女たちの悲鳴、黒人奴隷たちの叫びと祈り。父は南軍に従軍して首都リッチモンドを防衛する任にあたっており、母とわたしは祖父の葬儀にかかわる多くの務めを済ませたあと、戦火をくぐり抜けて父のもとに駆けつけた。戦争が終わると一家は母の出身地がある北部に移住し、その地でわたしは成年を迎えて、やがて壮年となり、鈍重な北部男《ヤンキー》となってひと財産を築いた。かつてあった家伝の封書の内容物がどんなものかは父もわたしも知らないまま暮らしてきた。マサチューセッツ州での事業経営に精魂を傾けるのみの地味な生活がつづくうちに、わが一族の血統に確実に流れているはずの秘密に対する関心をまったく失っていった。その秘密が如何《いか》なるものかという好奇心を蘇らせずにいられたなら、エクサム僧院を苔と蝙蝠《こうもり》の群れと蜘蛛《くも》の巣に埋もれるに任せておけたはずであり、そのほうがどんなによかったか!

父は一九〇四年に亡くなったが、わたしへの遺言はなにもなく、わが妻が先立ったあと十歳になった一人息子アルフレッドに対しても同様だった。この息子がのちに、家系に秘められた情報を知る順

アングロサクソン様式　六〜十一世紀英国の建築様式。

ロマネスク様式　十一〜十二世紀西ヨーロッパの建築様式。古代ローマ文化の影響を受ける。

ゴシック様式　十二〜十四世紀西ヨーロッパの建築様式。

ローマ帝国支配時代　紀元前一世紀〜紀元五世紀。

ケルト人　紀元前にグレート・ブリテン島に渡来した大陸民族。

番を逆転させることになる。というのは、わたし自身は己が一族の過去については冗談交じりの推測程度しかアルフレッドに伝えてやれなかったにもかかわらず、前《さき》の戦争で＊一九一七年に空軍士官としてイギリスにわたった息子が、祖先に関する非常に興味深い伝説について手紙を書き送ってきたからだ。それによると、わがデラポーア家はなにかしらひどく劇的な、且《か》つ悪逆に満ちた歴史をかかえているらしかった。アンチェスター村のかつてのデ・ラ・ポーア家廃墟の近くの出身者で、息子の友人でもあったイギリス陸軍航空隊のエドワード・ノリス大尉が、村の農夫たちに伝わる迷信じみた噂として、小説家でもなかなか思いつけないような信じがたく途方もない話を語り聞かせたという。当のノリス大尉自身は真剣に受けとっていない話だったようだが、わが息子は大いに興味を覚え、好んで父への手紙の材料にした。そのおかげで、大西洋を挟んで存する己が血統の遺産についての関心がわたしの中で急激に高まり、ついにはノリス大尉がアルフレッドに見せたというわが祖先の旧々《ふるぶる》しい廃墟の所有権を買収し再建しようと決心するにいたった。なぜなら所有者がほかでもないノリス大尉自身の伯父だったため、驚くほどの安値をアルフレッドに提示していたからだった。

こうしてわたしは一九一八年にエクサム僧院を買いとったが、しかし息子が重度の負傷兵となって帰ってきて以来、廃墟再建の計画はたちまちにしてほとんど関心外とならざるをえなくなった。息子が生きていた二年のあいだはもっぱら看護以外のことを考えられず、事業の差配も共同経営者に任せていた。一九二一年、ついに息子が身罷《みまか》ると、わたしは人生の目的を見失い、すでに若くないため工場経営からも引退した。そして新たに得た地所で余生をすごそうと心を決め、十二月に件のアンチェスター村を訪れたというわけだった。出迎えたノリス大尉は小太りの快活な若者で、亡き息子のことをとてもよく思いやり、来たるべき再建に向けて計画を練り情報を集めることにも協力を惜しまないと約束してくれた。エクサム僧院の廃墟自体は、わたしには眺め見てもなんの感情も湧かないものだった。傾きぐらつく中世の遺物の寄せ集めの体《てい》をなすにすぎず、しかも崖の上に危なっかしく建っているうえに、地衣類に覆われたり穴だらけだったり深山鴉《みやまがらす》が巣を作ったりしているありさまで、床はおろか内部構造がなにもなく、外郭をなす塔群の石壁が残るのみの状態だった。

それでも三世紀前に直系祖がここを離れたころにはどのような外観の建物だったかを、徐々に思い描けるようにはなっていった。いよいよ再建に向けて建築作業員を雇う段階に着手したが、アンチェスターの村人たちはこの地所に対して想像しがたいほど恐れと忌みの情を強く持っていたため、近隣を巡り歩いて一人ひとりを丹念に雇い入れねばならなかった。その感情はあまりに強烈で、村外から雇用した作業員たちにまでしばしば伝わり、ために逃亡されてしまうことも多々あった。しかも村人たちの嫌悪は僧院そのものだけでなく、わが祖先の一族に対しても向けられていた。

アルフレッドがかつて語ったところによれば、息子は村を訪れているあいだ人々から忌避されている気味があったが、それは彼がデ・ラ・ポーアの子孫だからという理由によるのだったという。わたし自身、己《おの》が古い家系についてほとんどなにも知らないことを村人たちに納得させるまでは、どこかしら避けられている気配を感じていた。そのあとも村民のよそよそしさはいくぶん残っていたので、ついにはノリス大尉に仲介を頼み、村に数多《あまた》残る古い伝承などを集めはじめるにいたった。どうやら人々にとって最も許しがたいのは、謂《い》わば民衆の厭悪の象徴物を再建せんがためにわたしが村に来たことであるようだった。その感情が理性的であれなかれ、彼らがエクサム僧院を悪鬼や人狼の巣窟にひとしいものと見なしているのはまちがいなかった。

　ノリスが集めてくれた伝承類を総合し、且つまたこの廃墟を研究している数人の学者たちの成果も参考にしたところ、エクサム僧院の建っていた敷地というのは、先史時代にさる神殿があった場所であることがわかってきた。ケルト人時代のドルイド教神殿か、あるいはその遥《はる》か以前にまで遡り、ストーンヘンジ*建設と同じころに造られたものではないかと言われることさえあった。往昔《そのかみ》ここで想像も及ばない儀式が行なわれていたことを疑う学者は少なく、しかもそこに古代ローマ人の持ちこんだ女神キュベレー*崇拝が流入し、その際の宗教混淆にまつわる芳しからぬ伝説が多々あるのだった。廃墟の地下室には刻銘文字が今でも見誤まりようもなく残っており、《DIV……OPS……MAGNA.MAT……》と読めるそれらの文字こそ、往古にローマで禁制とされながらも市民のあいだに広まった大地母神マグナ・マテルへの原始的崇拝を示唆する。*当時アンチェスターは第三軍団アウグスタ*の駐屯地だったことが多くの史跡からわかっており、壮麗なキュベレー神殿には多数の信者が集まって、フリュギア人*の神官に操られるままに名状しがたい狂乱の祭祀に興じたと謂《い》われる。さらに伝説が加えるところによれば、その古い宗教が衰えたのちも神官たちは根底から新しい信仰に変化させることはなく、神殿での祭祀も依然としてつづけられた。そうした狂熱的な儀式は五世紀にローマ帝国が撤退しても消滅せず、その後のサクソン人の時代になってからも一部の人々によって神殿の遺構が増築され、信仰の要諦は依然として残存しつづけ、アングロサクソン七王国*の半分に及ぶ地域で異教の中心として恐れられたという。十一世紀初頭のある年代記においては、神殿は邪悪にして強力な宗教組織を擁する重要な石造施設であり、広大な庭園で囲われていたため、周辺の恐れる民衆を隔てておく防壁を建造する必要さえなかったと記されている。デーン人*によっても神殿は破壊されなかったが、ノルマン征服*以後は大幅に信仰が衰微した。そのおかげでようやく問題がなくなったと見なされたことにより、わたしの遠祖である初代エクサム男爵ギルバート・デ・ラ・ポーアはヘンリー三世*からこの地所を恵《けい》賜《し》された。

そのとき以前のわが祖先一族に関してはよからぬ記録などはなにも残っていないが、当時になって

ストーンヘンジ　イギリスやアイルランドに点在する、紀元前二五〇〇～二〇〇〇年頃に立てられた環状列石。

キュベレー　ローマ神話の大地母神マグナ・マテルの、ギリシャ神話における呼称。

往古にローマで禁制とされながらも……　史実では禁制とはされずむしろ奨励された。

第三軍団アウグスタ　紀元前一世紀～紀元四世紀のローマ帝国軍の一軍団。

フリュギア　紀元前十二世紀頃から七世紀頃にかけて、現在のトルコ中西部に位置した王国。

アングロサクソン七王国　六世紀末頃から九世紀までのあいだ、グレート・ブリテン島にわたったアングロ・サクソン人が建てた王国。ノーサンブリア、マーシア、イーストアングリア、エセックス、ケント、サセックス、ウェセックスからなる。

なにかしら異常な出来事が起こったようだった。一三〇七年のある年代記にはデ・ラ・ポーア家は〈神に祟《たた》られし者〉と呼ばれたとの言及があり、いにしえの神殿及び僧院の基礎構造の上に建てられた城館については、口にすることさえ疎《うと》ましく、震えあがるような恐怖が伴なわずにはいないと、村人たちが噂していたという。往時の炉辺語《ろべがた》りの噂話として多くが仰々しい奇怪さに彩られていたり、かと思えば恐れゆえの情報の少なさや朦朧《もうろう》とした不たしかさにより、いちだんと物凄《ものすさ》まじさを漂わせたりするのがつねだった。村人たちはわが祖先一族を代々に及ぶ悪鬼の血統と呼んだとされ、噂されたという罪業のひどさはジル・ド・レー男爵*もサド侯爵*も駆けだしにすぎないとさえ思わせるものだ。何代にもわたる歳月のあいだに村人たちがしばしば行方不明になってきたことも、わが一族の仕業だと仄めかされたという。

最も邪悪なのは当主たる代々の男爵たち及びその直系の後継者たちと見なされ、ほとんどの噂話が彼らにかかわるものだった。少しでも健全な後継ぎができたと思うと、なぜか不可解な早世を遂げ、もっと血筋に似つかわしい世継ぎに家督がわたることになるのが習いだった。どうやら一族の内部に秘密めいた信仰があり、それは当主によって指揮されるとともに、往々にしてごく限られた親族のみが参加するものだったようだ。血縁の濃い者というよりも気性の激しい者が優位に立つ宗教で、そのため婚姻を通じて一族に入ることによって信者となった者も数例いた。第五代男爵の第二子ゴドフリーに嫁いできたコーンウォール出身のマーガレット・トレヴァー令女もその例の一人で、この女性は魔女と噂されて地域一帯の子供たちをことごとく怖がらせ、ウェールズ境界地方で今も絶えることなく謳《うた》われつづける怪談含みの格別旧《ふる》い古謡に悪鬼の女王として登場する。それと同類の描かれ方ではないものの、やはり古謡に謳われる題材としてメアリ・デ・ラ・ポーア令女にも悍《おぞ》ましい逸話がある。この女性はシュルーズフィールド伯爵に嫁《か》して間もなく、夫となった伯爵とその母親によって殺害されたが、殺した母子は二度とは人前で口にできないような犯行動機を教会司祭に懺悔したことにより、却《かえ》って祝福され無罪と認められたという。

このたぐいの伝承や古謡は野卑な迷信にもひとしいものながら、わたしは非常に厭な予感を覚えた。わが祖先の代々に及んでそんな言い伝えが連綿と執拗に遺《のこ》されてきたことは、大いに不安を誘わずにはいない。またその一方で、なにかしら奇怪な習慣を持っていたとして非難されてきた祖先の事情は、わたしにきわめて近い縁者の一人——ヴァージニアのカーファックス在住のランドルフ・デラポーア

デーン人　デンマークを拠点としたノルマン人の、当時のイングランド人による呼称。七王国時代のグレート・ブリテン島に侵攻した。

ノルマン征服　一〇六六年、ノルマンディー公ギヨーム二世によるイングランド征服。ウィリアム一世としてノルマン朝を開き、現在にいたる英国王室の祖となった。

ヘンリー三世　イングランド王（一二〇七―七二　在位一二一六―七二）。

ジル・ド・レー男爵　フランスの貴族、軍人（一四〇五頃―四〇）。晩年に錬金術と黒魔術に耽溺、多数の子供を虐殺し、絞首刑ののち死体を火刑に処された。

サド侯爵　フランスの貴族、小説家（一七四〇―一八一四）。乱行で投獄され、獄中で『ソドムの百二十日』などを著わす。精神病院で晩年を送った。

——が若年時に起こした醜聞に不快なほど類似してもいた。わたしの従兄《いとこ》であるこの男は、米墨《べいぼく》戦争*から帰還したあと黒人たちと交流を深め、ヴードゥー教*の神官となるにいたった。

件の石灰岩の崖の下に広がる風に吹きさらされた荒涼たる谷間では悲嘆や咆哮の声が聞こえたという朧《おぼろ》な言い伝えがあるが、それもまた負けず劣らず心を騒がせた。春の降雨のあとには墓場めいた臭気が漂ったとも言われ、さらには夜中に揺らめき嘶《いなな》く白い化け物が現れて、住民ジョン・クレイヴ所有の馬がそれを追いかけ、人けのない原野へさまよっていったという話もあった。またある下男が白昼に僧院でなにかを目撃して発狂した事件もあったとされる。そういう話はおおむね曖昧な幽霊譚のたぐいであり、わたしも初めはかなり懐疑的だった。村人の失踪が相次いだという話も、無視できないことではありながら、中世の時代性からすればありえないことではないと思えた。徒《いたずら》な好奇心は死を呼ぶと言われ、エクサム僧院をとり巻く堡塁《ほるい》——現在は消失している——に刎《は》ねられた生首が晒《さら》されたことも一度ならずあると囁かれた。

そうした逸話の中にはたいへんに興味をそそるものもあって、若い時分に比較神話学をもっと学んでおけばよかったと思わされることもままある。たとえば、かつて僧院では夜ごとに蝙蝠《こうもり》の翼を持つ悪魔の群れが魔宴《サバト》を催したという話があり、広大な庭園に植えられた雑多な植物が放埒に繁茂していたのは悪魔どもの食糧とするためだったという。なかでもいちばん想像力を掻き立てるのは、鼠の大群にまつわるなんとも劇的な言い伝えだ——城館が崩壊して廃墟となる事件が起こってから三ヶ月後、その残骸の中から無数の汚らわしい鼠どもが跳《は》ね躍るように奔出したという。飢えて痩せ衰えた小動物の大軍勢は、目の前にいる生き物ならなんにでも群がり、鶏、猫、犬、豚、羊などあらゆるものを、果ては不運な人間二人までも、狂乱のうちに貪《むさぼ》り尽くした。しかも鼠は村の家々に侵入して恐怖と騒擾《そうじょう》を立てつづけに引き起こしたため、この忘れがたい齧歯《げっし》類の大群を巡る伝説は幾重にもくりかえし語られることになった。

高齢ゆえの頑《かたく》なさも手伝って、祖先の住居の再建をなんとしても完遂させようと努めたわたしではあるが、こうした伝説に悩まされてきたのもたしかだ。とはいえそれが心理の根幹にまで影響したなどとは、一瞬でも考えてもらいたくはない。一方で、周辺からの協力を惜しまなかったノリス大尉と考古学者たちにはつねに賞賛され励まされてきた。作業を開始してから二年を費やしてついに再建が成ったときには、広い部屋べやを眺めわたし、羽目板張りの壁や、円蓋造りの天井や、縦桟《たてさん》入りの窓や、幅広の階段を目にして、多額の建設費用をかけたことも完全に報われるほどの大いなる誇らしさを得ることができた。中世建築のあらゆる特質が巧みに再現され、原型となった石壁や基礎構造と新築部分との融合も完璧だった。わが祖先の住居がふたたび世に姿を現したわけで、現在の後継者と言える自分自身につながる家系の地域的名誉も、これでようやく回復できると期待せずにはいられなかった。そしてここにずっと住みつけば、デ・ラ・ポーア家（姓を旧時代と同じ綴りに戻すことに決めていた）の者も決して悪鬼などではないと証明できるはずだと。僧院自体は中世風の雰囲気を再現した

米墨《べいぼく》戦争　一八四六年に勃発したアメリカ合衆国によるメキシコへの侵略戦争。四八年に合衆国が勝利を収め、カリフォルニアとニューメキシコを得た。

ヴードゥー教　ハイチに伝わる民間信仰。アフリカ諸部族の土俗宗教とカトリックが混交したもの。

が、内部はじつのところまったく新しく、鼠や幽霊などの古い伝説からはかけ離れているという事実が、自信を強めるのに役立ったようにも思う。

初めに述べたように、一九二三年の七月一六日にわたしは移住を決行した。同居するのは使用人七人と猫九匹で、とくに猫は近年ことのほか気に入っている愛玩動物だ。七歳になる最年長の〈クロ〉はマサチューセッツ州ボルトンの前住居からつれてきた猫で、ほかは僧院の再建工事に際してノリス大尉の実家に身を寄せているあいだに集めたものたちだ。初めの五日間は平穏な生活がつづき、わたし自身は家系の古い資料を集積整理することにほとんどの時間を費やした。ウォルター・デ・ラ・ポーアを巡る僧院での最後の悲劇とそのあとの逃走とについても、相当に詳細な情報まで入手できた。その内容は、カーファックスの戦火で焼失した家伝の文書とほぼ同じだろうと推測されるものだ。それによると、わが祖ウォルターはなにかしら衝撃的な発見をしたことにより挙動が激変した模様で、その発見の二週間後、共謀した四人の従僕以外の同居者全員を就寝中に殺害した嫌疑をかけられたのだった。そのあげく、協力した四人の従僕たちのほかにはだれにも動機を洩らさないまま、手の届かないところへ逃亡したという事情のようだった。

ウォルターの父親と、三人の兄弟と、二人の姉妹までが犠牲者に含まれているこの計画的殺戮を、しかしアンチェスターの村人たちはなぜかほぼ許容し、司直さえも法をきびしくは適用せず、犯人は名誉にも経歴にも瑕《きず》をつけられることなく、氏素性を偽らないまま新大陸のヴァージニアに落ちのびることができた。村でもっぱら秘かに囁かれていた噂は、知りえぬほど古くからつづく呪いに憑かれた地所を、この犯人は祓《はら》い清めようとしたのだというものだった。いったい如何なることを発見したらそれほどのひどい凶行に及ぶ動機となりうるものか、わたしにはまるで想像もつかなかった。自分の一族に不愉快な言い伝えがまとわりついていることについては、ウォルター・デ・ラ・ポーアは長年にわたって承知していたはずで、それ自体が果断な行動の原因になったとは考えにくい。とすれば、たとえば非常に邪悪ないにしえからの宗教儀式を目撃したとか、あるいはまた、僧院ないしはその近辺で恐ろしい崇拝対象物に出くわしたとかいったことがあったのではないか？　アンチェスター在住時のウォルターは気が優しくて控えめな性格の若者として知られていた。ヴァージニアに移ってからも、悩みや心配ごとで性格が険しくなったようすはない。同じヴァージニアのベルヴュー在住でやはり紳士階層の移民開拓者だったフランシス・ハーレーが日記の中でウォルターについて触れているが、そこでもほかに例がないほど正義感が強く誇り高く繊細な人物だとされていた。

わが新住居での最初の出来事は七月二十二日に起こったもので、そのときはそれほど重視していなかったが、あとにつづく経緯から考えると、なにやら不自然さを示唆する重要な意味を持っていたと言える。出来事自体はほとんど無視するに足る小さなことで、当時の状況下では注意を惹かないとしても無理がない程度のものだった。そのころのわたしは、石壁以外どこもかしこも造りたての真新しい僧院に住みはじめたばかりで、しかもよく気の利く使用人たちに囲まれていたから、いくら暮らし慣れない土地とはいえ、徒《いたずら》に不安に駆られるようなことはなにもなかった。ただ、あとになってその〈最初の出来事〉が急激に思いだされたのだった――それはつまり、わたしが性格をよく知っている件の高齢の黒猫クロが、通常からは明らかにかけ離れた不安感や警戒心をあらわにしていたことだ。ひどく落ちつかないようすで部屋から部屋へと歩きまわり、とくにかつてゴシック式建造物だった名残りの石壁の近くでしじゅう臭いを嗅ぎまわっていた。よくある話だと思われるのは承知しているが——幽霊譚の主人公がシーツをかぶったような人影を目撃する前には必ず飼い犬が唸り声をあげるといった決まりごとにそっくりだと思われるかもしれないが——それでもわたしにとって消しがたい印象として残っているのはたしかだ。

その翌日、家じゅうの猫たちが奇妙に騒々しくなって困ると使用人の一人が相談をしに来た。わたしが三階の西端に位置する書斎にいたときのことで、交差式円蓋の天井と黒樫製の壁板に護られ、石灰岩の崖と荒涼たる谷とを見おろす三つのゴシック窓の具わるその部屋に、使用人は入ってくるなり猫たちについて報告したのだが、そのあいだも例のクロが影のような姿で西側の壁沿いをこそこそと這い、古い石壁に重ねて貼りつけてある新しい板材を引っ掻いているようすが目に入ってきた。そこで使用人には、きっと古い石材からなにか厭な臭いか滲出物《しんしゅつぶつ》が洩れているのだろうと諭してやった。人間の五感では気づかないことでも、鋭敏な感覚器官を持つ猫たちは、新しい板材を透かしてなにかを感じとれるものだと。事実そう思っていたわたしは、使用人が家鼠か野鼠がいるのではないかと言いだしたので、ここは過去三百年のあいだ家鼠が巣食ったことなどなかったはずだし、周囲の田畑からあの高い壁を乗り越えて野鼠が侵入してきた記録もないと教えてやった。その日の午後わたしはノリス大尉を訪ねてみたが、野鼠が予兆もなく突然に僧院にはびこるなどまったくありえないことだと大尉も請けあってくれた。

夜になると、いつものように使用人を退《ひ》きさがらせたあと、自分の寝室として選んだ西側の塔にある一室へ向かった。書斎を出るとまず石造りの階段を昇り、そのあとは短い通廊を抜けていった——

前者は一部が古く、後者は全面的に再建したものだ。寝室は天井が高い円筒形の部屋で、壁には羽目板がなく、ロンドンで自ら選んだアラス織りの壁掛けを巡らせてある。クロがついてきたのを目にとめると、ゴシック様式の重い扉を閉じ、巧みに燭台に似せてある電灯の明かりのそばで就寝の仕度をし、そのあとようやく消灯して、浮き彫り飾りのほどこされた天蓋付き四柱式寝台に体を横たえた。年季の入った友たるクロはといえば、いつもの居場所であるわたしの両脚の上に寝そべった。カーテンは閉めず、顔を向けているほうに位置する北側の縦長の窓から外を眺めやった。空にはかすかに極光《オーロラ》*の気配が窺え、窓の狭間《はざま》飾《かざ》りが綺麗な影絵を形作っている。

わたしはいつしか静かな眠りに落ちていた。奇妙な夢から目覚めたのが、心地よいはずの寝場所にいるクロが急に騒々しく鳴きだしたときだったことはよく憶えている。極光の仄明かりの中でクロを見やると、頭を前へ突きだし、前肢をわたしの足首に載せ、後ろ足を後方へぐいとのばしていた。窓の西側にあたる壁のある一点を凝視しているようだった。わたしの目はその場所にことさらなにも異状を捉えられなかったので、注意力をもっぱらそこへ傾けた。じっと見入るうちに、クロが決して意味なく興奮しているのではないことがわかってきた。アラス織りの壁掛けが本当に動いていたのかどうかは、なんとも言えないところではある。動いていたとしてもほんのわずかだっただろう。ただ、たしかだと言えるのは、家鼠か野鼠が走りまわるような低い物音が壁掛けの裏側からはっきり聞こえたことだ。と思うと、視界をさえぎる壁掛けにクロがいきなり跳びつき、自分の重みで床に引きずりお

極光《オーロラ》　英国でもしばしば観測される。

ろした。湿った古い石壁があらわになったが、再建時に作業員たちによってあちらこちらが修復されているため、齧歯類が荒らしまわったあとなどはまるで見られない。クロは壁のその部分に沿ってあちらへこちらへと駆けまわったり、あるいは落ちた壁掛けを引っ掻きまわしたり、またときには石壁と樫材製の床との隙間に前肢《まえあし》をつっこんだりしていた。だがなにも見つけられないようで、しばらくすると、脚の上のいつもの居場所に疲れたようすで戻ってきた。わたし自身は動かずにいたが、その夜はもう眠れなかった。

朝になってから使用人全員に尋ねたところ、ほかにはだれも異状に気づかなかった中で一人だけ、料理人の女が窓枠の上で寝ていた猫の一匹の挙動について思いだしてくれた。夜中のいつとも知れない刻限にその一匹が鳴きだしたので、目覚めた料理人がようすを見ると、猫は開けたままになっていた戸口から跳びだして階段を駆けおりていったという。わたしは昼ごろに仮眠したあと、午後にふたたびノリス大尉を訪ねた。そして事情を話すと、大尉はことのほか関心を示した。些細ながらも珍しいこの出来事が持ち前の好奇心を掻き立てたようで、地元に伝わる似たような怪談話をいくつも話してくれた。鼠の群れが本当にいるらしいことには大尉も大いに不審を覚えたらしく、鼠捕りと花緑青《はなろくしょう》*を貸してくれた。僧院に戻ったわたしは使用人たちに指示し、それらを効果的とおぼしい場所に配置させた。

ひどく眠かったので早めに就寝したが、なんとも恐ろしい夢に悩まされることになった。途方もない深みにまで穿たれた薄暗い洞窟を地上の縁から見おろしている夢で、洞窟内部はどろどろした泥濘《でいねい》状の汚濁物が膝丈まで埋め尽くし、そこでは白い顎鬚《あごひげ》を生やした悪鬼のごとき相貌の豚飼いが下働きたちを従えて、ぶよぶよと太った汚らしい畜獣の群れを追い立てていた。その畜獣というのは口に言い表わせないほどの嫌悪を催させる生き物で、豚飼いが足を止めて合図のうなずきを送ると、鼠の大群が悪臭こもる洞窟内につぎつぎと跳びこんできて、畜獣のみならず囚われている人間たちまでも見境なく貪り喰いはじめた。

いつものように脚の上で寝ていたクロが不意に動いたおかげで、この悍ましい悪夢から目覚めを余儀なくされた。このたびばかりは、彼が鳴いたり声を軋らせたりする原因がなにかも、足首を引っ掻かれた主人が痛がることにも気づかないほどの興奮している理由がなにかも、まったく疑問に思わずに済んだ。というのは、部屋じゅうの壁がゾッとする物音とともに生きたように蠢いていたからだ——飢えた大鼠の群れが這いまわっているにちがいない様相だった。極光が失せたせいで、アラス織りの壁掛けがどんな状態になっているかは見えない——落ちた部分はすでに貼りなおされている——が、わたしとて照明を点灯できないほどおびえていたわけではなかった。

電灯が明るく輝くと、壁掛けの全体が激しく揺れているのが目に入った。いくぶん風変わりな紋様のせいで、さながら壁掛けが忌まわしい死の舞踏でも踊りはじめたかに見える。この振動はすぐにやみ、それとともに物音も失せた。近くに立てかけてあった行火《あんか》＊の長い柄《え》で壁掛けをつついてみたり、一

花緑青《はなろくしょう》　緑色の人工顔料。砒素に由来する毒性があり、殺鼠剤にも用いられた。
行火《あんか》　炭火を入れ寝床を温める古式の暖房具。長い柄が付いているのが一般的。

部を引きあげて下になにが隠れているか覗き見たりした。部分修復された石壁があるだけでなにも隠れてはおらず、クロもなにか異常なものがいるという強い警戒感を解いたようだった。室内に仕掛けておいた円筒型の鼠捕りをたしかめてみると、発条《ばね》式の罠が全部絞《し》まっており、いったん捕まった獲物にことごとく逃げられたのが見てとれた。

こうなるともうふたたび眠りに就くことなどできない。そこで、火を点けた蠟燭を持ち、部屋を出て通廊を抜け、書斎につづく階段へと向かっていった。クロもすぐ後ろについてきた。ところが通廊を抜けきらないうちに突然クロがわたしより前へ駆けだし、石造りの古い階段を駆けおりていった。わたしもあとを追ったが、不意に階下の広い書斎から物音が聞こえることに気づいた。聞き誤りようのないたぐいの音だった。階段沿いの樫材張りの壁面が、鼠の大群のせいで生きているかのように蠢いていた。鼠どもは跳ねまわり走りまわり、クロはといえば狩りを邪魔された猟師よろしく激昂して壁沿いに駆けまわる。階段の下までたどりついたわたしは電灯を点けたが、このたびは明かりによっても騒音を静められない。鼠の群れは依然騒擾《そうじょう》しつづけ、その力強さと明瞭さからして、彼らの行動があるはっきりした方向をめざしているものであることがようやく察せられた。これら無数の疲れを知らないかのような小動物たちは、高位置からどこかの低位置へと、それも計りがたいほどの地下の深みへと向かわんとする大移動の渦中にあるのだと。

廊下から足音が聞こえたと思うと、つぎの瞬間には大扉が開いて二人の使用人が姿を現した。彼らによれば猫たちが残らず恐慌状態になって鳴きわめき、階段を下へ下へとやみくもに駆けおりつづけたあげく、地下二階の閉めきった扉の前に集まって騒いでいるので、その原因はいったいなんなのかと、家じゅうのあちらこちらをさぐりまわっているのだという。鼠の騒ぐ音を聞きつけなかったかとわたしが質すと、使用人たちの返事は否《いな》だった。そこで壁板から聞こえる物音に注意を向けさせようとしたところ、いつの間にか音がやんでいることに気づいた。二人の使用人ともども階段をおりて地下二階にたどりつくと、そこでは猫たちがすでに散りぢりになっていた。後刻わたしはさらなる地下をさぐってみようと決心することになるが、その時点では仕掛けた鼠捕りを確認しまわるにとどめた。どれも罠が絞まっていたが、捕まった獲物は一匹もいなかった。鼠の音を聞いたのが猫たちと自分だけであるに相違ないことを得心すると、わたしはそのあと朝まで書斎にじっとこもりきり、深く思索を巡らせ、己の住まうこのエクサム僧院にまつわるこれまでにさぐりだした伝説の数々を余さず思いだすべく努めた。

中世趣味の家具を揃える計画によっても捨てられなかった坐り心地のよい書斎用の椅子にゆったりと身を預けて、午前のあいだに少し仮眠をとった。しばらくのちにノリス大尉に電話すると、地下二階の探索に協力するために駆けつけてくれた。結果的にはとくに不審なものは見つからなかったが、その場所が古代ローマ人の手で造られたところだと思うと興奮を禁じえなかった。低い拱門《アーチ》や太い石柱などすべて古代ローマのもので——サクソン人の疎《おろそ》かな手になる程度の低い擬似ローマ様式などではなく、厳粛且つ調和のとれた純正な帝政期ローマ様式だった。この場をくりかえし探究した考古学者たちにのみ馴染みのある刻銘文字が壁面を飾る——たとえば、《P. GATAE. PROP……TEMP……DONA……》あるいは《L. PRAEG……VS……PONTIFI……ATYS》などなど。

アッティス*への言及を見てわたしはゾッとした。カトゥルス*の詩を読んだことがあったので、その名を持つ小アジアの神にかかわる怪しい祭祀*についてある程度知っていたからだった。アッティス信仰はキュベレー崇拝とも深くかかわっている。*そこでノリス大尉とともに角灯《ランタン》の明かりを頼りに、かつて祭壇に使用されていたとおぼしい微妙に不規則な方形の壁煉瓦に刻まれた、摩耗の進んだ図形群を解読すべく試みたが、結局なにもわからなかった。ひとつ思いだしたのは、光線を放射している太陽に似た図形は古代ローマ起源のものではないとの説を唱える学者が一部にいることで、してみるとこの祭壇というのは、より古い時代、おそらくは原始時代に似たような祭祀を行なっていた神殿の祭壇を、古代ローマの神官たちが流用したのではないか。それらの煉瓦のひとつになにかの茶色い染みめいた図形があるのを目にすると、わたしは訝《いぶか》しみを深めた。部屋の中央部に位置する壁に嵌まるいちばん大きな煉瓦に刻まれているそれは、火と関係があるなにかを示すと思われる——おそらく火で焼いた供犠《くぎ》の獣肉を意味するものだ。

　扉の前で猫たちが激しく鳴いていた地下室の内部はおよそそんな状況で、わたしたちはその場で一夜をすごすことにした。仮眠用の寝椅子を使用人たちに運びこませ、以後は夜中に猫たちが騒いでも放っておくようにと言いつけた。とくにクロは愛玩のためというより役立たせるためにそばに置きたかった。樫材製の大扉——通気用の孔《あな》を設けてある現代製の模造品だが——はしっかりと閉じておくよう指示した。これらの手配が済むと、わたしたちは燃えつづける角灯を手に休息をとりつつ、つぎになにが起こるかを待った。

　この地下室は僧院の基礎構造内部の相当な深みにあり、荒涼たる谷を見おろす石灰岩の崖の縁の高さよりもずっと低い位置にある。そしてこの地下室こそ猫たちの説明のつかない大移動の目的地であることを、わたしは疑っていなかった。理由は自分でもわからないにもかかわらず。寝椅子に横たわって待ちつづけているあいだ、目覚めているつもりながらもときどき朧な夢が意識に混じりこんでくることに気づいた。そして脚の上で寝ているクロの落ちつかなげな蠢きによって夢から覚まされた。不健全な悪夢で、しかも前夜に見たものと恐ろしいほど似通っていた。見えたのはまたしても薄暗い洞窟で、一人の豚飼いと、口にできないほど悍ましい姿の家畜の群れが汚濁の中で動きまわっていた。見つづけるうちにそれらがどんどん近く且つ明瞭になってきた——家畜どもの顔かたちまではっきり見分けられるほどに。ぶよぶよしたそれらの一匹をじっと見ているとき——クロさえ驚いて起きるほどのかん高い絶叫がわたしの口から放たれた。まったく眠らなかったらしいノリス大尉は大いに笑った。なぜわたしがそれほどの大声で叫んだかをもし知ったなら、もっと笑ったか——あるいは逆に笑いなど失せたかもしれない。だがわたし自身、あとになるまでそのわけを思いだせずにいた。あまりに強

アッティス　ギリシャ／ローマ神話の半神。両性具有の地母神アグディスティス（キュベレーと同一視される）の息子。

カトゥルス　共和制ローマの叙情詩人、ガイウス・ウァレリウス・カトゥルス（紀元前八四頃—五四頃）。恋愛詩を得意とした。

怪しい祭祀　神官は自ら去勢し、信徒は自傷して血を供物とした。

アッティス信仰はキュベレー崇拝とも……　キュベレーはアッティスの母にして愛人。嫉妬により息子を発狂させ自らを去勢させた。

い恐怖は慈悲深くも、しばしば記憶を麻痺させる。

そういう状態になっているわたしを、ノリス大尉が目覚めさせてくれた。前と同じ恐ろしい夢を見ているところをそっと揺り起こし、猫たちの鳴き声に耳を欹《そばだ》てるよう促した。たしかにかなりの騒がしさだった。閉めきられている大扉の向こう側の、石造りの階段のあがり口のところで、鳴きわめいたり引っ掻きまわしたりするひどい騒擾が巻き起こされていた。一方クロはといえば扉の外のうるささはまるで気にしていないようながらも、自身は剝きだしになっている石壁沿いに興奮したようすで駆けまわっていた。そして石壁の内側からは、前夜にわたしを困惑させたのと同じほどの音量で、鼠の群れが走りまわっているとおぼしき響きが聞こえていた。

激しい恐怖が身のうちに湧きあがらずにはいなかった。この場で起こっていることの不自然さは、正常な理屈ではとても説明しようがない。鼠どもが狂った集団になっていることはまるでわたしと猫たちにしか感覚できないかのようだが、それがたしかか否かにかかわらず、とにかく鼠の群れがやっていることというのは、硬質な石灰岩造りであるはずの古代ローマの石壁の内部を穿ち掘り抜く行動であるに相違ないのだ……あるいはひょっとすると、千七百年以上に及ぶ地下水流による浸食がうねくる洞窟を形作り、齧歯類の大群はそこをさらに削って広くしているだけなのかもしれないが……しかし、たとえそうだとしても、異常なほどの恐怖が弱まることはない。もし壁から聞こえているのがたしかに生きた小動物の立てる物音だとしたら、なぜノリス大尉にはあれほどの不快な騒音が耳に入っていないのだ？　なぜ彼はクロの動きと室外の猫たちの音にだけ関心を向けるよう促すのか？　猫たちの行動の原因のみをあれこれ漠然と推測するにとどまっているのは、いったいどういうことだ？

わたしは自分が聞いたと思う物音について、できるかぎり理性的にノリス大尉に伝えようとしたが、そのときには鼠どもの走りまわる音は早くも薄れかかり、間もなく消えていった。それは彼らが依然として下方へ下方へと掘り進んでいるがゆえで、この地下二階の最深部のさらに下まで達しているはずだ。そして崖の内側全体が、探索しつづける鼠の群れによって穿ち抜かれているにちがいない。なのにノリス大尉はわたしが期待したほど疑問を深めてはくれず、ただクロの行動に驚くのみだった。それどころか、むしろ扉の外の猫たちが獲物を見失いでもしたかのように騒ぎをやめたことにこそ関心を向けるよう、わたしに促すのだ。そのあいだもクロだけはさらに新たな興奮を爆発させて、室内の中心に位置する大きな石造りの祭壇の基部を狂乱して引っ掻きまわしており、しかもその場所はわたしのいる寝椅子よりも、むしろノリス大尉のそれに近い位置にあるというのにだ。

そのことが理不尽な恐怖心をいっそう大きくした。なにかしら驚愕すべきことが起こっているようだ。そしてわたしより若くて体も頑丈で、おそらくはより現実的な考え方をするはずのノリス大尉が、今ようやく同じほどに感情を昂《たかぶ》らせているのが見てとれた――きっと半生にわたって地元の伝説に慣れ親しんできたためにちがいない。老いた黒猫が熱狂を後退させながらも依然として祭壇の基部を引っ掻きつづけているさまを、わたしたちはひととき呆然と見守った。クロはそうするあいだにもときどきこちらへ顔をあげては鳴き声を洩らすが、それは彼がなにかしらかまってほしいときによく見せる挙動だ。

するとノリス大尉が角灯を祭壇の近くにかざし、クロが引っ掻いている場所を細心に見はじめた。そしてその場にそっとひざまずき、古代ローマ以前の時代の大型煉瓦と切り嵌め細工式の床面とをつなげるように覆っている地衣類を手で払い除《の》けた。なにも見つからないので彼がその試みをやめようとしたとき、わたしはある小さな事実に気づいて身震いした。自分がすでに想像していたことを補強する以上のものではなかったが、とにかくそれを彼に伝え、注目すべき発見を認識すべくともどもにその場所に目を凝らした。それはつまりこういうことだ――祭壇の近くに置いた角灯の焔が、これまでにはなかったわずかな空気の動きによって、かすかに、しかし確実に揺らいでいたのだ。そしてその空気の動きというのは、疑いようもなく地衣類が払い除けられたあとの祭壇と床面とのつなぎ目にある隙間から戦《そよ》いでくる微風なのだった。

同じ夜、それ以後の時間は明るく点灯した書斎に戻り、つぎになにをなすべきかを念入りに議論することに費やした。この暗然たる神殿跡の地下には、古代ローマの石造建築として知られている最下層の地下室よりもさらに深いところに、洞窟らしきものが――好奇心旺盛な考古学者たちですら三世紀にも及んで存在を推測することがなかった空間が――あるとわかったことは、その背景が如何に不気味なものであれ、わたしたちを大いに興奮させるに充分だった。ただ、その魅惑はふたつの選択肢を迫るものでもあった。すなわち、このまま地下探検をつづけることを断念し、僧院を手放して永久に迷信的伝説の中に埋もれるに任せるか、それとも、知られざる地下の深みにどれほどの恐ろしいものが待ち受けているかをさぐって冒険心と勇気とを満足させるか、わたしたちは考えあぐねる仕儀となった。朝が来るまでに見いだした妥協案は、ロンドンに赴いて考古学者や科学者を集め、僧院の謎を解明するための調査団を組織するというものだった。その際学者たちに告げておくべきは、未知の恐怖が待つ新発見の洞窟への門であるに相違ない中央祭壇を、わたしとノリス大尉とでどかそうと試みたが、結局果たせぬまま地下二階をあとにしたという経緯だ。なにかしらの秘密をさぐり知れば門を開けられるはずであり、より賢明な学者たちならそれが可能だろうと期待された。

　ロンドンでは多くの日々を費やし、その結果集めた五人の優秀な専門家たちに対して、わたしとノリス大尉は知るかぎりのあらゆる事実と推測と伝説的逸話を提示した。五人とも敬意と信頼に値する者たちで、これから探究を進めるにつれて明らかになるだろうわが一族の秘密を知られることもかまわないと思えた。全員がどんなことでも嘲笑などしそうになく、ひたすら強い研究心と偽りない同情心とを期待できる者たちだった。彼らの名前をすべて挙げるには及ぶまいが、ひとつ明かしておいてもよいのは、トローアス*の発掘を行なって当時の世界を興奮させたウィリアム・ブリントン卿が含まれていることだ。かくてわれら調査団がアンチェスターへの列車に乗っているあいだ、乗客中に大勢いたアメリカ人たちのあいだには地球の反対側で不慮の死を遂げた彼らの大統領*への弔意の雰囲気が溢れ、それがわたし自身にとってなにか恐ろしいことを知る前触れであるような気がしていた。

　八月七日の夕刻アンチェスターに到着すると、使用人たちが異常なことはなにも起こらなかったと報告した。老猫《ろうびょう》クロはじめ猫たちも至極おとなしくしていたし、鼠捕りに獲物がかかることもなかったという。探索は翌日からはじめることにして、それまで客たちにはよく仕度《したく》されたそれぞれの部屋

トローアス　トルコ、ビガ半島の歴史的呼称。トロイの遺跡がある。
彼らの大統領　米国第五代大統領ウォーレン・ハーディング（一八六五―一九二三）。二三年八月二日、遊説旅行の途中サンフランシスコで急死した。

で待機してくれるよう言いわたした。わたしは塔にある自分の寝室に退《ひ》きあげ、いつもどおりクロを脚の上に寝かせた。眠りはすぐ訪れたが、またも悪夢が襲った。トリマルキオ＊の狂祭を思わせる古代ローマの饗宴のようすが見え、なにか厭なものが盛りつけられているらしい蓋付きの大皿が見えた。それからまたしても例の薄暗い洞窟の中の豚飼いとその穢《けが》らわしい家畜が繰り広げるゾッとさせる光景が見えた。目覚めると外はすでに明るい日中で、階下からは日常的な物音が聞こえてくる。鼠の群れについては、生きているものにせよ幽霊のたぐいにせよ、悩まされることはなかった。クロは静かに寝つづけている。階下におりてみると、住居内のほかの場所も同じような静謐が支配していることがわかった。この状況については、集められた学者たちの一人——心霊研究家ソーントン——がある種不気味な言い方で告げたところによれば、なにかの力によってわたしがそのように感じさせられているのではないかという。

すべての準備が整ったところで、午前十一時、われわれ調査団七人は強力な電気探照灯《サーチライト》をはじめ発掘用具一式を携えて地下二階の石室におり、背後の大扉を閉じた。クロも一緒についてきたが、調査団の面々は興奮状態にある彼を邪魔者扱いしたりはせず、むしろまだ見ぬ齧歯類の出現に備えて是非ともそばにいてほしいと考えてくれた。古代ローマの刻銘文字や祭壇に彫られた未知の紋様については、学者たちのうち二人が過去に見た経験があって詳細を把握していたので、瞥見《べっけん》するにとどめた。最も関心を払うべきは重要な意味を持つ中央祭壇そのものであり、ウィリアム・ブリントン卿は一時間と経たないうちにこの祭壇を後方へ傾けることに成功した。倒しきらずに平衡を保っておくためのなんらかの仕掛けがあるようだった。

祭壇の下には予想だにしなかった恐怖の光景があらわになり、わたしたちを圧倒した。ほぼ方形をなす敷石張りの床面のすぐ下あたりから、さらなる地下へと石段が刻まれており、摩耗のあまり中央部が滑らかな勾配面のみとなっているその段には、人間かあるいは亜人とでも呼ぶべき生き物の白骨が大量に散らばり、一同の心胆を凍りつかせた。骸骨としての輪郭をなんとか保っている白骨は、どれもが生前に激しい恐慌状態に襲われたとおぼしい姿勢を呈しており、またすべての骨に例外なく見られたのは、齧歯類によって喰い荒らされたにちがいない痕跡だった。頭蓋骨の形状が示しているのは、精神遅滞か痴呆性といった特質、あるいは類人猿に近いほどの原始性だ。この地獄めいた石段を囲んで拱路状《アーチ》の下降道が硬い岩盤を穿ってのびており、そこを通じて空気の流れが吹きあがっていた。その流れは密閉空間から吹いてくる淀んだ重いものではなく、どこかからの外気と感じさせる冷たさを含んだ微風だった。わたしたちは長くとどまってはおらず、身震いを覚えながらも石段を踏みおりはじめた。ほどなくして、下降道壁面の削られた痕跡を観察していたブリントン卿が、往時に壁を削った刃跡《やいばあと》の向きからして、この空間は下のほうから穿たれてきたものにちがいないという奇妙な見解を述べた。

今わたしはきわめて慎重に考え、言葉を選んで記述する必要に迫られている。

鼠に齧《かじ》られた骨の散らばる石段を数歩ばかり恐るおそるくだりはじめたところで、前方に光が見え

トリマルキオ　ローマの文筆家ペトロニウス（二〇頃―六六）の作とされる風刺小説『サテュリコン』に登場する頽廃的な富豪。

てきた。神秘的な燐光めいたものではなくて、ごく細いながらも陽光にちがいなく、荒涼たる谷を見おろす崖のどこかにある亀裂から射しこんでくる光以外ではありえまい。そういう亀裂の存在は、外側からは気づかれなかったとしても不思議ではない。谷間に人がまったく住んでいないからばかりではなく、崖自体があまりに高くしかも上端が突きだしているため、飛行船ででもなければ絶壁の表面をつぶさに見ることができないからだ。さらに数歩くだると、心霊研究家ソーントンが突然目眩《めまい》に襲われ、真後ろにいた者の腕の中に倒れこんだ。ノリス大尉はといえば肉付きのいい顔を蒼白に変え、呂《ろ》律《れつ》のまわらないような大声をあげた。一方わたし自身は、喘ぎか呻《うめ》きを洩らしながら手で目を覆ったように思う。すぐ後ろにいた一人は――唯一のわたしより年長の参加者だったが――聞いたことがないほどひどくしわがれた声で、だれもが思わず口にしがちな「神よ！」という台詞を吐いた。調査団七人の中ではブリントン卿のみが、目前の光景を最初に見た者であるにもかかわらず、一行を率いる者としての持ち前の冷静さを失わずにいた。

そこは途方もなく高い天井を有する薄暗い洞窟で、視界も及ばないほど広大なうえに、果てしなく深い謎と恐るべき示唆とを宿す地下空間だった。そこにはいくつもの建築物や廃墟があり――のみならず、戦慄に駆られながらも目にしたものは、奇怪な並び方をした古墳群や、原始的な環状列石や、古代ローマ時代の低い円蓋構造物の址《あと》や、わだかまるように遺るサクソン人の建造物や、黎明期イングランドの木造建築などだったが――しかしそれらさえ、床面一帯に広がる鬼気迫る光景に比べれば、なにほどの驚くべきものでもない。というのは、あの石段からの延長であるかのごとく、おびただしい数の人骨がもつれ絡まりあうように列《つら》なる、すさまじいありさまを呈していたがゆえだ。石段上の骨と同じく、人間に近いとのみ言える程度のものも含まれている。それらが大海に泡立つ白波を思わせる様相で広がりつつ、あるものはばらばらに分かれ、あるものは一部または全容の骸骨としての体《てい》をなす。後者は例外なく狂おしいまでの恐慌状態を意味する姿勢をとり、なにかしらの脅威にあらがったり、あるいは自ら喰らいつく意志を持ってつかみかかったりしていたことを示唆する。

考古学者トラスク博士が身を屈めて頭蓋骨を検分していたが、進化程度が著しく低いものが含まれているのを見いだし、大いに当惑をあらわにした。それらはおそらくピルトダウン人*よりも古い種類のものであり、にもかかわらず人類の一種であることがたしかだという。だが多くはより高度な種類で、少数ながら完全に進化を遂げた頭蓋骨もあった。それらすべての骨に齧り跡があり、そのほとんどが鼠によるものと見られたが、一部には亜人とでも呼ぶべきものによるとおぼしい痕跡があった。これらの人骨に混じって大量の鼠の骨も見つかった——往古の惨劇の幕引きをした死の軍団の中の不運なものたちと言えるだろうか。

わたしたちのうち一人でもこの恐るべき発見をした日を正気で生きのびられたとしたら、驚くべきこととすら思えた。たとえE・T・A・ホフマン*であれJ・K・ユイスマンス*であれ、われわれ七人がよろめきさまようこの薄暗い洞窟ほど信じがたく激烈な、絶えざる厭悪を誘う壮絶奇怪な場面は描きだせないだろう。発見に次ぐ発見でだれもが愕然と動揺し、三百年前か千年前か二千年前かあるい

ピルトダウン人　一九一一年、アマチュア地質学者C・ドーソンが、サセックス州ピルトダウンでの発掘を報告した化石人類。一九五三年、捏造と断定された。

は一万年前か、いずれにせよ遥か昔にこの場で起こっていたにちがいない出来事を、今は考えないようにしようと努めねばならなかった。ここはまさに地獄の控えの間にもひとしい場所なのだ。トラスク博士によれば、一部の骸骨には二、三十世代前まで遡る歳月を通じて四足獣として飼われてきた形跡が見られるとのことで、それを聞いた哀れなソーントンはまたも失神しそうになった。

建築物の廃墟を調べはじめると、さらなる恐怖に次ぐ恐怖が重なった。四足獣に近いものたちは——二足歩行をする人間たちをしばしば加えつつ——石造りの小屋に閉じこめられたが、飢えや鼠への恐れによる狂騒の渦中で脱走したこともままあったようだ。そうやって囚われていたものたちの数は膨大であり、古代ローマ時代よりも旧《ふる》い石造りの大型飼葉槽《かいばそう》の底に雑多な植物の残滓が溜まっていたことからして、彼らはそれを飼料として肥え太らされていたのだと思われる。わが祖先がなぜあのような過大な庭園を持っていたのか、そのわけが今にして理解できた——到底忘れえないほどに！　なぜにそうした家畜の大群を飼わねばならなかったか、そのわけも今や問うまでもなくわかる。

ブリントン卿が古代ローマ時代の廃墟の中で探照灯をかざして立ち、かつて知るかぎり最も衝撃的なある儀式についての刻銘文字を解読しながら読みあげた。それはノアの箱舟以前に遡る古代宗教の祭祀における饗宴に関する記述で、のちのキュベレー崇拝の神官が自分たちの教義に混在させて行なったものだという。ノリス大尉はといえば戦場の塹壕には慣れているはずだが、古代イングランドの建造物から出てきたときにはまっすぐに歩くことがむずかしくなっていた。大尉が予想していたとおりそこは肉食品の加工場兼貯蔵所だったとおぼしいが、しかしそんな場所で現代でもよく知られているたぐいの加工用具を目にしたり、近いものでは一六一〇年のものまで含まれる落書きを見つけたりしたのは驚きが強すぎたようだ。わたし自身はとてもその建物に入る気にはなれなかった——その場所で連綿とつづけられてきた悪魔的な所業が、わが祖ウォルター・デ・ラ・ポーアの刃《やいば》によってようやく止められたのだとすれば。

わたしが思いきって足を踏み入れたのは、古代サクソン人の手になる丈の低い建築物だった。入口をなす樫材製の扉はとうに崩れ、その内側には錆びた鉄格子付きの恐ろしげな十の石室が並んでいた。そのうちの三つには高い進化の跡を示す人骨があり、ひとつの骨の人差し指に印章付き指輪が嵌まったままになっていたが、その印章はたしかにわが家系のものだった。ブリントン卿は古代ローマの礼拝堂の地下でさらに古い時代の石室が並ぶ空間を見つけたが、そちらの部屋べやには人骨は残っていなかった。そのさらに下層には天井の低い納骨堂があり、きちんと組み置かれた遺骨の入った骨箱《こつばこ》が仕舞われていた。骨箱の一部にはラテン語やギリシャ語やあるいはフリギュア語の慄然とさせる刻銘文字が平行に記されていた。一方トラスク博士は先史時代の古墳のひとつを暴《あば》き、人間というよりゴリラに近いような目方の軽い頭蓋骨群を発掘したが、それらにはなんとも名状しがたい表意文字が彫りこまれていた。こうした数々の恐るべきもののただなかを、愛猫クロはおびえるようすもなく歩き

E・T・A・ホフマン　プロイセン王国（現ドイツ）の文学者、法律家（一七七六―一八二二）。「黄金の壺」「砂男」などの幻想文学で著名。音楽、絵画も手がけた。

J・K・ユイスマンス　フランスの文学者（一八四八―一九〇七）。『さかしま』『彼方』などの作でデカダン派として知られる。晩年はカトリック神秘思想を『大伽藍』などに託した。

まわっていた。一度などは骨の山の上にあがって堂々と坐りこみ、それを見たわたしは、彼の黄色い瞳の奥にはどんな秘密が隠されているのかと訝しんだ。

この薄暗い一帯――わたしの悪夢の中で不気味にも予兆のあった空間――にひそむなんらかの恐るべき新事実がごく些少の程度ながらも把握されてきたところで、われわれ一行は崖の外からの陽光がまったく射しこまない漆黒の洞窟の果てしないかに思われる深みへ向かって足を進めはじめた。少しずつ進んでいくその先に如何なる暗闇の迷宮が待ち受けているのかは予測も叶わず、少なくとも人類全体にとってさえよからぬ秘密であるにちがいないとのみ覚悟を決めていた。ところが大きな驚きは意外にも時を置かず現れた。それほど深くはくだらないうちに、かつて鼠の大群が食餌《しょくじ》に励む場所としていたと思われる悍ましい地溝《あなぐら》の数々を探照灯が照らしだした。おそらくその場での食糧が急激に不足する事態となったため、食欲旺盛な鼠たちはまずほかの飢えた生き物の群れに牙を剝き、そののちは僧院の外側にまで溢れだして、村人たちにとって忘れえぬ歴史的な破壊の大饗宴を繰り広げることとなったのにちがいない。

なんたる光景か！　黒々としたそれらの地溝の底は、刻まれたり砕かれたりした体骨や断ち割られた頭蓋骨などが山をなす骸《むくろ》捨て場だった！　まさに悪夢のごときそれらの穴には、ピテカントロプス・エレクトス*をはじめ、ケルト人、古代ローマ人、古代イングランド人などなどのおびただしい人骨が、忌まわしくも延々たる歳月に及んで溜まっていた！　一部の穴は骨で満杯になり、かつてはどれだけの深さがあったのかも見きわめられない。光で照らしても依然として底の見えない穴もあり、もはやどんな名付けえぬ怪異がひそむやも知れぬほどだ。この地獄のごとき暗黒の地下で食糧探しにいそしんだ不運な鼠たちがこれらの罠に落ちてどうなったことか、今では想像もつかない。

慄然たる深淵を覗かせるその地溝の縁でわたしはつい足を滑らせ、一瞬目眩《めまい》のするほどの恐怖を覚えさせられた。長く考えごとをしすぎていたようで、一行の中ではいつの間にかノリス大尉の肥え太った姿しか見えなくなっていた。そのとき、かなり離れた前方とおぼしい真っ暗なあたりから物音が聞こえた。と思うと、黒猫クロが翼の生えた古代エジプトの神*のごときすばやさでわたしのわきを走りすぎ、前方の未知なる無窮の深淵へと駆けこんでいった。遅れまじとばかりにすぐさまあとを追った。物音は悪鬼から生まれし鼠の大群が絶えず新たな恐怖を求めるかのように走りまわる騒音で、まさにあたかも、顔なき狂神ナイアルラトホテップ*が二体の不定形な白痴の横笛吹きを従えてやみくもに咆哮しつづけるという、嘲《あざわら》うように口を開ける地の底の洞《ほこら》にまでわたしを導かんとするがごとくだ。

探照灯の電気が切れたが、かまわず走りつづけた。数多の声が高く谺《こだま》しつつ聞こえるが、それにも増して鼠の走りまわる邪悪にして騒然たる肢音《あしおと》が次第に高まる。それはさながら、果てしないほど長い縞瑪瑙《しまめのう》の橋の下を流れて黒い腐朽の海に注ぐ脂《あぶら》ぎった河の底から骸の群れが起きあがる勢いもかく

ピテカントロプス・エレクトス　百三十万年ほど前に棲息していた化石人類。一八九一年にインドネシアのジャワ島で発見された。現在はジャワ原人とされる。

翼の生えた古代エジプトの神　猫頭の女神バステト。しばしば有翼とされる。

ナイアルラトホテップ　ラヴクラフト作品に登場する「旧支配者」の一。

やという高まりだった。なにかがわたしに跳びついてきた――柔らかく肉付きのいい生き物が。鼠の群れにちがいなかった。悪辣にして貪婪な、死者も生者も見境なく餌食とする齧歯類の大群だ……禁断のものを喰らいつづけてきたデ・ラ・ポーア家の者に、鼠どもが喰らいつかないはずがあるか？

戦争はわが息子を餌食にした。忌々しいやつらめ……アメリカ人どもはカーファックスのわが屋敷に火を放ち、祖父と家伝の秘密をもろともに焼き祓《はら》った……いやいやちがうぞ、薄暗い洞窟に棲むあの悪魔の豚飼いがこの儂《わし》だとは言うておらぬ！　あのずんぐりした醜い家畜のふやけ顔も、エドワード・ノリスの顔だったわけではないわ！　儂がデ・ラ・ポーアの者だとだれが言うのだ？　ノリスは生きのび、わが息子は死んだ！……ノリス家はまたもデ・ラ・ポーア家の地を奪うのか？……よく聞け、これはヴードゥーの呪いなのだ……彼《か》の斑《まだら》の蛇のな……役立たずのソーントンなど、わが一族がしてきたことを知って卒倒するがいい！……畜生にもひとしい痴《し》れ者ノリスめ。肉の味がどれほどに美《よ》いものか教えてやる……とくと思い知れ……マグナ・マテル、マグナ・マテル！……アッティス……汝《なれ》にぞ神の祟りありて、その顔に忌まわしき死こそ宿らん……以《もっ》て汝とその血族に邪気と悲惨をば齎《もたら》さん！＊（Dia ad aghaidh's ad aodann . . . agus bas dunach ort ! Dhonas's dholas ort , agus leat-sa !）

……ウングル……ウングル……ルルルフ……チ・チ・チ……

これが三時間後に暗闇で発見されたわたしが口走っていた言葉だという。闇の中で半ば喰い荒らされたノリス大尉の肥え太った死体の上に屈みこむわたしの首筋に、クロが跳びついては掻き毟《むし》っていたという。エクサム僧院はすでに爆破され、わたしは首筋からクロを引き剥がされたあと、ハンウェル精神病院＊の鉄格子付きのこの監房に閉じこめられ、わが遺伝と体験にまつわる恐ろしいことどもをつぶやきつづけている。ソーントンは隣室に収容され、こちらからは話しかけられないように処置されている。僧院にかかわるあらゆる事実は隠蔽されつつある。哀れなノリス大尉がどうなったか尋ねると、わたしが忌まわしい行為に及んだのだと言われたが、誓ってそんなことをした憶えはない。やったのは鼠どもだと知らしめねばならない。蠢きまわり走りまわり跳びまわるやつらの騒音で眠れなくなりそうだ。この監房を囲む厚壁《あつかべ》の中を駆け巡る悪魔の鼠が、かつて知る如何なる恐懼《きょうく》よりも深い戦慄へと誘う。余人には跫《あしおと》を聞かれることのない、壁の中の鼠が。

その顔に忌まわしき死こそ宿らん……　フィオナ・マクラウド『ケルト民話集』所収「罪を喰う人」からの引用を意訳。図らずも死者の罪を喰う役目を負わされた男が吐く呪詛。

ハンウェル精神病院　西ロンドンに実在した（現在は別病院と統合）。ロード・ダンセイニ『世界の涯の物語』所収「トーマス・シャップ氏の戴冠式」の結末にちなむ。

〃かくてさえずる鳥はなく〃

E・F・ベンスン
渦巻栗 訳

"And No Bird Sings"
by Edward Frederic Benson

わたしが目指す屋敷には、赤い煙突がいくつもあり、降り立った駅を出れば、すぐ見える。運転手はそう話していた。野原を通る細い道を行けば、せいぜい一マイル歩くだけだ。道はまっすぐ伸びていて、やがて向こうにある森に行き当たる。森はわたしの招待主が所有していて、梢《こずえ》の上には煙突が見える。森の柵には門があり、小道が一本、森を突っ切っている。そこを進むと、招待主の庭の近くに出るそうだ。そういうわけで、この五月初旬のすばらしい昼下がりにあっては、草地や林を歩いて抜けていく以外は時間のむだに思えたので、わたしは徒歩で出発し、車には手まわり品を運んでもらった。

こうしたうららかな日はときおり訪れるもので、天国からにじみ出て、地上へ滴《したた》り落ちてくるのだ。春はなかなかやってこなかったが、いまになって突然現れ、世界は生命力で沸き立っていた。いまだかつて見たことがないほど、春の花々は豊かに咲き誇り、緑は鮮やかだった。生け垣の低木では、これまた聞いたことがないほど快い歌声で、鳥が鳴きかわしていた。こうして草地を歩いていくのは、陽気な祝祭そのものだった。そして最大の山場は、期待していた通り、森を抜けるときになりそうだった。森は、柔らかな新緑に覆われて、前方に広がっていた。門はちょうど正面にあり、そこを通り抜けると、光と影がまだらをなす、草の生えた小道に入った。
まばゆい陽光をあとにするのは、薄暗いトンネルに入るようなものだった。いきなり春の日差しから引き離されて、水中の洞窟に放りこまれたように感じた。頭上では、木々の梢が緑の屋根をなしており、目を見張るほど光を締め出していた。わたしは移ろう薄闇の世界を進んでいった。やがて、木々はまばらになり、生い茂るハシバミに取って代わられたが、その枝も小道の上で交わっていた。その後、地面が下り坂になり、わたしは開けた空き地に出た。ワラビやヘザー*に覆われており、ところどころにシラカバが生えている。ところが、再び、明るい空と降り注ぐ陽光のもとで歩き出したのに、その燦然《さんぜん》たるきらめきは失われているように思えた。空の輝きは――なんらかの奇妙な錯覚だろうか？――ぼんやりとしていて、ちりめんを通しているかのようだ。だが、太陽はいまだに梢の上に出ていて、雲ひとつない天空に浮かんでいるにもかかわらず、その光は荒れ模様の冬の日のようで、暖かみもまばゆさもない。しかも、異様なほど静まりかえっている。わたしの予想では、茂みや木々は求愛する鳥の歌声で沸きかえっているはずだったが、耳を澄ましても、なんの音も聞こえなかった。ツグミやクロウタドリの笛に似た声も、ズアオアトリの陽気で甲高い声も、モリバトのクークーという声も、カケスの耳ざわりでやかましい声もしない。わたしは足を止めて、この奇妙な静寂をたしかめてみた。やはり、まちがいない。思いのほか不気味で、思いのほか不可解だったが、鳥のことは鳥がいちばんよくわかっているだろう。忙しすぎてうたうひまがないとしても、それは鳥の問題だ。

ヘザー　ツツジ科の低木。エリカの近縁種。ヘザーが茂る平地をヒースと呼ぶ。

進んでいくうちに、ふと頭に浮かんだのだが、森に入ってから、いかなる種類の鳥も一切見かけていなかった。そこで、空き地を横断しながら、よく注意して探してみたが、まったくだめだった。間もなく、空き地を囲んで生い茂る森の反対側に入った。目についたのは、ほとんどがブナの木で、とても密集して生えていた。その下の地面には草木もなく、落ち葉の絨毯《じゅうたん》と、貧弱なキイチゴの茂みがあるだけだ。やけに薄暗い上に、木がぎっしりと生えているので、道の右も左も、遠くまでは見えなかった。このとき、開けた場所をあとにしてからはじめて、生き物が立てる音を耳にした。木の葉のこすれる音が遠からぬところで聞こえたのだ。わたしは心のなかで、ウサギかなにかが動いているんだろう、と思った。だが、どういうわけか、小動物ならではの、軽やかに駆ける足音はしなかった。どこか忍びやかで、のっそりした、もっと大きなものがひそかに動いていて、聞かれるのを避けているかのようだった。わたしは再び立ち止まって、なにが現れるのかを見ていたが、音はすぐに止んだ。同時に、かすかだがひどくむかつくにおいが漂っていることに気づいた。息を詰まらせる、有害なにおいだが、どこか鼻を刺す鋭さもある。生きているものが発するにおいのようで、腐臭ではない。奇妙なほど胸が悪くなった。それ以上におい の元に近づきたくなかったので、わたしは先に進んだ。

間もなく森の端にやってきた。真正面には狭い草地があり、鉄の門が煉瓦壁に挟まれて建っていて、その向こうには芝生と花壇が垣間見えた。左手には屋敷が建っており、屋敷と庭には、驚くほどまばゆい午後の斜陽が降り注いでいた。

ヒュー・グレンジャーとその妻は、庭に出て座っていた。いつも通り、さまざまなイヌが群れている。ウェルシュ・コリーに、薄茶色のレトリーバー、フォックステリアにペキニーズもいる。イヌたちはわたしが闖入《ちんにゅう》して不満げだったが、だれかわかると歓迎し、仲間に入れてくれた。話すことは山ほどあった。というのも、ここ三か月、わたしは英国を離れていたのだ。その間に、ヒューは、このこぢんまりとした地所に落ち着いた。ここは隠退したおじが彼に遺した土地だった。彼とデイジーは、復活祭の休みを費やして、引っ越しにいそしんだ。たしかに、とても心惹かれる遺産だった。その邸宅は、しばらくして案内してもらったのだが、居心地のよい、小ぶりなアン女王時代の荘園屋敷*だった。ヘザーに覆われた、サリー州*の峰の背に建っており、立地は抜群だった。わたしたちは、庭を見おろす、羽目板を張った小さな客間でお茶にした。多岐にわたっていた話題はすぐに狭まって、きょうのこと、ついさきほどのことになった。駅から歩いてお越しになったんでしょう、とデイジーが訊いた。森を通り抜けましたの？　それとも森の外の道ですか？

そう尋ねる彼女の口調は、いかにもさりげなかった。声にはなんの含みもなく、わたしがどこから来ようがこれっぽちも問題ではないという風だった。だが、わたしには手に取るようにわかった。彼女だけでなく、ヒューもまた、聞き耳を立てて、わたしの答えを待っていた。彼はちょうど、マッチを擦って煙草を吸うところだったが、それには火をつけず、わたしの答えを聞いていた。そう、森を抜けてきた。だが、いまにしてみると、森で何度か奇異な印象を受けはしたものの、そんなのはひど

アン女王時代の荘園屋敷　アン女王（在位一七〇二―一四）の時代の、英国バロック様式で建てられた屋敷。

サリー州　イングランド南東部の州。ロンドン近郊。

くばかげているように思えて、なにを感じたのかは、とても口に出せなかった。まじめに話すのは無理だ。陽光がとても弱弱しくて、一度、横断している最中に、恐ろしく忌まわしいにおいを嗅いだんだ、などとは言えない。森を歩いて抜けてきた。話せるのはそれだけだった。

招待主ともその妻とも長いつきあいだった。おかげで、そのとき、空想にすぎないことを除くと、森での体験についてはなにも話せないと思っていたのだが、ふたりがすばやく視線を交わすのに気づき、その意味をたやすく読み取ることができた。どちらも相手に合図を送って、安堵を表していた。互いにこう言っていた（のではないかとまなざしから推測した）。彼は、とにかく、森で異常なものはなにも見かけなかったんだ。ふたりはそれをよろこんでいた。だが、そこで、わたしが森を抜けてきたと答えて、会話が実際にとぎれる間もなく、鳥の歌声も鳥の姿もないという、あの奇妙な出来事を思い出した。こちらは、自然史に関する、あたりさわりのない所見に思えたので、ここで触れても大丈夫だろうと考えた。

「ひとつだけ、おかしなことがあってね」と切り出した（即座に、ふたりが再び注意を集中するのが見えた）。「森に入ってからまた出るまで、鳥を一羽も見なかったし、声さえ聞かなかったんだ」

ヒューは煙草に火をつけた。

「ぼくもそれには気づいていた」と彼は言った。「なんだか妙だよな。森はまちがいなく手つかずだから、当然、太古の時代から、鳥の大群が巣をつくっていてもおかしくない。それなのに、ぼくもきみと同様、鳥の声を聞いたり、姿を見かけたりしたことはない。ついでに言うと、あそこではウサギも見かけないんだ」

「さっきはウサギらしき物音を聞いたけどね」とわたしは言った。「なにかがブナの落ち葉にまぎれて動いていたよ」

「見たのかい？」彼は訊いた。

そこで思い出した。あの音は、ウサギの身軽な足音とは似ても似つかぬと考えたではないか。

「いや、姿は見ていない」と言った。「たぶんウサギじゃなかったんだろう。あの音を立てたのは、いま考えてみると、もっと大きなものみたいだった」

またしても、あからさまに、ヒューと妻は視線を交わした。彼女は立ちあがった。

「出かけなくちゃ」と言った。「郵便物の集配は七時だし、午前中はずっとだらだらしていたのよ。お二方はどうされるのかしら？」

「もしよければ、屋外でなにかしたいね」とわたしは言った。「ここを見てまわりたいな」

ヒューとわたしは、そういうわけで、再び外に出ると、イヌの群れを連れてぶらついた。この土地は、たしかに魅力たっぷりだった。小さな湖が庭の向こうにあり、アシの群生からはムシクイの鳴き声がした。岸辺には草が茂っていて、わたしたちが近づくと、オオバンやバンがそこへ逃げていった。湖の端にそびえているのは、ヘザーの生える小高い丸山で、ウサギの巣穴があちこちにあり、イヌたちはあたりを嗅ぎまわっては、獲物を期待してはしゃいでいた。ここで、わたしたちはしばし腰を下ろし、地所のほかの部分を覆う森を見わたした。いまでさえ、日没間近の燃える陽光を浴びているのに、森は陰っているように見えたが、ほかの場所と同様に、本来なら輝きに包まれているはずだった。空には雲ひとつないし、真横から射す光が世界を照らして、壮麗な真紅に染めあげているからだ。だが、森は灰色で、闇に沈んでいた。ふと気づくと、ヒューもまた、森を見つめていた。そして、快からぬ話題を切り出そうとでもいうかのように、わたしのほうを向いた。

「ひとつ訊いてもいいか」と言った。「あの森について、なにか思うところがあるんじゃないか？」

「ああ。影に包まれているみたいだ」

彼は眉を寄せた。

「だが、そんなはずはない」彼は言った。「どこから影が出てくるんだ。外からじゃない。空も大地も燃えるようだからな」

「それじゃあ内側から、かな？」わたしは訊いた。

彼は束の間、黙っていた。

「あそこはどうも変なんだ」しばらくしてそう言った。「なにかがいるんだが、その正体はとんとわからない。デイジーもそいつを感じ取っている。森に入ろうとしないんだ。それに、どうやら鳥も同じらしい。ただ単に、といっても理由は説明できないが、森に鳥がいないせいで、あれこれ想像しているだけなんだろうか？」

わたしはぱっと立ちあがった。

「やれやれ、そんなのばかげているよ」と言ってやった。「いまから森に入って、鳥を見つけようじゃないか。わたしは見つかるほうに賭けるね」

「一羽につき六ペンス払ってやるよ」ヒューは言った。

わたしたちは斜面をくだり、森を迂回して、門のところにやってきた。昼に通ったあの門だ。わたしはそこを通り抜けてから、扉を開けたままにして、イヌがついてこれるようにした。ところが、イヌたちは立ち止まってしまった。一ヤードほど距離を取ったまま、どのイヌもじっとしていた。「そら、こっちにおいで」わたしが呼ぶと、フォックステリアのフィフィが一歩踏み出したが、小さく鼻を鳴らして後じさった。

「いつもああいう具合だよ」ヒューが言った。「森に踏みこもうとするやつはいないんだ。見てな」彼は口笛を吹き、呼びかけ、おだて、叱ったが、むだだった。イヌはその場から動かなかった。申し訳なさそうにほほえみ、しっぽで合図していたが、決して進もうとしなかった。

「でも、なぜだ?」わたしは訊いた。

「鳥と同じ理由だろうね。どんな理由にせよ、きっとそうだ。たとえば、あそこにフィフィがいるね。いちばんおとなしい、ちっちゃなご婦人だ。前に、フィフィを抱きあげて森に入ったんだが、彼女は噛みついてきたよ。イヌたちは森に関わりたくないんだ。外をまわって、屋敷にもどるつもりなんだろう」

わたしたちはイヌをその場に残し、日暮れ時の光がどんどん弱まっていくなかで、道をたどりはじめた。ふつうなら、気味の悪い感じというのは、連れがいれば消えるものだ。ところが、いまのわたしからすると、ヒューと肩を並べて歩いているにもかかわらず、この場所は昼下がりよりもいっそう不気味に思えた。耐えがたい不安が膨れあがり、目覚めながら見る悪夢と化し、わたしに取りついた。さきほどは、静寂と孤独が神経をおかしくさせたのだと思った。だが、いまはヒューといっしょにいるのだから、そんなはずはない。それどころか、そんなあやふやな考えが、この恐れの根本にあるとは思えなかった。そこにあるのは、むしろ確信だ。なんらかの存在がここに潜んでおり、まだ目には見えないが、深まりゆく薄闇に充満している。それがなんなのか、物質的なものなのか、幽霊めいたものなのか、わたしには見当もつかなかった。自分の体感から判断するかぎり、そいつは邪悪で古々しいものだった。

森の中央の開けた場所にやってくると、ヒューは足を止めた。涼しい夕べだったが、彼が額をぬぐうのに気づいた。

「まったくいやな場所だ」彼は言った。「イヌが避けるのも無理ないね。きみはどう思う？」

わたしが答える間もなく、彼はだしぬけに手を伸ばし、向こうに広がる森を指した。

「あれはなんだ？」ささやき声で言った。

彼が指すほうに目をやると、半秒ほど、気のせいかもしれないが、黒々とした木々を背にして、なにかがおぼろげにちらついたようだった。灰色にも見えたし、かすかに光を放っているようでもあった。そいつはのたくっていて、あたかも大蛇の頭と前部であるかのごとく、鎌首をもたげていたが、すぐに消えてしまった。わたしが見たのはほんの一瞬だったので、自分が受けた印象を信じられなかった。

「いなくなった」ヒューは言った。いまだに指さしたほうを見ている。そうして立ち尽くしていると、またしても、昼下がりに耳にしたものが聞こえた。ブナの落ち葉がこすれる音だ。だが、風は吹いていないし、大気はそよとも動かない。

彼はわたしのほうを向いた。

「いったいなんだったんだろう」と言った。「ばかでかいナメクジが立ちあがったみたいだった。きみも見たか？」

「見たのか見なかったのか、自分でもわからんよ」とわたしは言った。「きみが見たやつをちらりと目にしただけだろう」

「それにしても、いったいなんだったんだろう」彼はまた言った。「ただの物質的な生き物だったのか、それとも――」

「幽霊みたいなやつか？」わたしは訊いた。

「その中間のものかもしれん」彼は言った。「詳しくはあとで話そう。この場所を出てからな」

あのなにかは、正体がなんであれ、すでに木々の合間に消えていた。わたしたちの通り道から見て左側だ。無言のまま、わたしたちは空き地を歩いていき、やがて道が森に入って、トンネルと化しているところにやってきた。正直に言うと、あの暗闇を通り抜けるなんて、考えるのもいやだったし、不安でならなかった。なにしろ、そう遠くないところに、得体の知れぬものがいるとわかっているのだ。その性質については憶測することさえかなわない。だが、そいつこそは、いまなら断言できるが、森を名状しがたい恐怖で満たしているものなのだ。物質的なものなのか、霊的なものなのか、それとも（ここで、ヒューの言わんとしたことがおぼろげながら理解されてきた）両者の境界線上に位置する存在なのか？　あらゆる不穏な可能性のなかでも、これはとりわけ禍々しく思えた。

再び森に入ると、わたしはあの悪臭に気づいた。生きながら腐っているにおいで、前にも嗅いだが、今回ははるかに強かった。わたしたちは足を速めた。臭気で息が詰まりそうだった。そこで考えたのだが、これは朽ち果てて腐敗するにおいではなく、這いずり、鎌首をもたげたなにものかの生理的な発散物ではないのか。鳥の住まぬ森の暗闇に潜むなにものかの体臭ではないのか。森のどこかに、この陰険ななにかが潜伏しているのだ。そんな生命体がいるとはとても信じられないが、信じざるをえなかった。

心の底から安堵したことに、薄暗いトンネルを出ると、開けた空間の健全な空気と、日暮れ時の澄んだ光に包まれた。屋敷に帰着すると、窓のカーテンは閉めてあり、ランプがともされていた。霜が降りそうだったので、ヒューは自室の暖炉にマッチを入れた。その部屋にはイヌたちもいて、いまだに少し申し訳なさそうだったが、ものうげに尻尾をふって、わたしたちを迎えてくれた。

「さて、話しあわねばならないな」と彼は言った。「計画を練ろう。森にいるのがなんであれ、そいつを倒さなければ。だから、ぼくの考えを聞く気があるなら、話してあげるよ」

「そうしてくれ」わたしは言った。

「ひょっとすると、笑われるかもしれないが」彼は言った。「あいつは四大の精*だと思う。物質と幽霊の中間の存在だと言ったのは、そういう意味だ。あれを一瞬でも見たのは、さっきがはじめてだった。なにかおぞましいものがいるとは感じていたんだけどね。でも、実際に見てみたら、あいつは、心霊主義者やらその手の輩が四大の精と呼ぶものにそっくりだった。巨大な燐光を放つナメクジだと連中は言っているじゃないか。自由自在に闇で体を覆い隠せるのだと」

どういうわけか、安全な屋敷に入り、明るく、暖かい部屋にいると、その説はただ奇怪としか思えなかった。外の快からぬ森の暗闇にいたときは、心中でおののいていたし、どんなに恐ろしいものでも信じるにやぶさかではなかったが、いまでは常識が反乱を起こしていた。

「まさか、そんなたわごとを信じているだなんて言わないだろうな」わたしは言った。「あれは一角獣だったと言うようなものだぞ。そもそも、四大の精とはなんだ？　それを見た連中は、暗がりでなにかたたく音を聞いて、あれはわたしのおばなんですと宣《のたま》う類の人間だろう？」

「それじゃあ、あれはなにものなんだ？」彼は訊いた。

「わたしたちは神経が過敏になっていたんだと思う」わたしは言った。「正直に言うと、はじめて森を通ったときにもぞっとしたんだ。きみといっしょに通ったときはもっとひどかった。でも、それはただの神経過敏だよ。きみもわたしも勝手に怖くなって、お互いを怖がらせていたのさ」

「だったら、イヌも勝手に怖くなって、お互いを怖がらせていたのか？」彼は問うた。「鳥もそうか？」

思いがけず答えにくい質問だった。実のところ、お手上げだった。

ヒューは話をつづけた。

「まあいい。とりあえず、こう仮定しよう。なにかぼくら以外のものが、ぼくらやイヌや鳥を怖がらせたとする」彼は言った。「そしてぼくらは、たしかに、燐光を発する巨大なナメクジを見たとする。四大の精とは呼ばないことにしよう。きみが反対ならね。ただ〈そいつ〉と呼ぶことにする。ほかにも、〈そいつ〉が存在するとしたら、説明できることがあるんだ」

四大の精　地・火・風・水の四元素をそれぞれ司る精霊。スイスの錬金術師パラケルスス（一四九三―一五四一）が提唱した。

「どんなことかな」わたしは訊いた。

「なんというか、そいつは邪悪の化身じゃないかと思うんだ。悪魔が具現化した姿だ。霊的なだけじゃなく、ある程度は物質的でもあるから、かたちあるものとして体が見えるし、それが立てる音も聞こえるし、きみも気づいた通り、においもする。そして、とんでもないことだが、対処もできる。そいつが生きつづけるには養分が必要だ。だからこそ、ここに来てから毎日、さっきのぼった丸山では、ウサギの死骸が五、六羽も見つかるんだ」

「オコジョとかイタチの仕業だろう」わたしは言った。

「いや、オコジョやイタチではない。やつらは殺した獲物を食べるからな。ウサギの死骸は食われていなかった。飲み干されていたんだ」

「どういう意味だ?」わたしは訊いた。

「何羽か調べてみたんだ。のどに小さな穴がひとつだけ開いていて、血は吸いつくされていた。皮と骨だけだった。それと、灰色のどろどろした繊維みたいなものもあって、まるで——まるで、汁を搾《しぼ》り取ったオレンジの繊維みたいだった。しかも、鼻が曲がりそうなにおいもしみついていた。それに、きみがちらっと見たものは、オコジョとかイタチに似ていたかい?」

扉の取っ手が音を立てた。

「デイジーにはなにも言うな」ヒューが言うと、彼女が入ってきた。

「帰ってきたのが聞こえたのよ」彼女は言った。「どこに行ったの?」

「地所をぐるっとまわってきた」わたしは言った。「で、森を通って帰ってきたんだ。あそこは妙だね。

鳥が一羽も見当たらなかった。まあ、暗くなっているせいもあるだろうけど」

彼女の目がヒューの目を探るのが見えたが、彼女はなにも読み取れなかった。わたしの推測だが、彼は翌日、〈そいつ〉になんらかの攻撃をしかける計画を立てていた。なにかが進行中だと気取られたくなかったのだろう。

「あの森は好かれてないんだ」彼は言った。「鳥はあそこに行こうとしないし、イヌも行こうとしないし、デイジーも行こうとしない。白状すると、ぼくもそれには共感しているがね、暗いときにその恐怖を耐え抜いたおかげで、呪縛を破れたよ」

「どこも静かだったでしょう?」彼女が訊いた。

「静かなんてもんじゃない。ものすごく小さな針を半マイル先で落としても、その音が聞こえそうなほどだった」

その夜、わたしたちは計画を練った。彼女は上階にあがって、寝床に入っていた。ヒューから聞かされた、血を吸われたウサギの話には、思わず身の毛がよだった。そうした抜け殻と化した動物と、わたしたちが目撃したものに確固たるつながりはないものの、関係があってもまったくおかしくないように思えた。だが、なんであれ、彼が指摘した通り、そうしてえさを食べられるからには、当然、物質的なところがないわけではないのだ——幽霊は晩餐をとらないし、物質的なら弱点もあるだろう。

そういうわけで、わたしたちの計画はとても単純だった。森にわけいり、歩いていくのだ。ちょうど、カブ畑でヤマウズラを追い詰めるような具合だ。ふたりとも散弾銃と弾薬を携えていく。いまにしてみると、その探検を楽しみにしていたとは言えない。というのも、考えるだけでいやなことだったが、あの謎めいた森の居住者にさらに近づかねばならないのだ。だが、その考えはいくぶん刺激的だったので、わたしはしばらく寝つけなかった。眠りについても、ひどく生々しく、恐ろしい夢を見るはめになった。

朝の様子からすると、晴れた夕暮れは期待できなかった。空には雲が低く垂れこめており、こぬか雨が降っていた。デイジーは買い物の用事があったので、町へ出かけた。彼女が出発するとともに、わたしたちは仕事に取りかかった。薄茶のレトリーバーは、銃を目にしてはしゃぎまわっており、いっしょに庭をわたるところまでは跳ねまわっていたが、わたしたちが森に入ると、こっそり屋敷にもどっていった。

森はおおまかに円形をなしており、直径は半マイルほどだった。中心には、すでに述べた通り、差しわたし約四分の一マイルの空き地がある。まわりには木や低木が帯状に生い茂っており、その幅は百ヤードくらいだ。わたしたちの計画では、まず森を抜ける道をいっしょに進む。できるだけ足を忍ばせて、あわよくば、わたしたちの探し求めるものが動く音を聞き取るつもりだった。それがうまくいかなかったら、森にわけいって、互いに五十ヤードほどの距離を保ちながら、円を描いて進む。こうして二回か三回まわれば、全体を隈なく探れるだろう。探索目標の性質については、身を隠そうとするのか、それとも攻撃してくるのか、見当もつかなかった。もっとも、昨日はわたしたちを避けているように思えた。

ここ一時間ほど、雨は絶え間なく降っていたが、わたしたちは森に入った。頭上の梢では、雨粒がさあっとかすかな音を立てている。だが、葉があまりに厚く茂っているので、その下の地面はまだ湿っている程度だった。森の外は暗い朝だった。ここでは、太陽はとっくに沈んで、夜が迫っているといってもいいくらいだ。とても静かに、わたしたちは草の生えた細道を進んだ。足はまったく音を立てなかった。一度、あの生ける腐臭がかすかににおった。だが、立ち止まって、耳を澄ましても、なんの音もせず、雨のこすれるような音が頭上で聞こえるだけだった。わたしたちは空き地を横断し、反対側の門を出たが、やはりなんの痕跡もなかった。

「では、森に踏みこむとするか」ヒューが言った。「あのにおいがした場所からはじめたほうがいい」

わたしたちはその地点に引き返した。空き地を囲む木々のおおよそ真ん中にあたっていた。においはまだ残っていて、凪いだ空気に漂っていた。

「五十ヤード離れるぞ」彼は言った。「それから踏みこむ。どちらかがやつの手がかりをつかんだら、もう一方に叫ぶことにしよう」

わたしは細道を進み、決めた通りの距離を取ると、彼に合図した。わたしたちは森にわけいった。

これほどのまったき孤独感は経験したことがなかった。ヒューがわたしと平行に歩いていて、ほんの五十ヤード先にいるのはわかっていた。足を止めれば、彼がブナの落ち葉を踏んで歩くのが遠くに聞こえるだろう。それでも、わたしの印象では、この薄暗い場所に隔離されて、人間とのつながりをすべて絶たれたかのようだった。ここに潜む唯一の生命は、あの途方もない、謎めいた邪悪の化身だけなのだ。木々があまりに密生しているので、どの方向も十数ヤード先までしか見えなかった。森の外の場所は、どこも無限の彼方にあるような気がした。同様に無限に遠く思えたのは、普通の人間らしい生活でわたしの身に起きた、あらゆる出来事だった。わたしは、そうした健全な体験すべてから引き離されて、この太古の邪悪な場所に放りこまれたのだ。雨はやんでいたので、もはや梢でささやいてはおらず、外に世界と空が存在すると証明するものもなくなってしまった。水滴がほんの数粒だけ落ちてきて、ブナの葉を軽くたたいた。

突然、ヒューの銃の発砲音が聞こえた。そのあとに彼の叫び声がした。

「逃した」彼は叫んだ。「そっちに行ったぞ」

彼が走ってくるのが聞こえ、ブナの葉のこすれる音がした。まちがいなく、彼の足音がもっとひそやかな物音をかき消してしまったのだ。その音はすぐそばに迫っていた。こうした出来事が起きてから、もう一度ヒューが発砲する音を聞いたが、いまにして思えば、すべては一分もしないうちの出来事だった。それ以上かかっていたら、こうして語ってはいないだろう。

そのとき、わたしは立ち尽くしていた。ヒューの叫び声を聞いて、銃の撃鉄を起こし、いつでも肩にあてられるようにした。彼が走ってくる足音に耳を傾けた。だが、いまだに撃つべき目標は見当たらず、なんの音も聞こえなかった。すると、二本のブナの木の間、わたしのすぐ近くに、なにかが見えた。暗闇の球体としか形容できないものだ。そいつはものすごい速さで転がってきて、一気に数ヤードの距離をつめた。ここに至って、遅ればせながら、その下でブナの枯葉がこすれるのを聞いた。そいつに触れる寸前、わたしの脳はその正体を、あるいは正体らしきものを悟ったが、銃を構えてその虚無を撃つひまもなく、そいつは飛びかかってきた。銃が手からもぎ取られ、わたしは暗黒に包まれた。この闇は、まさしく腐敗そのものだった。そいつに足を払われて、わたしは仰向けに倒れた。そうしていると、体の上に、この不可視の襲撃者の重みを感じた。

必死で手探りすると、冷たくてべとつく、毛むくじゃらのなにかをつかんだ。それらが手から滑り抜けると、次の瞬間、肩と首の間になにかがのしかかってきた。ゴムの管に似た感触だ。それの一端が蛇のようにわたしの首に巻きつき、その下で皮膚が持ちあがるのを感じた。もう一度、両手でつかみかかり、このいやらしい強敵を引き離そうとした。そいつと格闘していると、すぐ近くでヒューの足音がした。すべてを覆う闇の帳《とばり》の向こうから聞こえる。

口はふさがれていなかったので、わたしは彼に叫んだ。

「おい、こっちだ！」と声を張りあげた。「すぐ近くだ。いちばん暗いところにいる」

彼がわたしの手に触れるのを感じた。力を貸してもらったおかげで、首にくっつき、吸いついていたそいつを引きはがせた。それはとぐろを巻き、両脚から胸にかけてのしかかり、のたくり、もがき、おとなしくなった。わたしたちが四つの手で押さえていたのがなんであれ、そいつは抜け出してしまった。ふと見ると、ヒューがそばに立っていた。一ヤードか二ヤード向こうには、ブナの幹にまぎれて遠ざかってゆく、あの暗闇があった。さきほどわたしを包みこんだ闇だ。ヒューが銃を構え、第二の銃身が火を噴いた。

闇が散りぢりになった。そこにはわたしたちの探していたものが、巨大な芋虫のように、もがき、身をよじらせながら、横たわっていた。まだ生きていたので、わたしは脇に落ちていた自分の銃を拾いあげ、さらに二発撃ちこみ、両方の銃身を空にした。もがく動きはだんだんと小さくなって、ただの震えとなり、やがて静かになった。

ヒューの手を借りて、わたしは立ちあがった。いっしょに弾《たま》を再装填してから近づいた。地面に横たわっていたのは、奇怪な物体で、ナメクジと芋虫の合いの子のようだった。頭部はなく、先端は丸みを帯びており、開口部がひとつある。灰色をしていて、まばらに黒い毛が生えている。長さは四フィートくらいだったろうか。いちばん太いところで男の太ももくらいあり、両端へいくにつれて細くなっている。銃撃を受けて、体の真ん中は粉砕されていた。流れ弾がほかの箇所にも命中しており、そこからにじみ出ているのは、血液ではなく、粘性の高い、灰色の物質だった。

わたしたちがそこにいた間にも、分解と腐乱が急速に進んでいった。そいつは外形を失い、溶け、液化した。一分後、わたしたちの目の前にあったのは、しみがついて汚染された、ブナの落ち葉の山だけだった。やはり、たちまちのうちに、腐った液体も消えていき、わたしたちの足元には、さきほどまでいたものの痕跡は微塵《みじん》も残っていなかった。すさまじいにおいもなくなっていた。地面からは、春の湿った大地の甘い芳香だけが立ちのぼっており、頭上からは、ひと筋のきらめく陽光が雲を貫いて射しこんだ。そのとき、突然、枯葉を踏む軽い足音がして、またしても心臓が口まで飛び出した。わたしは撃鉄を起こした。だが、それはヒューの薄茶色のレトリーバーだった。途中までついてきたあのイヌだ。

わたしたちは顔を見かわした。

「けがはないか？」彼は言った。

わたしは顎をあげた。

「ちっとも」わたしは言った。「肌も大丈夫だろ？」

「ああ。丸い痕が赤く残っているだけだ。やれやれ、あれはなんだったんだ？　なにが起きた？」

「きみから話せよ」わたしは言ってやった。「はじめからな」

「あいつにはいきなり出くわしたんだ」彼は言った。「とぐろを巻いていたよ。寝ているイヌみたいな具合で、大きなブナの木のうしろにいた。撃つ余裕もないうちに、あいつは逃げ出した。それもきみがいる方角に向かったんだ。木にまぎれるところをとっさに撃ったが、たぶん外したんだろう。かさこそ逃げていくのが聞こえたからね。だから、きみに叫んで、あとを追った。そうしたら、地面には見通せぬ丸い闇があって、真ん中からきみの声がしていた。きみの姿はまったく見えなかったが、闇につかみかかったら、きみの手に触れたんだ。まあ、ほかのものにも触れたがね」

わたしたちが屋敷にもどり、銃をしまったあとで、デイジーが買い物から帰ってきた。その前に、わたしたちは汚れをこすり落とし、ブラシでほこりを払い、体を洗っておいた。彼女は喫煙室に入ってきた。

「怠け者ねえ」彼女は言った。「すっかり晴れているのに、なんで家のなかにいるのよ。いまから出かけましょう」

わたしは立ちあがった。

「ヒューから聞いたけど、森がきらいなんだってね」わたしは言った。「でも、あそこはすてきな森じゃないか。ちょっと見に行こうよ。こいつとわたしがきみの両側を固めて、手も握ってあげよう。イヌたちも守ってくれるぞ」

「でも、イヌは一ヤードだって森に入りたがらないわ」彼女は言った。

「いやいや、そんなことはない。とりあえず、試すだけ試してみよう。イヌが入ったら、きみも来なくちゃだめだぞ」

ヒューが口笛を吹いてイヌを集め、わたしたちは門へ向かった。イヌたちはお座りをして、息を切らしながら門が開くのを待っていた。それから藪のなかへ突進し、興味をひかれたにおいを追っていった。

「森に鳥がいないなんて言っているのは、どこのだれかしら?」デイジーは言った。「あのコマドリを見て! あら、二羽もいるわ。家探しに来たのね」

アムンセンのテント

ジョン・マーティン・リーイ
森沢くみ子 訳

In Amundsen's Tent
by John Martin Leahy

〝テントの中の小さな袋に、自分が成し遂げたことをお伝えする国王陛下宛の親書を入れてきた……この親書とは別に、テントの最初の発見者となるにちがいないスコット隊長へ短い手紙もしたためた〟

アムンセン隊長*『南極点』より

〝当方のキャンプ地から二マイル、すなわち、極点から一マイル半ばかり離れた地点に立つこのテントに到着したところである。テント内には、以下五名のノルウェー人が同所にいたとの記録があった。

ローアル・アムンセン
オラヴ・オラヴセン・ビョーラン
ヘルメル・ハンセン
スヴェレ・ハッセル

オスカル・ヴィスティング

一九一一年十二月十六日

私は、仲間とともにテントを訪れたとのメモを残した〟

スコット＊隊長『最後の日記』より

＊　＊　＊　＊　＊

「旅人は」リチャード・A・プロクター＊は述べている。「にわかには信じられないような話をするものだと言われることがある。しかしながら、旅人が語る摩訶《まか》不思議な話のじつに九割が、根拠に基づくものであることは注目に値する」

むろん、ロバート・ドラムゴールドほど驚異に満ちた体験を書き記した旅人はいないにちがいない。

アムンセン　ノルウェーの探検家ローアル・アムンセン（一八七二―一九二八）。一九一一年、人類史上初めての南極点到達に成功。

スコット　イギリスの海軍軍人ロバート・スコット（一八六八―一九一二）。一九一〇年にテラノバ号で南極に遠征、南極点を目指すもアムンセン隊に先を越された。帰途に遭難。

リチャード・A・プロクター　イギリスの天文学者（一八三七―八八）。一八六七年に火星の地図を作製。

私は長年にわたって伏せてきた彼の手記の一部を、不運な探検家の霊に謹んで謝罪するとともに、ようやく世間に公表することにした。とはいえ、正直なところ、イーストマンとダールストロームと私の三人は、この内容を、精神に異常をきたしたドラムゴールドが書き散らしたものだと考えていた。不安に満ちた苦難の日々を送り、しだいに近づいてくる逃れられない運命に恐怖する中で、彼の心が壊れてしまったとしても、無理もないことだと。

南極点に到達した探検隊のうち、最後まで生き残っていたドラムゴールドのもとへ来た生物（生物としたらだが）はいったい何だったのだろう。いったい何がテントに入り込み、ドラムゴールドの頭部だけ残して出ていったのか。

当時の私たちは――いや、最近まで――ドラムゴールドは自分の橇犬《そりいぬ》たちに襲われて、喰い尽くされたのだろうと推測していた。もっとも、頭部の肉が喰いちぎられていなかったことについては、まったくの謎だった。とはいえ、数多い不可解な謎の一つにすぎなかった。

だが、今の私たちは、ドラムゴールドの終焉の地となった荒涼たる氷の大地が、明るく心地よい、花の咲き乱れる熱帯地域から遠く離れているように、この推測が真実とはかけ離れたものであるとわかっている――つまり、確信している。

そう、私たちは気の毒なロバート・ドラムゴールドは正気を失ったと決め込み、アムンセンのテントでの慄然とする出来事も、彼をテントまで追ってきた生物のことも――すべては異常な精神状態が見せたものにすぎないと考えていた。それで、ドラムゴールドの手記のうち、こうした部分は伏せておいたのだ。異様きわまりない内容を公にすれば、サザーランド探検隊があげた本来の功績が疑問視されかねないと懸念したからだ。

しかしながら、最近になって、私たちの考えや意見は〝変身〟としか言いようのない変化を遂げた。この変化は、言うまでもなく、ダーウィン・フロンテナックが行った調査で裏づけられ、さらに詳細がもたらされた、故スタンリー・リヴィングストン隊長による南極大陸での驚くべき発見の数々を受けてのものだ。探検から戻ってきたリヴィングストン隊長が、世間から疑惑や嘲笑を受けたせいで、二人——ダーウィン・フロンテナックとボンド・マックエスチョン——を除けば、いかなる人物からも、最大の発見をひた隠しにしていたことを、私たちは今になって知った。だが、フロンテナックが戻ってきたことで、星回りの悪い隊長による発見がどれほど珍奇で驚嘆すべきものばかりだったのかを悟ったのだ。

とはいえ、ダーウィン・フロンテナックによる探検が成功をおさめたにもかかわらず、南極における謎は失われるどころか、かえって深まったと認めざるをえない。フロンテナックとその一行は多くのものを見てきたが、彼らが目にしていないものや存在があることを私たちは知っている。こうして、南極——というより、その一部——は、突如として、この地球上で最も興味深く、それでいてまちがいなくどこよりも恐ろしい地域となったのだ。

つまり、旅人が語った——いや、厳密に言えば、部分的に語った——摩訶不思議な話がまた一つ裏づけられたのだ。そこでイーストマンと私は、ほかの話——ロマン派の作家なら一度は思い描くような、不気味で、恐怖に満ちた話——を確かめたいとの願いを胸に、ふたたび南極へ向かう準備にとりかかったのだった。

そしてなんと、あの発見をしたのが、ほかでもないイーストマンとダールストロームと私だったのだ！　そうとも、テントに入って、ロバート・ドラムゴールドの頭部と、謎と恐怖に満ちた文面が走り書きされた手帳を見つけたのは、私たちだった。手記があった、まさにその場所に立っていながら、正気を失った男の妄想が生んだ、何の根拠もない話だと考えたとは！

当時のことが一つ残らずありありと思い出される――南極の容赦ない日射しを受けて、ぎらぎらと目も眩《くら》むばかりに輝く白銀の世界。引き具をつけて懸命に走る橇犬《そりいぬ》たち。橇に載せた、棺のような長く黒い箱。私たちが橇犬を急停止させたのは、わが探検隊の隊長であるイーストマンがだしぬけに橇を止めて、指をさしながら、「おい、あれは何だ？」と言ったからだった。

まばゆく輝く白い平原の、半マイルかそこら先の左手に何かがあった。

「氷河から露出した岩峰《ヌナタク》だろう」私は答えた。

「石塚《ケルン》かテントのように見えるが」とダールストローム。

「いったいどうやったら」私は問い返した。「南緯八十七度三十分のこんな場所にテントが張れる？　アムンセンやスコットがとったルートからも遠く離れているぞ」

「ふうむ」イーストマンがもっとよく見ようと、琥珀色のサングラスを額に押し上げた。「どうかな。いやはや、ネルス」彼はダールストロームにちらりと目をやって、付け足した。「たぶん君の言うとおりだ」

「まちがいないさ」ダールストロームはうなずいた。「僕にはケルンかテントのように見える。ヌナタクとは思えないな」

「とにかく」と私。「それを証明するのは難しいことじゃないだろう」

「そうとも、わが友」イーストマンは大声をあげた。「これからみんなで確かめに行こう！　あれが何か、すぐにわかるさ――ケルンかテントか、はたまたヌナタクにすぎないのか」

私たちはたちまち行動に移り、雪と氷におおわれた変わることのない荒涼とした地にぽつんと立つ、正体のはっきりしないものに向かって進んでいった。

「ほら、見ろ！」突然、先頭に立っていたイーストマンが叫んだ。「見えるか？　テントだ！」

やがて、私も紛れもなくテントだとわかった。だが、誰があんなところにテントを張ったのだろう？中に何があるのか？

近づいていきながら私たちの心に浮かんだ考えや感情はとうてい説明できない。テントの周辺には雪が四フィートは積もっていた。そばに、一本の破損したスキー板が雪から突き出ている――ほかには、何もなかった。

あるのは静けさ！　大気も微動だにしない。聞こえるのは、私たちが立てる音だけだ。犬の鳴き声や私たちの息遣い以外、恐ろしい死の静寂を破るものはなかった。

「気の毒な連中だ！」だいぶ経ってから、イーストマンが口を開いた。「ただ、テントは上手に張ってあるな」

テントは中央に据えられた一本の棹で支えられていた。この棹に三本の張り綱が結びつけられ、そのうちの一本は杭が氷に打ち込まれたばかりのようにぴんと張っている。張り綱だけではなかった。六本かそれ以上の紐が、テントの縁に結びつけられている。いつ設置されたテントかわからないが、この極寒の地に吹きすさぶ強烈な風にも懸命に耐えていた。

ダールストロームと私は鋤《すき》を手に、雪をかきはじめた。見つけたテントの入口は紐で閉じられていなかったが、手前に二つの食糧箱（空っぽだ）と一枚の帆布があって、完全に塞がれていた。

「いったい何だって」私は思わず叫んだ。「こんなものが入口にあるんだ？」

「風のせいさ」ダールストロームが答えた。「それに、入口が塞がれていなかったら、テントだって無事じゃなかっただろう。風に引き裂かれて、とっくにバラバラになってるよ」

「ふうむ」イーストマンは考え込んだ。「風が——こんなふうに入口を塞いだと言うのか、ネルス？どうだろうな」

そう言った次の瞬間には、私たちは障害物を取り除いていた。私は入口から頭を差し入れた。意外にも、雪はほとんど吹き込んでいなかった。暗緑色のテント地越しに入ってくる光のせいで、内部はどこかこの世のものではないような、不気味な気配をたたえていた——いや、私の想像力がそう感じさせたのかもしれない。

「何が見える、ビル？」イーストマンが尋ねた。「中に何がある？」

私は答える代わりに悲鳴をあげ、たちまち入口から飛び退いていた。

「どうした、ビル？」イーストマンが叫んだ。「いったい何だというんだ？」

「頭だ！」私はイーストマンに訴えた。

「頭とは？」

「人間の頭があるんだ！」

イーストマンとダールストロームは身をかがめて、テントの中をのぞき込んだ。「こいつはどういうことだ？」イーストマンは大声をあげた。「ちぎりとられた人間の頭部だ！」

ダールストロームは手袋《ミトン》をはめた手でゴシゴシと目をこすった。「僕たちは夢を見ているのか？」叫ぶように言う。

「夢じゃない、ネルス」イーストマンが答えた。「夢だったら、どんなによかったことか。頭部とは！それも、人間の頭部とは！」

「ほかには何もなかっただろうか？」私は訊いた。

「何もない。首から下の身体も、肉がそがれた骨もない——あるのは、ちぎりとられた頭部だけだ。犬なら——！」

「何だ？」ダールストロームが問い返す。

「犬ならこんなことができるだろうか？」

「犬だって！」とダールストローム。「犬のしわざなんかじゃない」

私たちはテントの中へ入って、不気味な遺体の一部を見つめた。

「犬なんかじゃない」ダールストロームが言う。

「犬じゃない？」イーストマンが聞き返す。「では、ほかにどんな説明がつく——人喰い《カニバリズム》を除けば？」

カニバリズム！　私は慄然とした。だが、そのときまで雪深く埋もれていた橇にかなりな量の干し肉の保存食《ペミカン》とビスケットを発見したとたん、おぞましい仮説は事実ではなかったと悟ったのだった。

やっぱり犬だ！　そう、犬なら説明がつく――犠牲者本人がまるで異なる話を書き残していてもだ。そうとも、探検家は自分たちの橇犬に襲われて喰われたのだ。とはいえ、この説には難点があった。どうして犬たちはあの頭部――今思い出しても魂まで震えてしまいそうな、恐怖に凍りついた表情とすくんだ目（碧い目だった）――を残していったのか。どうして首は胴体からちぎりとられたと見えるのに、歯の跡が一つも残っていないのか。もっとも、ダールストロームの見解は、頭部は切断されたというものだった。

さらに、この犠牲者――ロバート・ドラムゴールドが書き残した内容に、新たな謎――彼の頭部がここにあるということに勝るとも劣らない解明不可能な（それが真実だとすれば）――を発見した。彼の手帳には、鉛筆で走り書きされたページがあった。だが、その文面をどう考えればいいのだろうか？なにしろ、手帳の最後の数ページに書かれていたのは、あまりにも異様で恐怖に満ち満ちた内容だったからだ。

ともあれ、私たちが考えたことや、疑問を抱いたことを書き連ねるのは、もうじゅうぶんだろう。当の手記が目の前にあるのだから、ここからはロバート・ドラムゴールド自身の言葉を記していくことにする。一字一句、句読点にいたるまで、いっさい手は加えない。

では、一月三日の夜――ドラムゴールドの一行が極点からほんの十五マイル（赤道の経度一分の長さである地理マイル換算で）の地点に到達した日――の記録から始めよう。

以下のとおりである。

一月三日。キャンプの設営地は、南緯八十九度四十五分十秒。あとわずか十五マイルで極点はわが探検隊のものだ――アムンセン隊かスコット隊が、はたまた双方が先に到達していなければだが。しかしながら、発見の栄誉は他者のものとなっても、われわれもまた極点にたどり着くだろう。さて、その地で何を見つけることになるだろうか。

みな意気揚々としている。橇犬たちでさえ、これが何らかの偉業を成し遂げるものだとわかってでもいるかのようだ。それにしても、今日この地域に入ってから、犬たちはいったい何に関心を示しているのだろう。橇を止めると、どの犬も南にひたと視線を据えて、ときには鼻を小さく鳴らしていた。あれはどういうわけなのか。

そう、みな元気いっぱいだ――三人の人間だけでなく犬たちも。幸先がいいことばかりだ。この三日というもの晴天続きで、気温もマイナス五度より下がったためしがない。こうして書いている今も、温度計は一度を示している。画家が夢想するような色合いの青い空を背景に、スミレ色に染まる影のかかった雲がそびえ立っており、その美しさはとうてい言い表せないほどだ。われわれと恐ろしい死を隔てているのは、橇に積んだ乏しい食料だけという事実を無視できるなら、妖精の国のようなもの――純白と紺碧とスミレ色に満たされた夢のような世界にいると考えることもできただろう。

妖精の国？　どうして幾度となくこの連想がはたらくのだろうか。どうしてややもするとこの荒涼とした最果ての地を妖精の国にたとえてしまうのか。恐ろしいからか？　そうだ、人間にとって妖精の国は恐ろしい――言葉にできないくらいの恐怖に満ちた世界だ。だが、人間にはとてつもなく怖いところであっても、実際にはそうではないかもしれない。結局のところ、ありとあらゆるものは、宇宙は言うまでもなく、この地球でさえも、人間――この熱狂と憎悪に駆られ、疑惑や悪意や渇望のただなかに身を置き、あまたの欲望が渦巻く泥沼であがいている存在（サルめいた肉体をまとう神にも似た魂）のためにつくられているのだろうか？　つまり、このわれわれの地球上にさえ、人間よりずっとすばらしく――そして、ずっと恐ろしくもあるほかの存在はないのだろうか。

この雪と氷の広漠とした地で、私は一度ならず、そうした存在――様子をうかがっている、実態のない、名状しがたい存在の気配を周辺に感じたように思う。

それで、アメリカの著名な地質学者であるアレクサンダー・ウィンチェル*の一風変わった主張を繰り返し思い出した。

〝実体化した知的存在には、温かな血液も、その存在を構成している成分の状態を維持する体温も必要ではない。食べて飲んで、それらを身体の一部とし、子孫を残すという一連の活動をしないものだと考えれば、知的存在が形を持つ可能性はある。そうした存在なら、日々の食物も暖かさも求めることはないだろう。深海に身を潜めたり、極地でブリザードが吹きすさぶ荒々しい断崖の上にへばりついたり、火山の中に百年間もぐっていたりしても、意識と思考を保っているかもしれない〟

このウィンチェルの持論はどれもありえないことではなく、さらに彼はこうも付け加えている。

〝肉体とは、どこにでもある物質や力を特定のものに変える知的存在の、当座の容れ物にすぎないのだ〟

ところで、私がときおりその気配を感じたように思う、こうした名状しがたい存在は――慈悲深い存在だろうか、それとも、人間の脳が生み出せる狂気をも超える恐ろしい存在だろうか。

このくらいでやめなければ。ここに書き記したことをサザーランドかトラバースに読まれでもしたら、どちらかは、いや、どちらも、私が理性を失っていると思うか、すでに私は頭のネジが飛んでいると断じるだろう。それでも、空の上に天国が存在するのと同じくらい、この恐怖の大地がわれわれ三人と橇犬たち以外の存在——目には見えないが、こちらの様子をうかがっている——を認識していると、私は本気で信じているところがある。

もう、ここまでにしよう。

極点まであとたった十五マイル。ひと眠りして、朝には目標地点に向かうのだ。朝とは！　この地に朝はなく、昼間が際限なく続くというのに。太陽は、真夜中の今でも、真昼と変わらないくらい高い位置にある。たしかに、高度は変化するが、計器で測らなければわからないほどでしかない。

それはともかく、極点だ！　明日は極点！　われわれを待っているものは何であろうか。どこまでも広がる白銀の世界か、それとも——？

一月四日。今日、出くわしてしまった謎と恐怖——ああ、どう書き表せばよいのだろうか。経験したばかりの出来事があまりに恐ろしくて、何もかも夢にすぎなかったのではないかと思うことさえある。夢か！　夢だったらどれほどどいいだろう！　だが、結局のところ——そうした考えは頭から追い

アレクサンダー・ウィンチェル　アメリカの地質学者、古生物学者（一八二四—九一）。有神論的進化論の擁護者。

出すしかない。

出発したのは、早い時間帯だった。天気はこれまでにもまして上々。空は、画家を忘我の境地にさせそうな底抜けの青さで、層をなす雲はたとえようもなく美しく、壮大だ。とはいえ、橇を進めるのはかなり骨が折れた。見渡すかぎり、単調で起伏に乏しい雪原が広がっている。この雪原に人間が足を踏み入れるのは初めてなのだろうか？　やがて、計器が極点へ近づいていることを示したとき、その答えがわかった。それからまもなく、トラバースの何ものも見逃さない目が、まばゆいばかりに輝く白い雪の上に立っているものを見つけたのだった。

すぐさま、サザーランドがサングラスを額に押し上げて、双眼鏡を目に当てた。

「ケルンだ！」大きく叫んだサザーランドの声はうつろで、ひどく奇妙に響いた。「ケルンか――テントだ。みんな、連中に先を越されたぞ！」

望遠鏡をトラバースに手渡したサザーランドは、いっきに疲労感に襲われたかのように、橇に積んだ食糧箱に寄りかかった。「出し抜かれた！　やられたのだ！」

私は、失意に打ちひしがれている、わが探検隊の勇敢な隊長が気の毒でならなかったが、どうにもかける言葉が見つからなかった。それで、何も言わずにいた。

そのとき、太陽に雲がかかって、われわれのいるあたりは急に深々とした不気味な薄闇に包まれた。あまりにも突然で劇的な変化に、みな興味をそそられながらも訝しげに周囲へ目を凝らした。右手にも左手にも、はるか遠くまでまばゆく輝く雪原が続いている。けれども、まもなく、雪原を照らしていた日射しがすべて消えていった。私は空を見上げた。雲の端々が憤然とした金色《こんじき》の炎のような色に染まっている。だが、それさえも、しだいに薄れていった。数分後には、太陽の怒りに満ちた最後の輝きも消え去った。刻一刻と暗さが増してくるようだ。頭上の青空に奇妙な靄が広がっていく。陰鬱で薄気味悪いなか、大気はそよともしない。音一つしない世界は重苦しく、空恐ろしく、どこまでも寂寥として、死をはらんでいた。

「いったいどうなってるんだ?」トラバースが口を開いた。

橇から降り立ったサザーランドが、気味の悪い薄闇に目を凝らした。

「なんとも奇っ怪な変わりようだな!」とサザーランド。「ドレ*なら小躍りして喜びそうだ」

「ブリザードが来るんだろう」私は言った。「今のうちにキャンプを張ったほうがいいんじゃないか?こんな極地ならどんなブリザードになるやら」

「ブリザード?」サザーランドが聞き返した。「ブリザードとは思えないね、ボブ。確信があるわけじゃないが。ただ、奇妙奇天烈な変わりようであることは確かだ。それに、この異様な薄闇の中では、景色も様変わりして見える。まったく不気味で恐ろしい――いや、つまり、ひどく不気味で恐ろしく見えるということだ」

サザーランドはトラバースに視線を向けた。

「ところで、ビル、さっきのは何だと思った?」

ドレ　ポール・ギュスターヴ・ドレ(一八三二―一八八三)。フランスの画家。ダンテやバルザック、ミルトン、セルバンテス、ポーなどの挿絵を数多く手がけた。

隊長は、みなが急停止するもとになった正体不明のものが見えた方角へ片手を振り動かした。〝方角〟としたのは、その〝もの〟自体がもうどこにも見えなかったからだ。

「絶対にテントだった」トラバースが言い張った。

「まあ」サザーランドは言った。「何なのかは、すぐにはっきりするさ――ケルンかテントか、そのどちらかにちがいない」

次の瞬間、重苦しく、空恐ろしい沈黙は、鞭を打つ鋭い音で破られた。

「そら、走れ！」サザーランドは橇犬たちに向かって叫んだ。「あそこに何があるのか見に行くぞ。南極点に到達したのだ。誰に先んじられたのか確かめてやろう」

だが、犬たちは進みたがらなかった。私には意外ではなかった。というのも、だいぶ前から、どうにも不可解な、落ち着きのない様子をどの犬も見せていたからだ。いったいどうしたというのだろうか。われわれはしばらく考えあぐねていたが、やがてはたと気づいた。もっとも、理由についてはまだまったくの謎だったが。犬たちは恐れていたのだ。恐れ？　そんな表現では生ぬるい。恐怖、それも、むき出しの、とてつもない恐怖に、犬たちは捕らわれていた。けれども、その不可解な恐怖はどこから来ているのだろう。それもすぐにわかった。犬たちが恐れているものが何であれ、まさにこれから向かおうとしている方角から来ているのだ！

ケルンもしくはテントから？　これはどういう意味だろう。

「いったい犬どもはどうしたというんだ？」トラバースが大声をあげた。「ひょっとして――？」

「われわれでその理由を見つけ出すほかないだろう」サザーランドが言った。

あらためて、行動開始となった。あたりは奇妙で薄気味悪い暗さに包まれたままだ。そして、相変わらず荒涼として死を思わせる、肝が冷えるような静けさ。

怖がって走りたがらない橇犬を鞭で叱咤しながら、のろのろとではあるものの、着実に進んでいった。

ついに、隊を先導していたサザーランドが、発見したと叫んだ。前方の薄闇に目を凝らしながら橇を止める。私とトラバースも犬たちを急き立て、隊長のそばまで行った。

「テントにちがいない」サザーランドは言った。

たしかに、われわれが発見したものはテント――小さなもので、一本の竹を支柱に、張り綱でさまざまな方向にしっかりと固定されていた。生地はくすんだ茶色のギャバジンだ。支柱の尖端部に棒が一本くくりつけられている。そこから、微風すら吹かない中で、小ぶりなノルウェー国旗の残骸がだらりと垂れ、その下に、アムンセンの探検船名である〝フラム〟と文字の入ったペナントがついていた。アムンセンのテントだ！

中はどうなっているのだろう？　それに、あれは何なのか――テントの一方が妙にふくらんでいるが？　入口は紐できっちりと締められていた。テントが、長い極夜が続く時期を越えて、一年もここに立っていたのはまちがいない。それにもかかわらず、驚いたことに、テントに雪は少ししか積もっておらず、それも大半が吹き寄せられてきたものだった。きっと気流が極点まで来る前に、雪雲から雪がほぼすべて降り落ちてしまったということなのだろう。

しばらくのあいだ、われわれはただその場にたたずんでいた。さまざまな考えが頭に去来したが、かなり恐ろしいものも中にはあった。長い極夜が続く時期を越えて！　このテントが口をきけたら、どんな奇想天外な話をしてくれるだろう。いや、しゃべれなくても、不可思議な話を伝えてくれるかもしれない。テントを内側からあんな理解しがたい具合にふくらませているのは何なのか。私はミトンをはめた手でそれに触れようと足を踏み出したが、なぜかわからないものの、すぐにその足を引き戻した。ほぼ同時に、一頭の犬が哀れっぽい鳴き声をあげた――ひどく奇妙な鳴き方で、その恐怖心が手にとるようにわかる。私は身震いすると同時に、心臓を冷たいものが通り抜けたように感じた。ほかの犬も、そのなんとも言えない鳴き声をあげはじめる。どの犬もテントに怖じ気づいて尻込みしていた。

「どうなってるんだ？」トラバースはささやくように声を落として言った。「犬どもを見ろ。まるで俺たちに訴えてるみたいじゃないか――近づくなと」

「近づくなと」サザーランドが言葉を繰り返した。視線が犬たちから離れ、またテントに釘付けになっている。

「犬の感覚は」とトラバース。「人間よりずっと鋭い。俺たちが目にするまでわからないことでも、犬はとっくに察知している」

「目にするか！」サザーランドは言った。「どうかな。テントの中をのぞいたら、何を目にすることになると思う？　気の毒なアムンセン隊さ！　極点には到達した。だが、帰路につけたのだろうか。死んでいる一行をわれわれが発見するのではないだろうか」

「死んでいる？」トラバースがぎくりとして聞き返した。「いや、死体があるだけなら、犬はこんなふうには反応しない。百歩譲って、その仮説が正しいなら、ここに橇がなければおかしいだろう。だが、まわりを見てくれ。どこもかしこも平らで、橇が埋まってる形跡はない」

「たしかに」とサザーランド。「だったら、どういうことになる？　何がテントをあんなにふくらませているのか。さて、目の前に謎はあるが、入口を閉じてある紐をほどいて、中をのぞきさえすれば、その謎は解ける」


隊長は、トラバースと私を従えてテントの入口へ歩を進め、紐をほどきはじめた。とたんに、氷のように冷たい突風が吹きつけてきて、テントの上のペナントが鈍く不吉な音を立ててはためいた。橇犬の一頭も、鼻面を空に向けて、深々とした長く尾を引く遠吠えを始めた。その物悲しい、野性的な鳴き声がまだ響いているうちに、不思議なことが起こった。

突然、空をおおう陰鬱な雲に裂け目ができたかと思うと、そこから金色に輝く強烈な太陽の光がひと筋、われわれの立っている場所に差し込んできたのだ。光の筋は、長さは数マイルに及ぶものの、幅はほんの三、四百フィートしかなく、そのちょうど真ん中にわれわれはいて、先ほどまで気味の悪い薄闇に包まれていた両側に広がる雪原は、金色の光を放つ剣をいきなり投げ落とされた雪面とは対照的に、さらに暗く、いっそう不気味になっていた。

「奇妙な場所だな！」とトラバース。「スポットライトを浴びた劇場の舞台そっくりだ」

トラバースが浮かべた笑みは、きっと本人も思いもしなかったほど、その場に似つかわしいものだった。ここはまさに舞台であり、南極の太陽の怒りに満ちた光がスポットライトで、われわれ自身が、虚構の世界でも目にされたことがないほど奇々怪々な場面の登場人物なのだ。

すべてがあまりにも尋常ではないせいで、みなしばらく突っ立ったまま、驚きに打たれ――おそらく、それぞれ心の奥では、少なからず畏怖も感じて、あたりを見やっていた。

「奇妙な場所だ、たしかに！」サザーランドが言った。「とはいえ――」

隊長は皮肉っぽく、うつろな笑い声をあげた。テントの上で、ペナントがぱたり、またぱたりとはためく音もうつろで、この世のものではないかのようだ。ふたたび、狼の血を引く犬が、陰鬱で、哀切に満ちた長く尾を引く遠吠えをした。

「とはいえ」サザーランドは言い直した。「妄想をたくましくしたいわけでもないだろう」

「もちろんだとも」トラバースが答える。

「もちろんだとも」私も繰り返した。

ほどなくして入口が開くと、サザーランドが頭から肩口までテントの中へ突っ込んだ。

どのくらいそうしていただろうか。ほんの数秒のことかもしれないが、トラバースと私にはずいぶん長く思えた。

「どうした？」とうとうトラバースが大声で訊いた。「何が見える？」

返ってきたのは、悲鳴だった――おお、その声にこもる恐怖を、私は生涯忘れられないだろう！――隊長はよろめきながら後ずさり、トラバースと私が駆け寄って抱きとめなければ、まちがいなく倒れていた。

「どうしたんだ？」トラバースがどなる。「サザーランド、いったい何を見た？」

サザーランドは片方の手でこめかみを打った。目が血走って、怖気立ったような表情だ。

「どうしたというんだ？」私も思わず叫んだ。「テントの中で何を見たんだ？」

「とても言えない——無理だ！　ああ、ああ、見なければよかった！　見てはいけない！　君たち、テントの中をのぞいてはだめだ——のぞけば、正気を失うぞ。いや、それよりもっと悪い」

「いったい何を言ってるんだ？」トラバースは面食らって隊長を見つめながら尋ねた。「さあ、さあ、ほら！　しっかりしてくれ。落ち着くんだ。馬鹿を言うのはやめにしないか。死んだ人間を——死んだ人間たちを見たからといって、そこまで動転しなくてもいいだろう」

「死んだ人間たち？」

サザーランドは荒々しい、取り憑かれたような笑い声をあげた。

「死んだ人間たちだって？　それだけだったらなあ！　ここは南極点か？　地球上か？　それとも、われわれはほかの惑星にいて、悪夢を見ているのか？」

「後生だから」トラバースが叫んだ。「しっかりしてくれよ！　いったいどうしちまったんだ？　そんなふうに自分を見失ったりするな」

「死んだ人間？」隊長はトラバースの顔をのぞき込んで、聞き返した。「私が見たのは死体だと思っているのか？　死体ならどんなによかったことか。君たち二人が見なかったのは幸いだった！」

すぐさまトラバースが向きを変えた。

「じゃあ、これから見てやる！」

サザーランドが猛反対の悲鳴をあげてトラバースに飛びつき、彼を引きずり戻そうとした。

「見れば、恐怖に駆られ、正気を失いかねないんだぞ！」サザーランドはどなった。「私を見ろ。私のようになりたいのか？」

「いいや！」トラバースは答えた。「だが、あのテントの中に何があるのか確かめてくる」

トラバースはサザーランドから逃れようともがいたが、隊長は死んでも放すものかといわんばかりにしがみついていた。

「力を貸してくれ、ボブ！」サザーランドが声を張り上げた。「ビルを思いとどまらせるんだ。さもなければ、みんな頭がおかしくなってしまう」

けれども、私はトラバースを思いとどまらせようとはしなかった。言うまでもなく、隊長こそ精神状態が普通ではないと考えていたからだ。サザーランドも彼を捕まえておけなかった。急激に身をよじると、トラバースは隊長の手から逃れた。そして、あっという間に、テントの入口に頭から肩まで突っ込んだ。

サザーランドはうめき声をあげて、形容しがたい恐怖をたたえた目でトラバースをじっと見つめた。私も入口へ向かおうとしたが、サザーランドが猛然と飛びかかってきて、雪に押し倒された。私は抑えようのない怒りと驚きに駆られて、すぐさま立ち上がった。

「おいおい」私は大声をあげた。「いったい何だというんだ？　本当に頭がどうかしてしまったのか？」返ってきたのは、言語に絶するうめき声だったが、サザーランドの口から出たものではなかった。私は振り返った。テントの入口からよろめき離れたトラバースが、片手を顔に押し当て、なんとも言いようのない声を喉の奥深くから漏らしていたのだ。おぼつかない足取りで近づいてくる彼に、サザーランドが片腕を伸ばしてその肩に軽く触れる。効果はてきめんかつすさまじいものだった。トラバースは毒蛇に飛びかかられたかのように脇へ飛び退くと、声を限りに叫び、また叫んだ。

「ほら、なあ」サザーランドはやさしく声をかけた。「見るなと言っただろう。君が理解してくれるようがんばったのだが——君は私が正気を失ったと思い込んでいた」

「この世のものではない！」トラバースは声を絞り出した。

「そうとも」とサザーランド。「あれほどおぞましいものが、このわれわれの惑星上で生まれるはずがない。地球の住民はあれを知らないが、そのことを全能なる神に感謝すべきだ」

「だが、あれはここに存在する！」トラバースが叫ぶ。「どうやってこの地の果てまで来たんだ？　そもそも、どこからやってきた？」

「ともあれ」サザーランドはなだめた。「もう死んでいる——死んでいるはずだ」

「死んでる？　あれが死んでるとどうしてわかる？　それに、この点を忘れないでくれ——あれには連れがいたってことを！」

サザーランドがびくっとした。とたんに、太陽の光が消えて、何もかもがまた薄闇に閉ざされた。

「どういうことだ？」サザーランドが問いただす。「連れとは？　どうして連れがいたとわかる？」

「あれがテントの中にいるからだ。それなのに、入口は紐で閉じられていた——外側から！」

「おお、私はなんという大馬鹿者なのか！」サザーランドはいささかヒステリックに叫んだ。「どうして考えつかなかったのか。単独ではない！　そうとも、連れがいたのだ！」

あたりの薄闇に目を凝らしているサザーランドが、名状できない不安と恐怖に心臓まで凍りつきそうになっているのがわかった。なぜなら、私も同じだったからだ。

突然、またしても狼犬の哀切に満ちた野生の遠吠えが響いた。地獄でも最もおぞましい一隅からあがる悪鬼か何かの声を聞いたかのように、われわれは三人ともぎくりとした。

「やめろ、この馬鹿犬が！」トラバースは歯を食いしばるようにしてどなった。「静かにするんだ。さもなければ、頭を叩き割るぞ！」

トラバースが脅したせいかどうかはわからないが、遠吠えが小さくなり、ほぼすぐにやんだ。ふたたび荒涼とした死の静寂が広がる。テントの上でペナントが風に揺れて乾いた音を立て、私は気味の悪い毒蛇でも這い進んでいるような気がした。

「中に何があったんだ？」私は二人に尋ねた。

「ボブ――いや、後生だから」とサザーランド。「それは訊かないでくれ」

「実物そのもののほうが」私は向きを変えながら言った。「謎のままに悪夢のような想像をふくらませているよりはましなはずだ」

だが、二人して私の前に飛び出すと、行く手をさえぎった。

「だめだ！」サザーランドが厳しい口調で言った。「あのテントの中をのぞいてはならない、ボブ。あれを――あの――どう呼べばいいのかわからないが、見てはいけないのだ。われわれを信用してくれ。信じてくれ、ボブ！　こうして引き止めているのは、君のためだ。トラバースと私は二度と同じ人間には戻れない――頭の中身も魂も、あれを見る前の状態にはなれないのだ！」

「いいだろう」私はしぶしぶながらも受け入れた。「とはいっても、私にはいっさいのことが常軌を逸した人間の夢のようにしか思えないんだが」

「そんなのは」とサザーランド。「実際のところ、取るに足りないことだ。精神に異常をきたしている？　常軌を逸した人間の夢だと思っていればいいさ。トラバースと私は正気を失っていると考えればいい。君自身の頭がどうにかなったと思ってもいい。好きなように解釈してくれ。ただし、見てはならない！」

「わかったよ」私はサザーランドに告げた。「見るのをやめる。負けたよ。君たちのおかげで私は臆病者さ」

「臆病者だって？」サザーランドは声をあげた。「馬鹿なことを言うんじゃない。この世には人間がけっして知ってはならないことがあるんだ。けっして見てはならないものがある。アムンセンのテントの中にいる戦慄すべきものは——その両方なのだ！」

「けれど、もう死んでいると言っただろう」

トラバースがうめいた。サザーランドは馬鹿笑いのような声をあげた。

「われわれを信用してくれ」とサザーランド。「どうか信じてほしい、ボブ。これは君のためであって、トラバースと私のためではない。われわれはもう手遅れだから。あれを見てしまったからな。だが、君は見ていない」

しばらくのあいだ、われわれは気味の悪い薄闇に包まれてテントのそばに突っ立っていたが、ほどなくして、その呪われた場所をあとにしようと向きを変えた。私は、アムンセンがテントの中に何か痕跡を残していっているにちがいないし、スコットも極点に到達してテントに立ち寄っていることも考えられるから、そうした証拠となるものを持ち帰るべきだと言ってみた。サザーランドとトラバースはうなずいたものの、二人とも、ペルシャとインドのあらゆる財宝をもらえるとしても、二度と絶対、テントに頭を突っ込むのはごめんだ——というようなことを言って突っぱねた。そして、このおぞましい地を離れて——自分たちの恐怖の体験を伝えに人の住む世界に戻ったほうがいいと口をそろえた。

「君たちは、私には見たものを教えてくれない」私は切り返した。「それなのに、広く世間に伝えられるよう、戻りたいわけだ」

「私もビルも見たものを公表する気はない」とサザーランド。「そもそも、説明できない。次に、説明できたとしても、信じてくれる者など一人としていないだろう。だが、警鐘は鳴らせる。テントの中にいるものには仲間がいるのだから。そいつは——いや、そいつらかもしれないが、どこにいるのだろう？」

「死んでるんだろう。そう願おうじゃないか！」私は大声で言った。

「そうとも！」とサザーランド。「とはいえ、ビルの指摘どおり、あれは死んでいないのかもしれない。ひょっとして——」

言いよどんだサザーランドの目が、異様な、なんとも言えない光をおびた。

「ひょっとして、あれは——死ねないのかもしれない！」

「なるほど」私はさらりと、だが、ひそかな嫌悪感と痛切な悲しみをこめて言った。

反論したところでどうなる？　理性を失ってしまった二人に道理を説こうとしたところで、何になるというのか。そうとも、この場所から離れなくてはならない。さもなければ、二人のせいで私まで頭がおかしくなってしまう。そうして、長い道のりを戻るのか？　こんな状態で帰り着けるだろうか。いったい二人は何を見てしまったのだろう。ギャバジン地を一枚隔てた向こうに、どんな想像を絶する恐怖があったというのか。まあ、それが何であれ、実際にあったわけだ。その点については疑う余地もない。実際にとは？　屈強な二人の男の強靭な精神を、いわばたちどころに破壊してしまうほどのものということだ。ただ――そもそも、この気の毒な仲間たちが本当に正気を失っているのだとしたら？

「それとも」サザーランドがしゃべっていた。「そいつか、そいつらは、金星か火星か天狼星《シリウス》＊か悪魔の星《アルゴル》＊か、あるいは地獄そのものか、どこから来たにせよ、仲間を呼びに戻ったのかもしれない。そうだとすれば、神よ、哀れな人類に慈悲をたれたまえ！　そして、そいつか、そいつらがまだこの地球上にいるとすれば、そのうち――十年後かもしれないし、百年後かもしれないが――いつかは世間の人たちもその存在を、それがもたらす災いにより、恐怖により、知ることになるだろう。なぜなら、生きているにせよ、仲間を呼びに戻ったにせよ、いずれまた姿を現すからだ」

天狼星《シリウス》　おおいぬ座のアルファ星。

悪魔の星《アルゴル》　ペルセウス座のベータ星。変光することから「悪魔の星」と呼ばれた。

「ずっと考えていたんだが――」テントを見つめたまま、トラバースが口を開いた。

「何をだ？」サザーランドが問い返した。

「――あれのことを」トラバースが答える。「あれにライフル銃でありったけの弾を撃ち込んでみるのもいいんじゃないだろうか。あれは死んでないかもしれない。死ねないのかもしれないし――変化するだけなのかもしれない。言ってみれば、冬眠してるだけじゃないだろうか」

「そうなら」私は笑った。「きっと世界の終焉まで冬眠しているさ」

しかし、二人の仲間はどちらも笑わなかった。

「あるいは」とトラバース。「悪魔か、亡霊が実体化したものとか。人の姿とはとても言えない」

「亡霊が実体化したものだって！」私は思わず大声をあげた。「ほう、まさにそんな感じの人間は、男女を問わずいるんじゃないのか？　悪魔かその化身のようにふるまう者など、掃いて捨てるほどいるだろう」

「そうかもしれない」サザーランドはうなずいた。「だが、ここでそんな憶測をしても始まらないぞ」

「こいつなら、いくらか状況を変えられるかもしれない」トラバースは橇のほうへ歩いていった。

あっという間に、ライフル銃を取り出す。

「さっきまでは」トラバースは言った。「何ものも俺をテントの入口に引き戻せはしないと思っていた。だが、ひょっとしてひょっとするかもしれないという希望が――」

サザーランドがうめいた。

「この世のものじゃないんだ、ビル」サザーランドはかすれた声で訴えた。「あれは悪夢なんだよ。今すぐここから立ち去ったほうがいい」

トラバースは歩を進ませていた――テントへ向かってまっすぐに。

「戻るんだ、ビル！」サザーランドがきしむような声をあげた。「引き返せ！　逃げられるうちに、みんなで逃げ出すのだ」

けれども、トラバースは引き返さなかった。ライフル銃を構えて引き金に指をかけ、そろそろと前進していく。テントの前まで来ると、一瞬ためらったものの、すぐに銃身を入口から差し入れた。引き金を引いては装填用のレバーを引くという動作を矢継ぎ早に繰り返し、最後の一発までテントに――中にいるおぞましいものに撃ち込んだ。

くるりと向きを変えたトラバースは、テントが最下層の地獄にいるありったけの軍勢を自分の背中に吐き出そうとしているという恐怖に襲われたかのように戻ってきた。

あれは何だ？　テントから音が――低く脈打つ――人間がこの地球上で聞いたことのない音――人類が二度と耳にしなくてすむよう願ってやまない音が響いてきて、私は血管や心臓に流れている血が凍りついた気がした。

たちまち、みな――人間も犬も、パニックに陥り、狂乱状態となって、その呪われた場所から一目散に逃げ出した。

音がしなくなった。だが、また聞こえてきた。先ほどにもましておぞましく、この世のものならざる感じで、頭がおかしくなりそうな、地獄めいた音だった。

「見ろ！」サザーランドが叫んだ。「おお、なんということか。あれを見ろ！」

今ではテントは、ほとんど見えなくなっていた。まもなく薄闇の中へ沈んでいこうとしている。初め私は、サザーランドが大声をあげた理由がさっぱりわからなかった。しかし、次の瞬間、薄闇に紛れて視界から消える直前に、それが見えた。テントが動いている！　断末魔にある形がない怪物のように、恐ろしい悪夢か、すっかり異常をきたしてしまった脳が見せる言葉にならないもののように、テントがいびつに揺れ動いていた。

そして、これがあの場所で起こったこと——われわれが見たことだ。惨憺たる状況のもと、私はかなり詳細な内容を渾身の力をふるって書き記した。急いで走り書きしたこうしたページには、独創性あふれるロマン派作家の作品に描かれた、とびきり突拍子もない場面をもしのぐ体験が詰まっているものと、私は信じてやまない。はたして、この手記は人の住む世界に届くのか、人の目にとまる運命にあるのか——未来のことは誰にもわからない。

楽観的になろう。もっとも、事態はかなり悪いという事実から目をそむけることはできないが。われわれは、このおどろおどろしい、言葉にならない正体不明のものからだけでなく——これだけでも、血が凍りつきそうな恐ろしさではあるが——仲間の精神が崩壊するのからも逃れようとしていた。さらに言うと、私自身の精神状態に対する不安からもだ。だが、私は自制心をしっかりとはたらかせなくてはならない。結局のところ、サザーランドが言ったとおり、私は例のものを見ていないのだから。理性を失ってはいけない。わが探検隊が体験したことをなんとしてでも世界に伝えるのだ——世の人たちはひと言たりとも信じず、一笑に付して、三人とも物笑いの種になるだけかもしれない——だが、その世界に対して、悲嘆や血や災厄を告げてきた予言者の、熱に浮かされたような脳内に映し出されたこともないほど慄然とする脅威が、今うごめき、集まっているのだから。

　現在、極点から十二マイルほど離れた場所にいる。あの恐ろしいテントから無我夢中で逃げるなか、みな方向感覚を失って、しばらくはパニック状態に陥りそうだった。異様な、気味の悪い薄闇が、かつてないほど濃くなっていた。そのうち、細かな雪の結晶が舞い落ちてきて、事態は悪くなるばかり。もうだめだと思ってあきらめかけたとき、往路で立ててきた標識の一つをたまたま発見した。おかげで進むべき方向がわかり、一心に今いる場所を目指したのだった。

　外にいたトラバースがテントに頭を突っ込んできたかと思うと、薄闇の向こうで何か動くものを確かに見たと、サザーランドと私に告げた。何か動くもの！　これはよく調べなければならない。

（ロバート・ドラムゴールドが恐怖に満ちた一月四日の記録と同じくらい、翌日以降の出来事も克明に記しておいてくれたら！　三人の探検家が、逃れられない運命――おどろおどろしいゴシック小説の書き手が精神に異常をきたす一歩手前で想像した、身の毛もよだつ恐ろしさをはるかに超えるであろう、謎と恐怖に彩られた運命――から逃れようと格闘する中でどんな経験をしたのか、知ることは誰にもできないのだ）

　一月五日。トラバースは本当に何かを見かけていた。というのも、今日はわれわれ三人で見たからだ。あれが例の恐怖の根源、サザーランドとトラバースがアムンセンのテントで目にした、この世ならざるものなのだろうか？　正体はわからない。わかっているのは、それが動いているということだけだ。われわれが恐れているものだとしたら、神よ、われわれを——この世のすべての男と女と子供を憐れみたまえ！

一月六日。今日は二十五マイル進んだ——昨日は二十マイルだ。例のものを今日は見かけなかった。だが、音がした。近くまで来ているようだ——それどころか、一度など、頭上にいたかのようだ。いや、きっと気のせいだろう。犬たちは悲惨なありさまだ。かわいそうに！　恐ろしいのは、犬もわれわれと変わらないのだ。われわれ以上かもしれないと思うときもある。それにしても、あれはどうして追ってくるのだろう？

一月七日。今朝、犬が二頭いなくなっていた。〝夜〟どおし、一人は見張りに立っている。見かけたものもなければ、物音一つ聞いていないのに、犬は姿を消したのだ。われわれを置いて逃げたのか？三人とも口ではそう言いながら、内心では誰一人信じていないのがわかっていた。十八マイル進む。トラバースが精神に異常をきたしかけていて不安だ。

一月八日。トラバースがいなくなった！　午前零時にサザーランドと入れ替わりで見張りに立った。それがトラバースを目撃した最後——そして、見納めとなった。何の痕跡もなく——雪の上に足跡一つ残っていない。トラバース、かわいそうなトラバースは消えてしまった！　次は誰だ？

一月九日。また例のものを見かけた！　どうしてこんなふうに——ときどき姿を現すのだろう？　本当にアムンセンのテントにいた怪物なのだろうか。サザーランドはちがうと断言している——もっとおぞましいものだと。とはいえ、今のサザーランドは頭がおかしくなっている——普通じゃない——普通じゃない——普通じゃない。私が正気でなければ、すべては想像の産物だと思えただろう。だが、私は見たのだ！

一月十一日。十一日だと思うが、自信はない。もう何についても確信が持てない——私が一人であり、あれが私を観察しているということ以外は。どうして観察されているとわかるのか、自分でも不可解だ。見えないのに。それでも、まちがいない、あれは私を観察している。絶えず様子をうかがっている。そして、いつか私を捕まえに来るのだろう——トラバースやサザーランドや橇犬たちの半分をさらっていったように。

そうとも、今日は十一日のはずだ。あれは昨日のことだったから——そう、ほんの昨日のことだ——サザーランドが連れ去られたのは。例のものが彼をさらっていくところは見ていない。霧が出てきたせいもあるし、サザーランドが——視界が悪くなっても進むと言ってきかず——やけにのろのろついてくるせいで、霧で姿を見失ってしまったのだ。いくら待っても来ないので、私は引き返した。けれども、サザーランドの姿はなかった——人も犬も橇もすべて、影も形もなかった。かわいそうなサザーランド！　まあ、すでに精神状態がおかしくはなっていたが。ひょっとして、だからあれはサザーランドを連れていったのかもしれない。私はまだ正気だから、免《まぬか》れているのだろうか？　サザーランドはライフル銃を持っていた。その銃にいつもしがみついていた——弾丸で、われわれが見たものから身を守れるとでもいうように！　私の武器は斧のみ。だが、斧が何の役に立つというのか。

一月十三日。いや、十四日か。はっきりしない。日付など、どうでもいい。今日は例のものを三度も見かけた。どんどん近づいてきている。犬たちはテントのそばで、まだ哀れっぽく鳴いている。おお——あの総毛立つおぞましい音がまた聞こえてきた。犬たちが静かになった。またあの音がする。しかし、外をのぞく勇気はない。斧。

あれから数時間。もう書けそうにない。

静寂。声——声が聞こえたような気がする。だが、またあの音だ。近づいてくる。今、テントの入口に——今——

黒いけだもの

ヘンリー・S・ホワイトヘッド

野村芳夫 訳

The Black Beast

by Henry S. Whitehead

I

サンタ・クルーズ島*のクリスチャンステッドにある〈日曜市場〉の斜め向かい、わたしが一シーズン仮住まいとした旧ムーア邸として知られる家のはす向かいには――つまり、往時のフランス植民市バシンの廃墟の上に造られた旧市街の、古い市場の南側に沿って――ガネット邸として知られる、より大きくて古いもう一軒の邸宅、色褪せて重々しい、飾り気のない旧家が建っている。すでに五十年近く、住む者もなく放置されたガネット・ハウスは、頑丈な石造りの正面が市場に面し、よろい戸をぴたりと閉ざした窓が並び、超然として見捨てられた外観を呈し、石は汚れ変色して、全体が荒涼として近づきがたかった。

五十年におよぶ歳月、邸宅は開かれることなく、その巨《おお》きな図体と閉ざされた禁断の扉が、通り過ぎる大勢の人間を無表情に威圧してときが移るあいだにも、多様な人々によってこの建物を開放させるための努力が払われてきたのだ。西インド諸島中、もっとも大きな私邸のひとつであり、もっとも立派な家のひとつといえるほどのこのような家が、こんなありさまで閉鎖され、島の中年男性でさえ、生まれてこのかた一度も見かけたことがない、かなり謎めいた不在の所有者の意志のもとに使用されていない事実が、わずらわしい照会のあげくわかったからには、借家人が次々に現われるのも無理からぬことであった。

わたしはそのむね知っていた。英国国教会のリチャードソン師から、一九二六年、女子修道院として契約しようと掛け合ったと聞いていたからだ。わたし自身、その年一シーズン借りようと試みたが不首尾に終わり、その代わりに旧ムーア邸を借りた。こちらは奇妙な暗がりに満ち、大きく高いドアでたくさんの部屋がつながり、伝え聞くところが信じられるとすれば、精神に変調をきたした老ムーア自身の亡霊が、過去には恐ろしくも現われたことがあるとか……。

政府機関に問い合わせたところ、クリスチャンステッド在住の、デンマーク統治下のもつれた古記録を解き明かす際、政府職員にとってきわめて貴重な存在である、デンマーク政権時代の生き残りのモーリング老事務弁護士が、いまもってガネット家の担当者であると判明した。モーリング氏と面談してみると、充分礼儀はわきまえていたが、一歩も退《ひ》かない人物であった。この家は、どんなことがあっても貸さないというのが、所有者の指示であった——記録に明示された恒久的な指示であった。そう、あり得ない、論外だ。わたしはかねて耳にした、古い流言《スキャンダル》について漠然と思い出した。

モーリング氏が歓待のしるしに出してくれた極上のシェリー酒のグラスを傾けながら、わたしは質問を重ねた。その答えからすると、この件に関してガネット家の生き残りはまったく頑固であるのを

サンタ・クルーズ島 カリブ海のセント・クロイ島の旧名。一四九三年コロンブスが発見し、命名されたが一七三三年フランスからデンマークに売却、さらに一九一七年にアメリカ領となった。

示していた。彼らに帰還する意志はまったく見られない。修繕も――この家は城塞なみの建築だった――いまのところ、必要とされていない。クリスチャンステッドの財産を、彼らは理由もなく閉鎖しておくよう指示したのですか？　そうだ――そして、この件に対してモーリング氏に選択の余地はなかった。そう、彼は以前、二度ほど信書を出していた。一度はつい最近、英国国教会の教区司祭のために。また、十年か十一年前、西インド諸島に逗留したベルリンの教授が、教育目的で夏季学校を開きたいと考え、その眼鏡をかけた目でこの古い邸宅に熱い視線を向けたときのことだ。だめだ、それは不可能だ。

「さあ、乾杯《スコール》といきましょう、キャナヴィンさん！　ほらほら――もう一杯、遠慮しないで！　二杯目もぜひ。人は片足では旅立てないというじゃないか。これはわれわれのことわざだがね」

しかし、モーリング氏とのこの面談から三年後、古い邸宅はついに開かれた。ガネットの一族で一番最後に残った人間が、どうやらエディンバラで天国に旅立ち、個人的な縁もなく、西インド諸島にかつて住んだこともない、若い相続人たちに財産が渡った。

アバディーン*の事務弁護士を通じて、モーリング氏へ伝えられた新たな指示は、もっとも有利な条件で建物を貸し出すこと、土地を含めて丸ごとの売却を考慮すること、そして相応の修理見積を算出し、これをアバディーン宛に提出せよというものだった。伝えられたこの指示を、わたしはややときを置いて知った。モーリング氏は顧客の個人的な秘密を吹聴するような人間ではない。ガネット家の広壮、豪奢な客間で、紅茶と小ぶりなケーキをいただきながら、アシュトン・ガード夫人から聞き知ったのである。夫人が今シーズン借りることになったこのガネット家は清掃され、飾られ、十八世紀の食卓が導入され、古い城塞のような住居が生まれ変わる過程で、明るい嗜好の家具も多数入れられ、わたしが訪問の栄誉に浴したなかでも、もっとも魅力的な住まいとなっていた。

ガード夫人はアメリカ人、四十代後半の未亡人で、きわめて魅力的な楽しい女性であり、教養ある女主人にして、たまたま相当の資産を有する人物であり、三人の子供をもつ母親でもあった。これらのうち、結婚した娘はフロリダに住み、この冬サンタ・クルーズ島のガード家を訪れなかった。ほかの子供たち、ハーヴァード大学を卒業したばかりのエドワードと二十四歳のルークリーシアは、母のもとに来ていた。この二人は性格を異にするとはいえ、エドワードは無口なアスリートで、たぐい稀な男前だった亡き父親――その肖像画――サージェント*の見事な作品が、広い客間の両端いずれにもある、二つのいかつい大理石のマントルピースの片方の上に架かっている――の血ばかりか、母親から受け継いだ魅力をも兼ね備えていた。

ティーテーブルは、肖像画の架かる方の壁面すぐ近くにあった。つまり、炉棚《マントルシェルフ》はその下の火床を欠いていて、通常よりも二フィートも高い位置にあり、十五フィート上の天井に対してバランスを保っており、ガード家をわたしがはじめて訪ねたとき、ガード夫人のティーテーブルはマントルピー

アバディーン　スコットランド北東部の市。

サージェント　アメリカの画家ジョン・シンガー・サージェント（一八五六―一九二五）。ロンドンで暮らし、上流階級の人士の肖像画を多く手がけたが、晩年は肖像画の依頼をいっさい断り、風景画に専念した。

スに合わせて置かれ、いわば、わたしと対面した夫人は客間の空間をへだてた向かい側に飾られている肖像画をどうやら何度も見上げているらしかった。

わたしは些細なことがらに対しても、分析的な思考を働かせてしまう。最近架けたこの堂々たる肖像画を、彼女が〝自分の目で〟見定めているのだろうと推測した。模様替えや新居とか仮住まいで環境的に慣れるまで人がよく行うことなので、わたしも関心をそそられ、肖像画の感想を述べたうえで、立ち上がってより詳しく観察した。その甲斐はあった。

しかし、ガード夫人がそれとなく肖像画の話題を回避しようとするのに、わたしは話しながら気づいた。かなり大勢の人々が休みなく部屋にやってくるので、お茶を注ぐ合間に、夫人が横目で見たり、上を向いたり右を向くその印象が強調されていたのだと、あとで思った。わたしはそうした事実に特段の解釈をしたわけではない。分析する理由もなかった。しかし、それでもわたしは心にとどめた。

それから数週間、わたしはガード家と親しくなった。その後、このあたりの島々を定期運航しているブル・インシュラー運輸のマーガレット号が、仏領マルティニク島の乾ドックに数日入らなければならなくなったので、小アンティル諸島を下る航海に合わせた旅程を早手回しに立てていて、その結果、わたしは仏領マルティニク島の興味深い首都、フォール・ド・フランスの知り合いと旧交を温めていたので、二週間以上にわたって、彼らとはまったく会う機会がなかった。

その旅の終わりにサンタ・クルーズ島に帰着すると、早々にわたしはガード家に駆けつけた。すると、ガード夫人がひとりきりでいた。エドワードとルークリーシアはテニスに興じていて、その後はハーモン・ヒル・エステート・ハウスのカヴィングトン家で食事の予定だという。

わたしはガード夫人の変わりようにまず驚かされた。まるで底なしの疲労に呑みこまれつつあるかのようだった。萎縮し、弱々しげにさえ見える。濃褐色の気味を帯びた輝かしい黒い瞳の目ばかり異様に大きく、わたしを見ながらも、その視線は幾度となく亡夫の肖像画を見上げている。その現在のようすは陳腐な表現ではあるが〝とりつかれた〟としか言いようがないとの結論をまぬかれない。

ひどくびっくりしたわたしは、すぐさまこの変化に大いに好奇心をそそられた。顔面をいきなり殴られたのにも似た、取り繕い不可能な、露骨な一撃に襲われたようだった。それも悲劇的な気配のある明白な変わりようだった。たちまち不安がわたしの胸に迫った。というのも、わたしはガード夫人にとても好印象を持ち、この女主人を中心とする一家と大変楽しく親交を結べるものと、期待していたからだ。紅茶を出してくれたその手は明らかに震えていて、歓待しながらも、例の横目づかいや上や右にちらちら視線を向けるのだった。

おたがい沈黙のうちに紅茶を半分飲み、そしてわたしは、またガード夫人を眺めた。ふたたび絵を凝視するさなか、わたしは虚をつかれた。彼女がまさにその視線をそらしたのだ。わたしの目を見た彼女は、おそらくその刹那、わたしの強い憂慮を見抜き、陰気で青白い顔をかすかに紅潮させた。彼女はうつむき、丸いティートレイ上の食器類をせわしなく整理した。そのとき、わたしは声を掛けた。

「お身体にどことなく変調はありませんか、ガード夫人？　どうも、わたしの見るところでは、文句なしの健康体であるようにも思えません、お気になされては困りますが」わたしは心から心配しているのを、充分におどけた口調でたずねてみた。同じような調子で答えやすいような雰囲気を残して。

彼女は痛ましげな目をわたしに向けた。やつれたその顔に笑みはなかった。思ってもみなかった彼女の返答に、わたしは思わず立ち上がった。

「キャナヴィンさん、助けて！」彼女は短い言葉で、わたしの目をまっすぐに見つめた。

わたしは二秒でティーテーブルを回りこみ、彼女の震える手をとった。氷のかたまりのように冷たかった。わたしは手を握ったまま、ガード夫人を見下ろした。「心からお願いします」わたしは言った。

「可能になったらいつでも、どうか教えてください、ガード夫人。なにがあったのかを」

彼女はうなずいて、わたしのいたわりの言葉に感謝し、両手を引いて籐《とう》椅子に深く坐り直して目を閉じた。気絶するのではないかとわたしは思ったが、どうやらこちらの気持ちを察してか目を開けて言った。

「わたしはもう大丈夫です、キャナヴィンさん――つまり、ここ当面に関するかぎりは。お坐りになって、お茶を済ませてはいかがですか？　紅茶を淹れ直しますから」

いくぶんほっとして席に坐り直し、二杯目の紅茶を飲みながら、わたしは女主人のようすをうかがった。彼女が必死に落ち着こうとしているのは明らかだった。何分か、わたしたちは沈黙して坐っていた。やがて、わたしがそれ以上の紅茶を断ると、彼女は鈴を鳴らし、執事が入ってきてトレイを下げ、二人のあいだのテーブルにタバコを置いた。執事が退出して客間のドアが閉められると、さっそく彼女は発作的に身を乗り出し、なにがあったかを語りはじめた。

心の動揺は隠せず、わたしがそれとなく注意しようかと思ったくらい神経を昂《たかぶ》らせていたにもかかわらず、ガード夫人は単刀直入に本題に入った。むしろ、かねて心に期していたとおりの言葉を選んで語っていると、わたしには感じられた。そういうわけで、彼女はきわめて端的に述べた。

「キャナヴィンさん」彼女は口を開いた。「炉棚上部の壁面にわたしが視線を向けるのは、あなたもお気づきになっていたにちがいありません。わたしにとって、いわば神経質な習慣となっていました。気づいていらっしゃいましたよね？」

わたしは気がついており、それは亡夫の肖像画に向けられたものだと思っていたと告げた。

「ちがいます」ガード夫人は炉棚の上の空間から目をさけるかのように、わたしをしっかり見すえて、ふたたび言葉を続けた。「あの肖像画じゃありませんのよ、キャナヴィンさん。絵のすぐ上の場所――正確に言えば炉棚の上端からおよそ三フィート真上です」

彼女はそこでいったん口を閉ざした。わたしは彼女の述べた場所を見ずにはおれなかった。その一方で、わたしの目は彼女の長く美しい両の手の指をとらえていた。まるで、なにか硬くて物質的なものを通じて――自分の神経をつなぎ留めておくかのように、低いテーブルの端をきつく握りしめていた――そして、その指関節が強く加えられた力により白くなっているのをわたしは認めた。

わたしには高い天井へと立ち上がる灰色の広くてなにもない砂壁が見えるばかりであった。そして、肖像画の両脇に意図的に残された広いスペース、なにもない灰色の壁面にぽつんとサージェントの絵を架けた感性は、誰にしろなかなかのものであると推察された。

わたしはガード夫人に目をもどした。すると彼女の視線はわたしの顔にゆるぎなく固定されていたのである。壁を見上げないよう自らを抑えるため、意志力を振り絞っているらしい。

わたしは安心させるようにうなずいてみせた。

「よろしければ、お続けください、ガード夫人」わたしは言って椅子に背をもたれ、二人のあいだのテーブルに置かれた銀のボックスからタバコを出して火をつけた。

ガード夫人はくつろいで、安楽椅子にゆったり腰かけたが、相変わらず視線をわたしに向け続けた。話を再開した彼女は、熟慮の上での意識的な努力を払ってゆっくりと喋《しゃべ》った。わたしは彼女があえてそのように自らに強いているのだと直感した。つまり、もしもそんなふうに集中していないと、彼女は自分を見失って、大きな悲鳴を上げかねない。

「あなたは、たぶんデュ・モーリア*の書物、『火星人』はよくご存じだと思います、キャナヴィンさん」わたしが同意してうなずくと、彼女は続けた。「ジョセリンの目が悪くなるのを覚えてらっしゃいますね。彼は困惑し、健全な片目——他方の目がやられたことで彼はどうしようもなく悩みます——にある盲点に気づいてひどく心配します——完全な盲目になると思ってしまいますが、しまいに小柄なヨーロッパの眼科医が、視神経自体が視野に直接つながっているパンクタム・シーカム、すなわち盲点というものを説明して、安心させてくれます。あのくだり、ご記憶にありますか？」

「もちろん」わたしは言い、ふたたび安心させるようにうなずいた。

「そうですか、わたしは娘時代にそれを読んだあと、自分の盲点をテストしてみたのを覚えています」ガード夫人は話を続けた。「おそらく、とても多くのひとがこの実験をしてみたでしょう。要するに、盲点の外側に、左眼には盲点の左にも通常の視界があり、同様に右には右の視界があります。この通常の視力に加えて、わたしが確かめたように、それ以外の見え方があります。とくに中年の視力を見ればことに明らかです。つまり、通常の視力は、いわば〝過労〟におちいります。そして、視覚それ自体、彼もしくは彼女が目を使い過ぎると——刺繍、読書、あるいはなにか根をつめて見る必要がある専門的な仕事をする人間においては、妙な角度で見るほうが、いくぶんはっきり見えるようになってしまいます」

彼女はいったん口を閉ざし、わたしが説明についてきているかどうか確かめるようにこちらを見た。いま一度、わたしはうなずいた。わたしはすべての言葉を注意深く聞いていた。ガード夫人が再開した話はきわめて具体的なものになった。

「キャナヴィンさん、わたしたちがここに到着するやいなや、真っ先に手をつけねばならなかったのは、夫ガードの肖像画を、それにふさわしいところに架けることでした」彼女はそちらに目を向けず、肖像画の方向を手で指し示すしぐさをした。

「わたしはあの壁面を見て、架けるのにもっとも具合が良いのを確かめました。わたしにはあの場所が適していると思え、指示した個所に執事が釘を打ちこみました。そういうわけで絵は架けられ、いまもわたしが選んだ場所に飾られています。

そのおかげで、わたしはなにもない壁面をいやというほど見ることになりました。実は、肖像画が実際に架けられないうちから、わたしはなにかに気づきました。キャナヴィンさん、なにかがしだいに明確になり、徐々にくっきりしてきて——つまり、絵の上方になにかが、視界の外の角度に——ここにわたしが坐って見上げ、右眼の盲点の外に——壁を見上げるたび、よりくっきりと見えるように

デュ・モーリア　イギリスの挿絵画家・小説家、ジョージ・デュ・モーリア（一八三四—九六）。『火星人』は死後の一八九七年に刊行された自伝的小説で、主人公の名はバーティ・ジョセリン。

なりました。もちろん、壁面のきちんとした位置に架けたのをよく確かめなければいけませんから、わたしは絵を何度となく見ました。そうしているうち、視界の外周、視野の一角に、普通の疲れ目や多少のかすれ目によるものではないものが、わたしが示した場所に見えてきたのです。申し上げたように、それがガードの肖像画の上です。

キャナヴィンさん、それは成長しているんです、見るたびに！」

ガード夫人は突然平静を失い、顔を震える手でおおい、まるで子供が遊びで目をふさぐようにテーブルにかがみこんで、細い身体を震わせ、涙を見せずに泣き崩れた。

今回、一番よいのは静かに坐ったまま、気の毒な取り乱したご婦人のヒステリーの発作が治まるまで待つことであると、わたしは悟った。それゆえ、まったくの沈黙のうちに、可能なかぎり進んで彼女を救いたいという強い同情をこめた意志を、できるかぎり精神的に伝えようとしながら、わたしは待った。

わたしが予期していたとおり、しだいに嗚咽《おえつ》は盛りをすぎて弱まり、とうとう治まった。ガード夫人は顔を上げ、気を取り直してふたたびわたしを見た。今度は落ち着きと冷静さの度合いは際立っていた。突発したヒステリーは、彼女を震撼させたにもかかわらず、その通常の効果を発揮した結果、さきほどよりは平常にもどった。わたしに少し青ざめた笑顔を見せたほどだった。

「わたしがあまりにも弱いと思われそうで残念です、キャナヴィンさん」彼女はようやく言った。

わたしは静かに微笑んだ。

「できるときが来たら、可能なかぎり正確に問題を教えていただければ、お力になれるでしょう」わたしは言った。「どうかお願いします、あなたが壁面に見たものがどんなものなのか、話してみてください、ガード夫人」

ガード夫人はうなずき、少し時間をかけて心を落ち着かせた。よくある鏡のついた、ちっぽけな携帯用の金の化粧道具入れまで持ち出した。化粧が終わると彼女は笑みを浮かべる余裕ができた。そして、突然また真剣になり、簡明に語った。

「頭部と身体の一部――正確に言えば、前向きの上半身です、キャナヴィンさん――どうやら若い雄牛のようです。最初は頭部だけでしたが、やがてしだいに肩とか首が見えてきました。まるで、あきれるほどグロテスクで、ばかげていますよね？

きっと、キャナヴィンさんには、途方もない訴えと思われるにちがいありませんわ――」彼女は痙《けい》攣《れん》する両手に視線をおとし、やがて明らかに努力して、わたしを見つめた。つい先ほど化粧直しをしたばかりの顔から、突然死人のように血の気が失せた。「キャナヴィンさん、それが恐ろしいわけじゃないんです。それは、確かに、ひょっとしたらなんらかの目の錯覚のたぐいとして、説明できるのかもしれません。問題は――」ふたたび彼女は言いよどんでうつむき、やがてさらなる努力を払ってわたしを見た。「問題なのは、顔の――表情――にあるんです、キャナヴィンさん！　わたしは請け合いますが、とても人間的で、恐ろしくて非難がましいんです！　おまけにキャナヴィンさん、その化け物の哀れな鼻の上、額の真ん中から太い一筋の血が流れ出しているんです！　あまりにも、むごたらしいことですわ、キャナヴィンさん。とっても恐ろしくてたまらない。わたしの心の平安は粉みじんになりました。ただそれだけのことですわ、キャナヴィンさん――その額から血が流出する、若い雄牛の頭と首と肩、そしてあの表情……」

このガード夫人の特異な視覚体験の貴重な詳述を聞いて、ただちにわたしの分析的能力は奔放な活動をはじめた。黒人の心霊信仰をめぐるかねてからの知識と、わが西インド諸島における似通った現象は、わたしにも経験がなくもないことがらであり、共通点があった。雄牛と聞いてすぐにわたしは、古いアフリカの〝ギニア〟の神々が流布されている上《かみ》や下《しも》の島々の主要なヴードゥー教の代表的ないけにえの動物を連想した。

しかし、女主人が簡潔に述べた鼻へと血が流れる雄牛の顔が、ガネット・ハウスの高い炉棚上の壁面に現われたという表現――こいつは、まったく難問だった！　わたしは椅子から身を乗り出し、ガード夫人の注意を引くため片手を上げたのを覚えている。考えついたことがあった。

「よろしければお教えください、ガード夫人」わたしは言った。「あなたのおっしゃった雄牛の出現は壁際ですか――それとも、べつの現われ方をしますか？」

「壁から突き出ています」ガード夫人は、なんとか正確に表現しようとしながら答えた。「そうですね、いわば壁面からは数フィート、室内にはみだしているように見えます。もちろん、壁の後ろではないという意味ですけど――それに、わたしは言い忘れましたが、ある程度の時間をかけて見ていると、頭部と肩が下にかしいで来るようです。つまり、雄牛はまるでいま傷を負ったばかりで、瀕死の状態になって倒れて死ぬかのようなんです」

「ありがとうございます」わたしは言った。「これほど鮮明に語ってくださるのは、さぞ辛い試練だったにちがいありません。とはいえ、話すことがあなたにとってよい影響をあたえるのは、きわめて単純な心理として了解できます。あなたはその特異な体験を他人と分かち合いました。それは、もちろん、正しい方向への第一歩となります。ところで、ガード夫人、わたしの〝処方箋〟をあなたにお話ししてもいいでしょうか？」

「もちろんですわ、キャナヴィンさん」ガード夫人は答えた。「率直に言って、この恐ろしい現象についてどなたに述べても安心は得られませんわ。もちろん、子供たちにも話していません。あなたを除いて、誰にもひと言たりとも打ち明けていません。これは見境いなく他人と論じ合えるたぐいの話題ではありません」

わたしはテーブルをはさんで、この暗黙の賛辞に浴し、ガード夫人のほんのうわべばかりの友人にすぎないにもかかわらず、自信を深めて頭を下げた。

「つらつら思うに」わたしは言った。「ガード家全員で、わたしが行ってきたばかりのような島めぐりの旅にお出かけになったらいかがでしょうか。木曜日にセント・トマス島からキュナード汽船会社のサマリア号が出航します。本日は月曜日です。無線か電報でセント・トマス島に予約を入れるのはきわめて簡単なことでしょう。二、三週間旅に出て、元気が回復したらおもどりになったらいかがです。ついでに、ガネット・ハウスの鍵をわたしにお預けください、ガード夫人」

女主人はうなずいた。わたしの提案を熱心に聞いてくれた。

「そういたしましょう、キャナヴィンさん。エドワードとルークリーシアに反対する理由はないと思います。実際、二人はあなたがマルティニク島へいらっしゃったのをうらやんでいたんです」

「それはいい」わたしは勇気づけるように言った。「これで話は決まったようですね。つけ加えれば、グリーブ号がセント・トマス島に向けて明朝もどる予定になっています。それに乗って行けばきわめて好都合でしょう。わたしはさっそく配船係に電話して許可を求めましょう。そして、市立病院の主任内科医、ペルチエ博士にも相談します。彼は広い心とこのような事態に対する豊富な経験を持っています」

ガード夫人はふたたびおとなしく従ってうなずいた。視覚的恐怖体験がすっかり決着をみるまで、どんな理性的提案も遂行しようという境地に達しているのは明白だった。

翌朝の八時、ガード家は、わがヴァージン諸島を航行し、そちらとポート・リコ島*を結ぶ政府の小型輸送船グリーブ号に乗って出発した。わたしはクリスチャンステッドの波止場で一同を見送り、次の日の午後にはセント・トマス島から一通の無線電信が入って、ペルチエ博士はとても力になってもらえる人だとわかったうえに、西インド諸島をめぐる三週間のクルーズの予約が完了し、三人揃ってキュナード社の汽船に乗れることになったと伝えてきた。

わたしははじめてひと息ついた。忠言によって、わたしはとてつもない責任を負う立場になった。いまや、三週間余りにわたって、ガネット・ハウスの荘園領主なのだ。わたしはガード夫人が一緒に連れてきた白人の執事を通じて、当家の召使いたちに一日のピクニック——西インド諸島の黒人たち一般に広まっている楽しみ——休暇をあたえ、そして、ガード夫人の要望として、いっさいにおよぶ白紙《カルテ・》委任状《ブランシェ》を受けたことを持ち出し、執事にも当日、もしくはせめて二日間休むように求めた。なんなら、セント・トマス島へ、翌日のグリーブ号の次便への乗船も可能だと示唆した。セント・トマス島には、おもしろい店もあるし、見所もたくさんあるだろう。

執事はこの計画をなんの異議もなく受け入れた。それから、英国国教会の司祭、リチャードソン師を訪ねた。わたしが来意をすべて伝えると、リチャードソン師はその賢明な西インド諸島人の頭部をあっさり振ってうなずいた。彼は聖職者として、生涯を賭けて黒人の〝愚かしさ〟と戦ってきたのだ。彼はわたしからそれ以上聞くまでもなく、どうすればよいかすべて心得ていた。

ガネット・ハウスの召使いたちがすべて出払っていた日、リチャードソン師は黒い鞄をたずさえて現われた。そして、家の上から下まで悪魔祓いを行った。祭文をとなえながら、古い広壮な館の部屋から部屋へと聖水をまいた。やがて、わたしが喜捨《きしゃ》として差し出した二十フラン紙幣を重々しく受け取ると、わたしを祝福し、善良で禁欲的な司祭は辞去した。たぶん、悪魔祓いも彼にとっては通常のありふれたお勤めにすぎないのだ。

わたしの呼吸は楽になった。神よ、蛇に支配されたハイチのヴードゥー教の頑固な信者さえ、聖週間の時期が来ると――祭壇のことごとくから、蛇神を外して床に伏せ、茣蓙《ござ》でおおうと、代わりにキリストの磔刑像《たっけい》がその祭壇に置かれる――神は、半神たちをしたがえたギニアの万能の蛇神よりも無限に強力な存在だ！　わたしは安全な側にいると信じられた。

このあと、わたしはガード夫人の帰宅をただ待っていた。数日おきにちょっと家を訪問し、執事のロバートソンと話すくらいだった。そのほかの点では、海のいやしの空気が、ガード夫人の健康を回復させるのに任せればよく、その変化によって心機一転して帰ってくれれば、恐怖の再発はないだろ

ポート・リコ島　プエルト・リコ島の旧名。

うと、自信を持っていた。

しかし、わたしの観点からすると、例の現象は問題、それも解決しがたい問題だった。わたしはなんとしても、夫人がティーテーブルをはさんで詳しく語ってくれた奇妙な顕現の背景を確かめるまでは、休んでいる場合ではなく、充分な注意をはらう必要がある。思案するうち、西インド諸島人のオカルト伝承に対して自前の知識では足りなくなったので、モーリング老事務弁護士の存在を思い出した。手がかりの持ち主かもしれない！ ガネット家にまつわる古い流言のいわば影をつかのま思い浮かべた。その流言になにか現実の背景があるとすれば、なおかつ、その事実をいまも生きている人物が知っているとしたら、それはモーリング氏を措いてない。氏は八十歳を越えている。彼は若い頃、ここに住んだ家族の最後の人、アンガス・ガネットと個人的に知り合いだった。彼は生涯、資産管理の責任を果たしてきた。

それゆえ、モーリング氏という用心深い老人にこのような件をどう持ち出せばよいか、じっくり思案した末、わたしは出かけた。

モーリング氏はヨーロッパ式の礼儀正しさでわたしを迎え、ごく普通の訪問を、改まった席に変えてくれた。彼は極上のシェリー酒を出した。堅い決まり文句まで用いた――。

「キャナヴィンさん、おいでくださって大変光栄至極に存じます」彼は西インド諸島のデンマーク人らしく、〝ディス〟を〝ジス〟と発音した。この時期に島の耳目を集めていたさまざまな地元の事柄について喋ったのち、わたしはやってきた本題を慎重に切り出した。

わたしはその話の本体へとつながるかけ引きを、詳述する気はない。同様に、老事務弁護士とわたしのあいだでたちまちおちいった、交渉の行き詰まりは相当長く続いた。わたしには彼の立場が明確にわかった。わたしの慎重な質問は、古い顧客の侵すことのできない事件にかかわっている。契約上やむを得ない沈黙、礼儀正しい沈黙、沈黙の周囲だけは、一時的に緩和する性質のさまざまな思慮深い意見によってやわらげられていた。にもかかわらず、その沈黙はユカタン半島の中央にあって隔絶した、キンタナ・ローの地のように守られていた。

しかし、キイワードがあった。たぶん潜在意識のうちに、ことによると意図的に、直観にもとづいた故意から、わたしはそれを隠しておいた。わたしはガード夫人が実際に述べた中身については語らずにいた。つまり、彼女を苦しめたものの性質や属性についてなにも明かさなかった。しまいに、老紳士の頑固な保守性を完全に瓦解させる可能性のある、爆弾発言を行った。それは功を奏した！

鍵となったのは〝雄牛〟という言葉だった。ガネット・ハウスの炉棚の上方にガード夫人がそれを見たというわたしの発言は、効果を発揮し、その言葉は瞬時にして老紳士のしなびた唇を青くし、顔面が蒼白になり、気絶しそうに思われた。

とはいえ、彼は気絶しなかった。なにか気ぜわしく上等のシェリー酒をグラスに注ぎ、思いのほかしっかりした手つきで飲み、グラスを置くと、わたしに向き直って述べた――。

「待っていたまえ！」

わたしが待機していると、彼は客間からゆっくり出て行き、なにかを探しにゆくぱたぱたという絨毯地のスリッパの音が聞こえてきた。もどってきた彼はまったく平常と変わらず、頬はいつものりんご色、欠点のない老齢の優しい笑みが老いた口もとにあふれていた。彼は旧式の厚紙製の整理箱を、マホガニーのテーブルのシェリー酒のデカンターの横に置き、わたしを見据えるとしたり顔でうなずき、整理箱を開けはじめた。

　そこから大型の古い革製の書類入れのようなものを取り出した。それは旧弊な弁護士が特別の書類に使うようなバインダーで、モーリング氏はそれを開いて目次を一瞥し、今度は自分自身にふたたびうなずき、丁重に一礼してから、わたしに書類を手渡した。

　受け取ったわたしは、老紳士がなんと言うか耳をそばだてながら、ざっとあらためた。何頁もあるのは旧式の罫線が入ったフールスキャップ判の用紙で、ずいぶん昔のプランテーションの会計簿に用いられていたのをわたしは目にしたことがあった。手にしながら、わたしはモーリング氏が語るのを待った。

「キャナヴィンさん」彼はデンマーク訛りの破格な英語で話しはじめた。「これをお渡しします。なぜなら、ここには当然――あなたを困惑させる記述がふくまれているからです。これは親戚とフィラデルフィアで開催された万国博覧会を訪れた、亡きオーナーのアンガス・ガネットによる、アメリカ合衆国から帰国したばかりの一八七六年の秋に、ガネット家で起きたことの正確な記録です。

　この書類、この個人的報告に、いまでは――追究が不可能となってしまった、すべての経緯が説明されているのを、あなたは見つけると思います！　自由に精査していただきたい。なぜなら、書いた者は死んだからです。読めばおわかりのように、遺言人――いわば書き手が、生存中に単独で記したものを、精査できるようわたしが綴《と》じました。これは遺言ではありません。たんなる陳述です。あなたはおそらく興味をお持ちになることでしょう。きっと！」

モーリング氏の大いなる好意に対してわたしは一礼し、読みはじめた。

Ⅱ

デンマーク領西インド諸島、クリスチャンステッド、ガネット・ハウスに於いて
一八七六年十月二十六日識《しる》す

わがよき友にして同志、ルドルフ・モーリング宛

本書簡はわたしの資産管理の際、きみの参考に資するものとなるだろう。〈日曜市場〉の南側にある市中の邸宅をきみにゆだねる管理目的のため、ここに同封する。わたしは今月の二十九日、イングランド行きの船に乗り、やがてエディンバラ市へと直行するつもりだ。かの地での永住先は、スコットランド、エディンバラ市、クラージス・ストリート入る、マッキンストリーズ・レーン、一九番地となる。種々雑多な通信物、もしなにか個人的かつ財産に関する案件が出来《しゅったい》した場合は、すべてこの住所に送付のこと。

わたしの出発後、かの邸宅を永久に閉鎖するよう、ここに命令伝達する。同じくきみの責《せき》により永久に維持管理され、家の閉鎖目的にまつわるきみの経費に関する計算書を、すみやかにわたしのエディ

ンバラの居宅に送付願いたい。

自分ではよく承知しているが、この明らかに唐突な決定について、きみに説明するのは当然だ。ここに開陳するつもりだ。そのためには、＊＊＊＊のp[*]にもとづいて、わたしの生存中、完全に秘密を守ってもらわなければならない。――フリーメーソンの会員として、きみは当然わかっておられようが、それでも非公式に申し上げておきたいし、フリーメーソンの兄弟団と同じく、下文について、厳格、完全にわたしの秘密は守ってもらう。

それでは、きみがすでに承知のことから話をはじめよう。すなわち、わが母親、ジェイン・アリーシャ・マクマートリー・ガネットの死後、存命中だった父親の故ファーガス・ガネット郷士は、彼のスコットランドの親戚同様わたしにも、広く深い悲しみの種となった。それは西インド諸島の津々浦々に住むさもしい人間ばかりでなく、家柄のよい少なからぬ白人たちも溺《おぼ》れるたぐいの災いであった。手短に言えば、わが父親は、うちの家人、亡き母親の専任の世話人であった混血女《ムラット》のアンジェリカ・コフォードとの密通を開始していたのだ。それが起きたのは一八五七年のことだ。

きみもよくご存じのとおり、二人の結びつきから息子が生まれた。さらに父親は、デンマーク領西インド諸島の法により、合計四百ドルを母親に支払えば、その法的義務を免除できたのに、それとは逆に、とりつかれたようにのぼせ上り、法律上の手続きを踏んで、嫡出子としてこの息子を認知した。

わたしの十歳の誕生日からまもなく、のちにオットー・アンドレアス・ガネットとして知られる子供が、わたしがこれを書いているこの旧宅で生まれた。その後、父親は当の女性、アンジェリカ・コフォードに年金をあたえ、一切の関係を絶った。子供が乳離れしてまもなく、年金が支払われ、死ぬまでずっと支払われるとの約束で、彼女が生まれたセント・ヴィンセント島への帰島をうながした。

わたしの法的異母弟オットー・アンドレアス・ガネットは乳母に育てられ、わが邸宅に住み、この屋根の下で家族として成長した。ここで言えるのは、あんな性格になっていなければ、弟に対するわたしの嫌悪や反感を克服するのは可能だったろうが、子供時代から少年時代、少年時代から若者時代を経るにつれ、そんな心配りは不可能になっていった。

わたしはオットー・アンドレアスが黒人側の血を強く〝受け継いで〟いるとはっきり言える。彼の母親は八分の一の黒人の血を引いているにしても、〝血の関わり〟はわずかなもので、異母弟は白人のような外見であった。このことは誤解しないでもらいたい。当地、西インド諸島の立派な市民の多くが混血であるという事実を、わたしは十二分に知っている。少なくとも、わたしたちの島々では、もとより悩ましくも微妙なことがらだ。こう言えば事足りよう——その血の最悪の特徴が、長ずるにつれてオットー・アンドレアスには顕著になった。この島の黒人のあいだでさえ彼には悪い評判が立っているし、今後も長く続くにちがいない。邪悪で淫乱な性向との評判、品性下劣な仲間の選択、利己的でうぬぼれた態度、なかでも最悪なのは、黒人たちの邪悪で愚かな儀式に、救いがたいほど熱中し、家名の恥をさらしたことだ。彼は一八七六年、今年の秋に死ぬまで、最悪な連中と付き合っていた。それは当地のオービア魔術として知られる妖術に関係している。

*******のp**　原文"*****'s p."　不明。フリーメーソン組織の位階をわざとぼかして書いたものと思われる。

この最後に言及した件に関して、わたしはとうてい黙認できない。わたしの父親は幸いにも、悪魔の力への激しい傾倒がオットー・アンドレアスにまぎれもなく表われてくる、その五年前に生涯を閉じていた。かてて加えて父親の関心は薄れていた。この試練の重荷をしょいこむ前に父親を連れ去ってくれた神の救いに感謝するものだ。

これ以上詳しく述べるつもりはないが、こうした異母弟の悪い特質の積み重ねが、今年、一八七六年五月二日、わたしのアメリカ合衆国への出発を決心させる遠因になったといえよう。きみも承知のとおり、オットー・アンドレアスをここに残して行くについて、品行を慎むよう厳命をあたえ、しだいに耐えがたい嫌悪となってしまった弟との持続的な接触から逃れたい思いもあって、わたしはニューヨークからフィラデルフィア市へ赴《おもむ》き、そこでいくらか気晴らしになるかと期待して万国博覧会に参加してから、帰国前の十月はじめ、合衆国のメリーランド州とヴァージニア州の親戚連中を訪れた。

わたしはニューヨークから出航し、ポート・リコ島経由で、十月十九日、島に帰ってきた。上陸地はウェストエンドだったので、その夜は友人のフレデリックステッド調停裁判所の判事、マルグラヴ氏の官舎で厄介になり、その後、ウェストエンド英国国教会のドクター・デューボイス師の好意により、たいへんありがたくも彼の馬車と馬を貸してもらい、十七マイルを走って、翌朝クリスチャンステッドに帰還した。

わたしは昼食時の直前、一時十五分前に到着した。

良き友人であり同志のきみにははっきり伝えるが、アメリカに長いあいだ出掛けた留守中、それが異母弟に矯正効果をもたらすと期待するほど、わたしは浅はかではない。実際、わたしの不在中に弟がしでかす、新たな悪事、新たな愚行に直面せざるを得ないのは必至であると予測していた。実に、わたしの帰宅はとんでもない目に合うだろうと覚悟していた。というのも、ほんとうにわたしはそのような予感を抱き、そうした考えのもととなるに足る十二分の根拠を持っていたからだ。それゆえ、楽観的とは決して言えない気分で家に到着した。わたしはいっときの落ち着きを確保せんがため、旅に出ていた。わたしは得体の知れないものと出くわすために帰宅した。

わたしは意識して言っておく。というのも、わが友、きみに警告するためだ。わたしが書こうとしているものを、きみが読み進めるにつれ――とはいえ、正気な人間で、わたしが出くわしたものを予想できる者はいない！　わたしは家で困った状況が待ち受けているという警告にも似たものを、フレデリックステッドからこの島を横断してくる途中で感じていた。きみはこの島の黒人たちが、心の奥底の考えを、ある場合には表情であからさまに示すのを知っている。それ以外の場合、彼らがどれほど底知れない態度を取れるかも知っていよう。道中の路上や農園で黒人たちとすれちがい、わたしと知った彼らからは、ある種のあわれみの表情しか感知できなかった。実際、聞えよがしの小声で、彼らの口から異口同音に洩れるつぶやきが、わたしの耳に入ってきた――。

「気のどくな、若いごしゅ人さま！」あるいは、こんな言葉が。「ああ、かみさま、あの方はめんどうと災難にみまわれます！」

むろん、こんなことは安心とは正反対だ。しかし、わたしは驚かなかった。きみは覚えているだろう、根はひとつ、わたしはオットー・アンドレアスにまつわる災厄を予測していた。

なにかを予期していたのを隠す気はないが、先に述べたとおり異常なものだった。

わたしは妙に静まり返った家に入った。――最初に襲いかかったのは、まったく常軌を逸した臭いだった！　そう言われて、きみは疑いなく驚くだろう。わたしは事実を記録している。手荷物はドクター・デューボイス師の御者イェンスに任せて、ドアを開くやいなや、わたしの鼻腔はたちまち攻撃を受けた。鼻が曲がりそうなその悪臭は、牛小屋のひどさと変わらなかった！

いまも記したように、まったく喉を絞めつけられるほどひどい。内部に入ると同時に小間使いたちを呼び、わたしのバッグ類を手にしたイェンスの助けになるし、不快な臭いを逃すためもあってドアは開けたままにした。わたしは執事のハーマンとこの家の小間使いジョセフィンとマリアンを呼んだ。コックのアマランス・ナイルズにまで声をかけた。わたしの呼ぶ声に――前夜、帰島していたのを知らなかった執事と小間使い――ハーマンとマリアンが駆けつけたが、彼らはきみもよく知っているとおり、黒人たちがなにか隠し事があるときの空とぼけた無感情な顔つきをしていた。

彼らにバッグを寝室に運ぶよう命じると、御者のイェンスに向き直って手数をかけた礼に心づけをあたえ、ふたたび向き直ると戸口からわたしを見つめているジョセフィンがいた。ほかの二人はわたしの手荷物を片付けるためにいなくなっていた。残るトランクなどの重量物は、荷馬車屋がフレデリックステッドから、本日午後運送してくれる手筈となっていた。

「このとんでもない臭いはなんなのだ、ジョセフィン？」わたしはたずねた。「これじゃ、屋敷内が家畜小屋同然じゃないか。なにがあった？　さあ、言ってみろ！」

戸口に立ちつくした黒人娘は、なにを考えているのかまるで読み取れない表情をして、両手を固く握りしめていた。

「ああ、かみさま、わたしにはいえません、ごしゅじんさま」彼女は例の苛立たしい偽のとぼけ顔を意のままに演じて返事をした。

わたしは無言だった。わたしは帰館早々あら捜しをしたくはなかった。それに、鼻が曲がりそうな臭いが、この娘のせいであるわけもなかった。わたしは内廊下を左に歩んで客間《ホール》（原注　西インド諸島の客間は、一般にホールと呼ばれる）に行き、閉まっていた正面ドアから入った。ドアを開け、踏みこんだわたしは、唖然とした。

親愛なるモーリング、覚悟したまえ。きみは控え目に言っても、充分驚くにちがいない。

客間の中央で、内廊下からドアを開け放ったばかりの人物——この場合、わたし自身だったが——に首を向けて、真っ黒な雄牛がいたんだ！

そのうえ、わたしの祖父が一八三七年のトルキスタン地方への旅行の際に購入してきた床のブハラ絨毯の中央に新鮮な牧草とニンジンが半量入った木箱があり、その絨毯上には水の入った大型バケツも置かれていた。食べかけの牧草の束を口にくわえたまま、まるでこう言いたげにそいつはわたしを見た。「いやはや、このわたしの邪魔をしようなんて、いったいおまえはなにさまなんだ！」

モーリング、わたしはそのときカッとなった。わたしの客間に、わたしの街の邸宅に——雄牛がいるなんてあいた口が塞《ふさ》がらない！　わたしは内廊下に駆けもどって、執事と小間使いたち、ハーマンやジョセフィンやマリアンを呼びつけた。やってきた彼らは、恐怖で顔を灰色にして、階段の手摺越しにこわごわ見下ろした。わたしは彼らを容赦なくののしったが、それはきみにも容易に察しがつくだろう。信心深いドクター・デューボイス師でさえ、もどった司祭館の最上等の部屋に雄牛が飼われていたなら、少なくとも悪態をつきたくなるはずだとわたしは思う！

しかし、わたしがいくらののしっても、先に述べたとおりの無感情でとぼけた表情は変わらない。そして、わたしが罵倒しているさなか、コックのアマランス・ナイルズがキッチンから、その老いた太い手に長いスプーンを持って出てきた。わたしが生まれた二十八年前から彼女はこの家にいるが、やはり空とぼけた顔つきをしていた。

わたしは彼らを、恩知らず、愚か者、ろくでなし、極悪人などと口汚くののしるのを急にやめた。この愚劣な行為は、彼ら哀れな連中の手になるものではないと、すぐさま気づいたからだ。これは、わたしの異母弟、オットー・アンドレアスの最新の悪魔的行為にちがいなかった。わたしははっきりわかった。気を取り直した。哀れなハーマンにややおだやかな口調で言った。

「さあ、ハーマン、このけだものをすぐ家の外に出せ！」わたしは客間の開いたドアを指さした。

しかし、厳しい命令にもかかわらず、ハーマンはまったく動こうとしなかった。灰色となった顔で、哀願するようにわたしを見た。やがてゆっくり両手を頭の上まであげ、階段に立ったまま恐ろしそうな表情で手摺越しに眺め、震え声で叫んだ。

「できません、ご主人さま、善良な神さま、助けたまえ——わたしにはそのどうぶつを移どうさせられません！」

わたしはある程度落ち着いて、執事のハーマンを見つめた。そして述べた。

「オットー・アンドレアスさんはどこにいる？」わたしはたずねた。

この単純な質問に、階段の小間使い二人は大声で泣きだし、目を丸くして見つめていたコックの老アマランス・ナイルズは静かに戸口から後じさって背を向けると、思いがけない俊敏さをみせて自分のキッチンに駆けもどった。ハーマンは白人なら、蒼白だったと言うところだ。平衡を失いそうになりながら手摺をしっかり握って、なんとか階段を降りてきた。彼は向き直ってわたしのもとに歩んだが、青ざめ引きつったその顔の額には玉の汗が噴き出していた。彼はわたしの前に来ると、廊下の床に膝をついてくずおれ、頭上に両手を上げて叫んだ。「しにました、ご主人さま、おとついのことです──ほんとうです、ご主人さま！」

きみには白状するが、このまったく予期せぬ報《しら》せに、わたしのまわりで廊下が揺らいだ。昨夜、誰もわたしに教えてくれなかった。たまたま、お世話になった人が知らなかっただけかもしれない。新たな疑問がくらくらするわたしの頭に浮かび上がった。なぜ死んだことが報されなかったのかという疑問が。

「死んだのは何時だ、ハーマン？」わたしはようやく言葉を発した。今度はわたし自身が手摺をしっかりつかんでいた。

「おそくです、ご主人さま」なおひざまずき、前後に上体を揺すりながら、ハーマンが答えた。「たぶん、深やすぎ、二時ごろです、ご主人さま。翌日には埋そうされ、あれはきのうの午後二時でした、ご主人さま。遺たいは腐りやすく、そのうえ、ご主人さまの到着はだれもしりませんでした」

すると、だから世話になった判事のマルグラヴはわたしに言わなかったのだ。彼らは単純にわたしの異母弟の死を知らなかった。このクリスチャンステッドからは距離があるので、通常だと今日にならなければ伝わらないだろう。

なんと言っても第一印象は、深い安堵の念だったのを認めよう。

オットー・アンドレアスはもう二度とわたしの災いの種にならないと思ったのを告白する。彼の欠点、傲岸、多岐にわたる邪悪な習慣、極悪な行為に、実際、誰ももう悩まされない。それは早合点にすぎたが……。

やがて、ほとんど機械的にだと思うが、わたしの精神は客間の修羅場に向かった。そこにいる下卑たけだものは、たいへん貴重な絨毯を汚物まみれにしている。わたしはハーマンに向かって言った。

「立ちなさい、ハーマン！　おい、立て！　そんなふうに振る舞う必要はない。当然だが、わたしは客間にこの動物がいるのはがまんならなかったのだ。実際、なおわたしの怒りは収まらない、言いたまえ――」立ち上がった執事は、わたしの前で震えていた――「誰がここに入れて、そしてなぜ外に出さなかった？」

ハーマンのやつは見るからに全身を震わせ、ふたたびその黒い顔がやや日常の色を取りもどしかけていたのが、恐怖の灰色に変わった。彼がわたしを恐怖するというよりも、ほかのなにかを恐れているのをなぜか感じた。もちろん、わたしはわが黒人たちの特性に通じている。わたしはとても優しく、ふたたび彼に語りかけ、最初に大きな怒りを感じたときから抱いていた考えを口にした。

「オットー・アンドレアスさんがここに牛を入れたんだろう？」

ハーマンは明らかに口にするのが耐えがたく、わたしに向けてうなずいた。

「さあ、おまえ、ただちにこいつを外に出せ！」わたしは命じた。

わたしをふたたび芯からいらだたせる態度で、ハーマンは面前で膝をつき、命令にしたがえないむねを卑屈につぶやいた。

わたしは忍耐を保とうとした。ひどくいらついていたと思う。ハーマンの肩を抱いて立たせ、無抵抗の彼を廊下伝いに歩かせ、わたしの事務室に入れた。背後でドアを閉めると、わたしが簿記をつけたり書き物をする──いま、きみに書いているところだ──仕事机の前に坐らせた。ハーマンがまだ震えているのに気がついた。なにかこれには深くて──底知れぬものがあった。

「行って、ラム酒とタンブラーを二個持ってきなさい、ハーマン」わたしはなお優しく、つとめて穏やかな口調で話そうとしながら、命じた。ハーマンは黙って部屋を出た。ひどく困惑したまま、わたしは坐って彼のもどるのを待った。雄牛の処置は、まあ待てなくもない。その気配からすると、牛が入れられていたのは丸一日かそこらだろう。ドアを閉めたこの部屋でも、その臭いは、耐えがたいほどだ。

引き返してきたハーマンが、ラム酒とタンブラーを置いた。わたしは強い酒を一杯注ぎ、小型のタンブラーに自分の分をついだ。ラム酒を飲み干したわたしは、もう一方のタンブラーをハーマンに手渡した。

「こいつを飲め、ハーマン」わたしは命じた。「そうしたら、そこに坐るんだ。まじめな話をしたい」

ハーマンは目玉をぐるぐる回転させつつ、ラム酒をがぶ飲みした。再度わたしが命じると、指示した椅子のへりぎりぎりに落ち着きなく坐った。わたしは彼を見た。ラム酒を取りに行って飲んだことで、いくらか動揺は収まった。もはや見てわかるほど震えてはいなかった。

「さあ、聞きなさい」わたしは言った。「ぜひ、話してくれ、あいまいな言葉なしで、率直に。なぜ、あの雄牛を客間から出さなかったのか、わたしは知る必要がある。さ、もう教えるんだ!」

いま一度、ハーマンはわたしの足もとに身を投じ、文字通りそこにひれ伏した。そしてつぶやいた――。

「どうか、かんべん、ください、ご主人さま、それが、わたしにはできません」

あまりにもひどすぎる。わたしは自制をかなぐり捨て、黒人悪党の首根っこをつかむと、ひきずり上げて立たせ、激しく揺さぶり、顔の両頬をひっぱたいた。彼は抵抗せず、ぐったりつかまれたまま、哀れな姿をさらしていた。

「言え」わたしは彼を脅迫した。「さもないと、絶対に、おまえの役立たずの黒い身体の骨をすべてへし折ってやる！　さあ、ただちにこんなおとぼけはやめて話せ！」

ハーマンの身体は硬直した。彼は上体を乗り出し、震えながらわたしの耳もとにささやいた。どうやら、その名前は普通に声に出しては言えなかったらしい。彼らの悪魔的な黒人まじない師《パパロイ》、彼らが呼ぶところのパプ・ジョーゼフ――彼らの呪術医が、客間に雄牛を放置させた張本人であった。その上、彼が告白をはじめたところによると、わたしの異母弟は、急死するまでの数日間、そのけがれた悪党を家に泊めた――想像がつくかい、モーリング？――というのだ。二人はこの客間で手のこんだ準備を行い、共謀して堕落した魔術《オービア》を計画していた。雄牛は三日前に連れこまれた。さらなる詳細はここでは不要だろう。そして、結局、すんでのところで彼は目撃者にならなかったので――いかなる降霊術とか妖術が二人のあいだで行われたかは推察するしかないが――わたしの客間には二人のほかに多数の黒人が立ち合い、成功する寸前、どうやら彼らが魔術を実践している真っ最中に、オットー・アンドレアスが思いがけず急死してしまい、パプ・ジョーゼフ自ら室内の雄牛を動かすなと、ハーマンに対し厳命したという。どんなことを言われても、パプ・ジョーゼフ自身がこの牛を連れに来るまで、動かすなと。水と餌をやり――それゆえ、バケツと牧草の餌入れがあった――いかなる場合でも手出ししてはならないと。

もちろん、それで多くは説明がつくが、哀れな老ハーマンがわたしのこれまでの質問に答えるのを、なぜ尻込みしたのかがわかったところで、事態はさほど変わるわけではない。胸糞悪い雄牛はなお客間にいて、いわば放牧されている。なぜ呪術医があんなばかげた命令を発したのか、説明のつかないことではある。つまり、それを理解するためには、彼らの魔術やそのたぐいの外道の技の秘密に通じていなければならないだろう。とはいえ、彼ら全員が恐れる害虫のようなそのジョーゼフ、または邪悪な悪魔の化身――の恐怖の重圧下にあるハーマンが、牛を外に出すなどとうていできないのは明らかであった。わたしはハーマンを事務室から下がらせ、廊下を歩んでふたたび客間に入った。

ここではじめて、最初に入ってきたとき、平然と部屋を占拠する雄牛を、なすすべなく目にした際には気がつかなかったものを、わたしは認めた。客間の東端、大理石の炉棚とほぼ同じ高さに、しっかり壁に取り付けられ、横手に斜路というか平らな坂のような斜面が付随する、大きくて頑丈な木造りの壇があった。実際、その壇はおよそ十二平方フィートの広さがあり、炉棚から突き出すように室内に出ていた。わたしは、そしてきみも、これがなんのためのしろものか当然、承知している。この壇は、ヴードゥー教の〝主〟祭壇だった。彼らの恐ろしいたくらみにもとづいた高度の霊的顕現の、なにかとても手の込んだ儀式が、ここで計画されていた。どうしようもない憤りの念から、わたしの口は乾いてしまった。わたしの父親ファーガス・ガネットの息子は、たとえ有色人種であるにしろ、このような残虐で下劣な行いに進んで参加し、手を貸したのだ！

　雄牛を動かすためには、ロープを確保しなければならないと思いついた。牛は完全に自由で、いまは頭部に端綱《はづな》もつけず、窓から外を見て立っている。わたしは部屋を出て背後でドアを閉じ、ハーマンにロープを持ってくるよう命じるつもりでいたが、そのときちょうど、誰かに協力を求めればよいのではないかと思いついた。きみも承知のとおり、こんな牛を牽《ひ》いて、わたしが家から公道に出るわけにはいかない。こっけい極まりない光景として、何年にもわたり、街中の黒人たちのあいだに、ひいては島中の嘲笑の的になる語り草を提供してしまうだろう。わたしはハーマンを呼んだが、それゆえ、彼が呼び出しに応じてやってきたときには、ロープではなく、馬車の用意をさせ、十分後に準備が整うと、わたしはハーマンにマッカートニー・ハウスへ馬車を走らせるよう命じた。

　そう、わたしは決意を固めた。マッカートニーにある程度わたしの秘密を打ち明けるにしても、彼に協力をあおいだほうが賢明だろう。第一、彼は家畜を多数飼っている。マッカートニーに雄牛を譲り渡せば――家の裏手の通路を抜けて裏庭へ出して――彼の牧夫に雄牛を牽かせれば、街中にうわさが広まったりはしないだろう。

　マッカートニー家へ向かう十分間に、その決断を何度も考え直してみた。そして、到着してみると、家には当主とその娘、ホノーリアと結婚した夫のコルネリス・ハンセンがいた。

　この紳士たちにわたしは、奇矯な亡き異母弟が死ぬ寸前、客間に家畜を放置してしまったとだけ説明し、このけだものを追い出すための助力と支援を乞うと、彼らはもどるわたしに同行してくれた。

　わたしたちが帰着したのは、午後三時に近かった。マッカートニーの牛飼いのひとりは、御者席のハーマンが隣に坐らせて連れてきた。ロープと端綱を身に帯びた牛飼いと、わたしたちは家に入り、内廊下を通って客間へと歩んだ。

さあ、ここで親愛なるモーリング、わたしは奇妙極まりない出来事を、余儀なく書き留めねばならない！　若い、まだ成長半ばの雄牛は、もとより充分予期できたような、御しやすくおとなしいものでないことがわかった。

手短に説明すると、わたしたちが入室するのを目にするやいなや、おまけに牛飼いが端綱とロープを手にしているのを見透かすと、雄牛はまるで狂ったように暴れだした！　客間を蹂躪《じゅうりん》し、懸命に追いすがる牛飼いを尻目に、そこらの家具をひっくり返し、物を壊し、なぎ倒した。マッカートニーとハンセン氏とわたしは、取り囲み、先回りしてさえぎろうと最善をつくした。結局、牛は場所もあろうに、広い祭壇の上に逃げ延びてしまった！　そう、牛は斜路を駆け上がり、その上で進退に窮して留まり、鼻腔からおびただしい泡を吹き、小鼻をふくらませ、そのいかつい動物の顔に、誰に想像がつくか——つくはずがないきわめて驚くべき感情を呈したのである。

そこに立ち尽くした牛を、わたしたちと牛飼いの四人で見上げていると、マッカートニーが突然叫んだ——。

「誓って、ガネットさん、このなんともいまいましい眼差しは、まるで人間みたいじゃないか——けだもののくせに！」

それを見たわたしは、マッカートニーがまったく正しいような気がした！　雄牛の表情には客間から出されたくないという意志がどこから見てもきわめてはっきり表われていた！　事態はまったくこっけいなものだった――牛が暴れまわったことで、壊れた家具を修理するため、指物師に相当の支払いをする必要が生じている事態を除けば。

マッカートニーは連れてきた黒人牛飼いに向かって、自ら窮地におちいった牛に斜路を登って端綱をかけるよう命じた。黒人はそうしようと試みた。もう少しで祭壇の上に迫りそうになったとき、牛は不意に頭を下げ、不運な牛飼いを床に投げ落とすと、二の腕が折れてしまった。

それで、本日二度目になるが、わたしの堪忍袋の緒も切れてしまった。こんな許しがたい蛮行は、どうにもがまんならなかった。わたしの異母弟とその狂気の悪行、そして悩みの種と苛立ちは、彼があの世に行ってからも続くのか？　わたしはすぐその場で、この事態にけりをつける決意をした。

「この哀れな牛飼いの世話をしてくれ、マッカートニー」わたしは言った。「すぐもどってくる。あんたが外に連れ出してくれれば、ハーマンが彼を市立病院に乗せて行く」

わたしは客間を離れ、内廊下を歩いて事務室に入り、いつも保管しているテーブルの引出しからピストルを取り出した。

わたしが客間にもどると、とてもつらそうにうめく、腕を折ったかわいそうな黒人を、マッカートニーとハンセンが手伝って、下の車道に待機する馬車へと運ぶところだった。

わたしはピストルを手にして、祭壇に近づいた。その上にはまだ雄牛が立っている。まったく降りようとする気配がない。わたしは部屋をまっすぐ歩いて祭壇の前に立ち、ピストルをかまえて、牛の額の中央を慎重に狙った。引き金を人差し指できつく絞ろうとしたその刹那、わたしは雄牛の目の表情をとらえた。そのとき、マッカートニーが発した言葉の意味を完全に理解した。そいつはまるで〝人間〟に見える！　もしわたしに猶予があれば、モーリング、きみに告白するが、その時点ですら、そしてあんな挑発と腹立たしい事態を経験したあとでも、手控えただろう。だが、そんな余裕はなかった。

弾丸はけだものの額中央に真っ向から命中し、足が揺らいで、太く赤い血流が柔らかな鼻をしたたり落ち、祭壇の板の上に流れた。やがて、まったく唐突に、四本の足が力を失い、ドスンと響きを立てて牛は板上に倒れ、その重い体重を受けた丈夫な祭壇が振動し、そのまま祭壇のへりから頭部を突き出して動かなくなった。

板べりから客間のマホガニーの床材へ血をしたたらせる倒れた牛から離れ、家具の修理と悪臭を放つ修羅場をきれいにして換気をはかる必要は残るものの、この頭痛の種にすっかり決着をつけてその場を離れながら、きわめて異常な印象が、突如、わたしの心のうちに湧きあがった。きみからすれば、非論理的に思われようが、想像しうるなかでも最高に痛ましいこと——なにか真に神秘的で説明のつかない流儀で、異母弟のオットー・アンドレアスの最後の意思に抗して、わたしが決定的な邪魔をしてしまったという意識！——墓場まで持ってゆくしかない感じが、確実に生じたのだ。

わたしの馬車へ牛飼いを運んだマッカートニーとその娘婿が、内廊下伝いにもどってきた。いくらか気分を変えようと、わたしは彼らを食堂へ招いて、テーブルにピストルを置いた。

「すると、あなたはあのけだものを射殺したのですね？」マッカートニーが言った。

「ええ」わたしは答えた。「そして、あの厄介事にはけりをつけたんです、マッカートニー。ワインとラム酒がサイドボードにあります。どうぞグラスをお取りください——しかしながら、これにはまたべつの事情がありまして、みなさんと相談させてください」

わたしたちはラム酒を一杯やってから、ピストルの横にあるデカンターのワインとグラスに移り、椅子を引き寄せて、彼ら紳士に事件の秘密――わたしの亡き異母弟と、それがなんであるにしろ、極悪非道な妖術のために呪術医を彼が家に連れこんだくだりを打ち明けた。きみも承知のとおり、わたしたち同様、二人はセント・トマス島の＊＊＊＊のｐに公式に任命された、ハーモニック支部の最初の会員だったからだ。

わたしが事件を明らかにするやいなや、二人ともわたしに同意した。実際、これは緊急かつ果敢な行動を要する問題だった。わたしたちは警察署長のクヌーセン――幸運にもフリーメーソンの同志だった――にも秘密を打ち明けなければならなかった。

そうと決まれば、わたしたちはときを移さなかった。わたしはグラスとデカンターを紳士たちにまかせ、詫びを述べて席を立った。ピストルも取って事務室に入り、引出しにもどしてから、警察署長のクヌーセン宛のメモをしたためると、クリスチャンズフォート署までマリアンに持っていかせた。

クヌーセンはこの呼び出しに応じて、四時きっかりやってきた。そして、わたしたちは食堂のテーブルについてお茶を飲み、この問題を論じた。クヌーセンは、わたしたちに全面的に同意した。彼はただちに二人の警察官《ジャンダーム》を派遣し、パプ・ジョーゼフを逮捕し、署に確実に監禁して、それからその夜の九時に、この犯行現場に連れてくる手筈となった。マッカートニーとハンセンはその時間までの再訪を約してくれたので、病院からもどっていたハーマンが、二人を送り届けるためマッカートニー・ハウスへと馬車を走らせた。

クヌーセンと囚人のパプ・ジョーゼフが最初に到着した。囚人はきつく手錠をはめられ、二人の警察官にはさまれて、廊下の隣り合った三脚の椅子に午後八時四十五分から坐り、予定通り、九時ちょうどにマッカートニーとハンセンが到着するのを待っていた。クヌーセンとわたしは二人して事務室に腰を落ち着け、残る二人を待った。クヌーセンはラム酒を一、二杯飲んだが、わたしはこの気晴しには加わらなかった。

マッカートニーと娘婿《むすめむこ》のコルネリス・ハンセンの到着を受けて、わたしたちは警察官を退出させ、クヌーセンが彼らに内廊下の端で待つよう指示し、囚人を事務室に入れ、椅子を用意した。わたしたちは彼をかこんで見つめた。

意外に背が低くてひときわ黒いこの男は、きちんとした服装をしていて、ごく普通の人物に見えるが、眼光だけは本物の悪党のものだった。わたしの執事の耳にわずかな指示の言葉を入れただけで、三十年以上家族に仕えた忠実な召使いに、客間を家畜小屋と化した不浄なけだものを始末せよ！　というわたしの命令を、てんから拒否させたのだ。

召使いは全員帰宅させた。ハーマンですら例外ではなかった。かくして、邸宅全体がわたしたちだけになった。クヌーセンは準備が整うや、わたしにうなずいた。わたしは呪術医に話しかけた。

「ジョーゼフ」わたしは言った。「おまえがここ、この家にオットー・アンドレアスと一緒にいて、客間で魔術のたぐいを執り行ったのを、わたしたちは知っている。それ自体、もちろん、いくつかの点でおまえは法を犯している。デンマーク領西インド諸島において、魔術《オービア》を行うことは法律で禁じられている。だから、それだけでもおまえは法を破った。その上、わたしの家のなかでおまえはそれを行ったのだから、わたしも当事者だ。この件についてわたしはこの紳士たちと話し合った。それで、率直に言うと、いくつかの問題でわたしたちには理解できない点がある。とりわけなぜわたしの邸内でけだものが飼われていたのかだが――わたしの了解しているところでは、それはおまえの仕業だ。それゆえ、わたしたちはおまえの陳述を聞くためここに連れてきた。もしおまえが、こちらの質問に対して、明快で充分な説明をしてくれれば、クヌーセンさんはおまえを訴追せず、署の留置場に入れたりしないと、わたしに確約してくれた。もしおまえが拒めば、そのときは法の裁きを受けることになる。

それゆえ、わたしは完全な説明を求める。あの牛はわたしの客間でなにをしていたのか、そしてまた、この事件でオットー・アンドレアスはどんな役割を果たしていたのか。この二点を隠し立てせずつまびらかにしてほしいと、わたしたちは思っている」

モーリング、この黒人はいっかな喋ろうとはしなかった。ひとことどころか、うんともすんとも言おうとしない。マッカートニーが試み、ハンセン氏が語りかけ、ついには黙って待機していたクヌーセンが声を発した。

「もしおまえがこの二つの質問に答えるのを拒むなら」彼は言った。「口を割らせる次の段階にわたしは進まねばならない」

それだけだった。すべてひっくるめて三十分以上が費やされた。いずれにしても、わたしたちが休止を余儀なくされ、マッカートニーとハンセンとわたしが途方に暮れて顔を見合わせたとき、わたしの時計は夜の十時十五分前になろうとしていた。これ以上、この男からなんの成果も得られないのは明らかだった。すると、その頓挫を受けた警察署長のクヌーセンがわたしに言った。

「お許しがあれば、部下の警察官を、キッチンに行かせたいのですが？」彼はそっけない言い方でたずねた。わたしはうなずいた。「ご随意にどうぞ、クヌーセンさん」わたしは答えた。クヌーセンは立ち上がり、内廊下へと歩いて行き、事務室の半開きになったドア越しになにか警察官に命じている声が聞こえた。やがてもどってきた彼は黙って坐り、黒人男を見つめた。男のようすははじめて少し色めき立った。といっても、わずかに眼球が特徴的に回っただけだった。それ以外、彼はそれまでの態度を変えて喋りそうな気配は示さない。

かくして、わたしたちは十時数分過ぎまで待ち、クヌーセンと黒人男は完全に沈黙を守り、わたしたちはたがいにわずかな言葉を交わした。やがて十時八分過ぎ、警察官のひとりがドアをノックし、燃えさかる木炭の入った鉢と、上官の命令にしたがってライフルから外したにちがいない銃剣を二振り、呼びつけられた警察官がクヌーセンに手渡した。これを見て、わたしは非常に不穏なものを感じた。クヌーセンはどこまでもやる男だという評判を勝ち得ているのを、わたしは知っていた。きみも知ってのとおり、彼はデンマーク陸軍の下士官あがりのひとりで、名うてのこわもてであり、仕事柄しょっぴいた人間や犯罪者などには容赦しなかった。

彼は事務室の床の中央に木炭の鉢を置き、真っ赤に燃えている炭の床に、直接二振りの銃剣を先端から突き刺し、戸口で控えた配下に振り返って命じた。

「ラルセンをここに呼べ、クラフト。そしてこいつの両手を後ろ手にくくり、両足を縛り上げろ」

警察署長はデンマーク語で喋ったが、おそらく、黒人男にわからせないためだった。しかし、わたしは黒人がそれらの言葉にたじろぐのがわかった。それは明らかに彼の今後の扱いに関するものだったから、その黒い顔は黒人が青ざめたときの灰色に変わった。

ほとんどすぐに二人の警察官がふたたびドアに現われた。同僚が敬称で呼びかけ、クラフトが敬礼して言った——。

「ロープが見当たりません、署長」

わたしは病院に運ばれたマッカートニーの牛飼いが、ロープを残していったのを思い出した。牛を殺したまま離れた客間の、不愉快な祭壇近くの床に転がっていたのを、わたしは覚えていた。およそ、七時間前になるそのときから、誰も部屋には入っていない。

「あの、クヌーセンさん」わたしは立ち上がって言った。「部下の誰かに同行願えれば、ロープをお渡しできそうです」

クヌーセンが語りかけると、クラフトはいま一度敬礼し、脇によけると、客間に通じる戸口に向かって歩きだしたわたしの一歩あとから、内廊下をついてきた。

モーリング、友よ、これから先は書くのがためらわれる。しかしながら、きみに事態を明らかにするためには、続けなければならない。すでにほぼ丸一日かけて着実に書きつづったこの長い拙文を、きみの精読と了解を得るために首尾よく完成させなくてはならない。わたしの視覚に焼きついた、死がこの地上の最後にわたしの目を閉ざすまで、傷ついた心に侵入してくるであろう恐ろしい事態を、信じられない恐怖を、書き留めるつもりだ——わたしが生涯を送り、愛する母国であり、友人すべてが住むこの島を離れる、真正かつ充分な理由を。

では、モーリング、友よ、わたしはなすべきことに専心し、もしきみが理解するつもりなら、必然的にこの書面で説明しよう。

わたしは客間のドアに手を伸ばして勢いよく開けた。それはもちろん、窓という窓が開いているにもかかわらず、家中にこもる不快な臭いを逃すためでもあった。わたしはマッチをすって、戸口のそば、母のブロードウッド製ピアノの横にあった、縦型で真鍮の金具がついた手近なランプの火を点けた。

その光でわたしたち、警察官のクラフトとわたしは、部屋の奥にある祭壇に進んだ。祭壇のへりから頭部を突き出した牛の死骸は、わたしの命令により、明朝早くに老ハーマンが、彼の確保した二名の人夫の手助けのもとに片付け、続いて室内を清掃する予定になっていた。

客間を三分の二進んだところで立ち止ったわたしは、マホガニーの床のおおよその位置を指さし、だいたい示したあたりにロープがあるはずだとクラフトに言った。彼の無言の会釈を視界の隅でとらえながら、わたしはべつのスタンドランプに火を点けようとして立ち止った。大きくて装飾的なシェードのため、最初のランプは暗く、この時点ではマントルピースは薄闇におおわれ、その上方の祭壇は真っ暗だったからだ。ちょうどわたしがこの第二のランプの丸い芯のねじをまわして光を調整していたとき、クラフトの絶叫が聞こえ、持っていたマッチ箱を床に取り落として振り向くと、彼は恐怖のあまり両手を開いて高く上げ、祭壇の正面から五歩と離れていない床に、まさに力なくくずおれるのが見えた。

彼のほうに目を凝らしたが、新しく灯したランプの炎を間近で見たため、その瞬間目がくらんでしまい、そして、モーリング——友よ、そのときわたしは、彼が目にしたものを見た。この強靭な気質の警察官におびえきった女性のような悲鳴を上げさせ、混じりけなしの文字通りの恐怖の、抑制が効かない発作におとしいれ、床に倒れさせたものの正体を見た。それを見たわたしは部屋がぐるぐる回るのを感じ、確信をもって人生の幕が閉じるのを予想し——同時に空恐ろしい奇怪なひどい恐怖になすすべもなく、自分が床に崩れ落ち、恵みの忘却のはじまりのなかで、わたしの意識から光が消えてゆく一方、クラフトの絶叫に応じて戸口から客間へ駆けつけてきた、クヌーセンとマッカートニーと若いハンセン氏の興奮した声を背後に聞いた。二基の石油ランプスタンドの薄明りでわたしが見たものは、わたしが殺した雄牛の頭部ではなくて——わたしの異母弟、オットー・アンドレアスの頭部と肩だった。彼の額には黒ずんだ風穴があいていて、そのひっくり返った顔の血は乾いていた。いまや身を乗り出した身体は硬直し、亡霊のように生命を失って、ヴードゥー教の祭壇のへりから突き出している……。

　わたしは事務室でみなに取り巻かれて目を覚ました。顔から首にかけて冷たい水をかけられ、飲まされたブランデーの味が唇に残っていた。床からあお向けで見上げたわたしに、警察官のラルセンがなお坐らせられている黒人男の後頭部のあたりにピストルを突きつけているのが認められた。若いハンセン氏の助けを借りてわたしが上体を起こすと、一同に背を向けたクヌーセンが、手袋をはめた手で木炭鉢から赤熱した銑剣を抜き、ラルセンに椅子を取り上げて黒人を寝かせるようそっけなく命じた。わたしが見ているうちに、命令にしたがって、床の上で縛り上げられた。

　わたしは悪い予感に少し吐き気を感じ、目を閉じた。しかし、自分のやり方を心得ているクヌーセンの邪魔はすまいと決意していた。それに、結局、甲斐なく提起したわたしたちの謎を解明してくれる、この悪党からの自白を強要するのは、わたし自身の要望だった。

わたしは椅子に坐っているうち失われていた元気をきわめて良好に回復し、クヌーセンがあお向けの囚人に語っている言葉が聞こえた。また、わたしは青白い病み上がりのようなクラフトの顔も、戸口のすぐ外に認めた。どうやら、彼も打撃から回復したらしい。

きわめて残酷な場面、心底むかむかすることがらは省略しよう。にもかかわらず、それはわたしたちが求める情報を確保するためには、不可欠な手順であった。

手短に言えば、すでにきつく縛り上げられているのに、黒人男はわたしたちの取り調べに答えるのを、きっぱり拒否していた。クヌーセンは自分の手で男のシャツを切り裂き、その肌に鮮紅色の銃剣を直接押し当てた。焦げた皮膚の嫌な臭いがすぐに立ち昇り、このむごい光景に吐き気がして、わたしは目を閉じた。耐えがたい苦痛に黒人は悲鳴を上げたが、それでも彼の厚い唇はかたく結ばれ、質問に答えよという、クヌーセンが繰り返す命令も、頭を振って拒否した。

すると、クヌーセンは銃剣をもどして燃え盛る木炭のなかに深々と突き刺し、もう一方の剣を取った。彼はそれを手にして黒人の上に立ちはだかった。いつものそっけなく冷たく堅い口調で言い放った。

「おい、真剣に警告しておく。分別をわきまえなければ、この家から生きて出られないとわからせてやる。聞かれたことに答えないなら、全身くまなくこいつを当ててやる」

この警告の演説の終わりに、彼は突如、銃剣のひらを黒人の腹部へ押し当てた。すると、苦悶の咆哮を上げたのち、パプ・ジョーゼフは屈服した。彼はうなずき、ゆがんだ唇から同意の言葉を絞りだした。

呪術医はすぐ二人の警察官によって、椅子に引っ張り上げられた。そして、耐えがたい肉体の痛みより大きな精神的苦痛のためにあえぎ、その目をぐるぐる回転させ、わたしたちに語った……。

どうやらヴードゥー教の信者の恐ろしい礼拝には二つの〝至高の供物〟があるらしい。ひとつは彼らがいうところの〝角のないヤギ〟という人間をいけにえとする儀式で、わが内通者、パプ・ジョーゼフによるとこれは西インド諸島では行われた例がない。そして、二つ目は、彼らが〝洗礼〟と呼ぶ儀式だ。こちらが、わたしの家でしでかされたものだった！　そして、きみだけのためにわたしはここまで書き進めてきたものの、誰一人として推測しがたいであろうが、モーリング、友よ——その志願者が、なんとオットー・アンドレアスだったのだ！

おそらくわたしは弟の死体が一日半前に埋葬されたと述べたはずだが、わたしとあのクラフトの錯乱を誘った、いけにえの祭壇の端に突き出ていた弟の死体は、マッカートニーとハンセンがわたしの意識を回復させようと、事務室に運んでくれた短時間のあいだに下に降ろされ、いまはクヌーセンとラルセンによって、客間に並べられた四脚の椅子にきちんと安置されている。その遺体の上には土とヤニマツの木っ端がへばりついていた。

彼らが不敬にも洗礼と呼ぶ邪悪な儀式の頂点をなすのは動物のいけにえである。ときにはヤギ、ときには若い牛が用いられる。今回の場合には雄牛が選ばれた。

とはいえ、動物の喉をナイフが切断するまえ、洗礼の志願者は、生まれたときのように真っ裸になって、両手、両膝をつき、ヤギまたは雄牛と〝対面〟せねばならない。そう、モーリング、この黒人の悪党のすりむけて痛む唇をとおして聞き取ったところによれば、この両者、志願者といけにえの動物はおたがいの目を長いあいだ見つめるのだ。このようにすると、両者はいったん、いわばたがいの人格を交換すると信じられている！　驚くべきことだが、しかしながら、わたしたちにやつが確言したところによれば、信じざるを得ない。

通常の過程では、司宰《しさい》する呪術医は、眉唾もののこの人格交換が実際に起こると確信しており、動物の喉を鋭い山刀またはサトウキビ用のケーンナイフで切り裂き、一気に殺してしまう。その際、人間の人格はもとの人体に再移転されるが、いくらかは動物のうちに残る。そして、けだものの死にともなって、志願者から見放されたいけにえとして出て行き、彼らの無法な祈禱の、究極の対象神である——いわゆるギニア・スネーク——の守護のもとに入る。

こうわたしたちは説明された、そんなところが、ヴードゥー教信者の洗礼の根本原理であった。

オットー・アンドレアスの場合も、そんな手順を踏むはずだったが、ある種思いがけない障害にみまわれた。当然、人はそのような志願者になれば、神経質な精神的緊張を強いられるし、それもきわめて強烈なものとなる。わたしの異母弟の場合、あまりにも過酷であったのが証明された。

オットー・アンドレアスは全面的な緊張が誘因となって、疑いもなく心臓麻痺で急逝した。パプ・ジョーゼフが自身述べたように、洗礼を司宰している最中、雄牛を殺害するその寸前に、祭壇上で亡くなった。

ヴードゥー教のまじない師たちが信じているとおりの、完全な入れ替わりが行われようとする瞬間だった。言葉を換えれば、雄牛の喉がナイフで切られて、いけにえの動物の〝魂〟が死のうとする瞬間に、オットー・アンドレアスの予期せぬ死が生じ、そこで解放と移転が欠けてしまって――オットー・アンドレアスの魂は雄牛のなかに残ってしまった。

「そんな、ふうです」パプ・ジョーゼフは不気味な流し目で結論づけ、わたしに付け加えた。「だんなは、おとおとの命をこわした。せっかちに、雄牛を、射さつしちまったときに！」

この釈明の一部として明らかになったのは、この呪術医が老ハーマンに――わたしの帰宅が迫っているとは知らず――雄牛を客間に留めておくよう命令を下していたことだった。なぜなら、彼は、〝魂〟を再交換するための〝魔法をかけて〟いたからだ！　そのためには、当然、オットー・アンドレアスの遺体を埋葬しておく必要があった。しかし、わたしたちに明らかになったのは、もし雄牛がそのまま放置されていたら、いまごろ魂はオットー・アンドレアスにもどっていただろう。しかし、その過程は呪術医が厳粛に述べたとおり、彼自身のような魔術の高度な技術を要するばかりか、それなりの時間を必要としただろう！

その夜なすべきことはひとつだけだった。パプ・ジョーゼフは、別途クリスチャンフォート署に送り返され、翌朝の六時に解放せよとの指示が出された。その後、わたしたち四人はオットー・アンドレアスの遺体を毛布でくるみ、みなで共同墓地へ運んだ。到着すると、持参した二本のスコップでハンセンとクヌーセンが棺を掘り出す仕事にとりかかった。むろん、月夜の深更とて、共同墓地のなかだけでなく、周囲にも人はいなかった。

新しい墓にしても、土はばかに柔らかく感じられた。四フィート下でスコップが木材に当たった。掘り手は娘婿からマッカートニーに交代した。わたしもクヌーセンに交代を申し出たが、拒否された。一分もしないうちに彼は困惑した調子で言った――。

「こいつはなんだ！」

彼は墓のなかにかがみこみ、なにか見つけたものの周囲の柔らかな土のかたまりを、手袋をした両手ですくいあげた。

モーリング、一同は砕かれた棺を掘り当てた。人を最後に住まわせるべく作られた細長い棺が粉々につぶれていた。一部分、光に照らされて現われた怪物めいたものからして、棺がばらばらになっているのも無理からぬところだった。聖なる土地の下から発見したものは、すべて掘り起こすまでもなかった。その必要はなかった、モーリング。

クヌーセンが柔らかな土を投げ上げるうちに現われたのは、柔軟性を欠いて硬直した角のある動物の、がっちり骨ばった四肢であった。およそ三十六時間前、わたしの異母弟、オットー・アンドレアス・ガネットの遺体を連中が埋葬した場所に、雄牛が葬られていた。強制されてやむなく屈服したパプ・ジョーゼフがわたしたちに語ったことは、どうやら真実であった。

一緒に運んできた遺体が充分埋められる広さになるよう、わたしたちは急いで墓を拡張した。スコップの背で叩いたにもかかわらず、到着したときより高くなった土盛を残して、わたしたちはすみやかに帰り、家の静けさのもとで、フリーメーソンの兄弟団として、仲間のフリーメーソンの同志以外には、このきみへの情報をべつとして、いっさい洩らさないと誓った。例外としてきみには詳述するが、わたしたちは誰も――そして、わたしが生きているあいだは誰も――わたしたちが耳にしたことをなんびとにも明かさないと誓った。クヌーセンは配下の警察官《ジャンダーム》についても保証した。規律にうるさい人間という彼の評判からしても、彼らが目撃者となった場面を喋るおそれはまずなかった。

そんなわけで、友よ、これがなぜわたしがサンタ・クルーズ島を離れ、デンマーク政府の寛大なはからいにより、ほかならぬデンマーク人以外に西インド諸島の開拓地にはじめて大農場を開設する道が開かれた当時、四世代前にやってきたわが家系の、その故地であるスコットランドに帰還するかの説明になるであろう。わたしは人間の理解を越えるそのような事柄が起きたこの呪われた家に留まることはできない。だから、わたしの財産を親切で有能なきみの腕にあずける、わが友、モーリング、わたしは自分の記述がそのような決断を肯定してくれるものと信じている。

わたしは忠実な老執事のハーマンをスコットランドに連れて行く。この地に残して、彼を有害な悪党のパプ・ジョーゼフの虐待の的にさせるには忍びない。彼が呪術師の命令を破ったのは、わたしに対する忠義のゆえだ。もしわたしに確たる思いやりが欠けていたなら、哀れな老執事はどうなるか知れたものではない。

敬具

アンガス・ガネット

追伸

もちろん、クヌーセンは、わたしがけだものを撃ってから、客間に家の者がいないその間隙をついて、パプ・ジョーゼフの黒人信者が、雄牛と異母弟の遺体を取り換えたにすぎないと主張している。

——A・G

Ⅲ

わたしは手記を読み終え、モーリング氏に返した。わたしに目を通させてくれた、ひとかたならぬ好意に感謝した。それからわたしはガネット・ハウスへ直行し、度重なる奇妙な事件の場となった客間をいま一度眺めた。執事のロバートソンが家に招き入れてくれたあと、いつもガード夫人が坐っている場所にわたしが落ち着くと、ロバートソンは大きな丸いトレイに乗せて一人分の紅茶を出してくれた。

わたしはかつてヴードゥー教の洗礼式が実践された広い祭壇のあった場所を、見上げないわけにはいかなかった。とうに死んでしまったオットー・アンドレアスが奇妙な儀式の絶頂の寸前で、蛇神への抑えきれない渇望を抱いたまま、斃《たお》れてしまった！　われわれの西インド諸島には不思議な事態が存在している。ところで神は、蛇よりもつねに強力に存在し、これからも存在する。この長い歳月をへだてて、ガード夫人が言っていたように雄牛の悲劇的で恨みがましい〝人間そっくり〟な目が、しっかりかまえた大型ピストルでその眉間を狙っているスコットランド人を見下ろしているという、奇怪な幻覚がふたたび姿を表わすことはないだろうとの確信をわたしは充分に抱いた。

ガード夫人はいたく元気を回復し、航海の旅から借家にもどってきた。その心は亡き夫の肖像画の近くの壁面の恐怖などより、べつの出来事でいっぱいだった。

わたしが予見したとおり、以前の現象が再現されることはなかった。

当然、ガード夫人は自分の日常生活と仕合せをあっさり破壊した現象を、わたしがどう取り除いたのかを熱心に知りたがったが、説明する気にはとてもならず、なんとか黙してやりすごした。おそらく、彼女の優れた上流階級の品性が、説明したくないわたしの心情を察したのだろう。ガード夫人は、ボストン・ユニテリアン派だ。この派の人々は、ものごとを理知的な基準でとらえる傾向がある。つまり、善良なリチャードソン師が日常的に行っている悪魔祓いの儀式などの、異界に属するような事件とは親しく共感できるとは思えない。

そのうえ、疑いもなく、彼女がいわゆる〝目の疲労〟と呼ぶもののせいにしたらしい昔の出来事が、再出現しなくなったのを大いに喜んでいた。血まみれの顔で垂れ下がる末期の悲劇的な目をした雄牛を、彼女が思い出すことはなかった。オットー・アンドレアス・ガネットはクリスチャンステッドの記憶からも消滅した。冬のクリスチャンステッドのガネット・ハウスの豪奢な客間で、わたしたちは共に数多くの楽しいティーパーティ、幾多の夕べのダンスに興じた。

みどりの想い

ジョン・コリア
植草昌実 訳

Green Thoughts
by John Collier

造られしものはすべて消え去り、
みどりの陰《かげ》のもと、みどりの想いへと変わる。
——マーヴェル*

その蘭は、単身での探検旅行の途上で謎の死を遂げた友人の遺品として送られてきたのか。あるいは、終わり際の競売場で〈雑品〉として積まれていたものの中に見つけたのだったか。すっかり忘れてしまったのだが、どちらかだったのは確かだ。休眠中の茶色く乾いた株に、私はなぜか不吉なものを感じた。いくつにも枝分かれした茎は、骨張り節くれ立った握り拳のようにも、威嚇する気味の悪い髭面のようにも見えた。こんな蘭を知る人など、いるものだろうか。

マナリング氏は知らなかった。日ごろから目を通しているカタログも本も、肥料に関するものばかりだったからだ。新たに手に入れた蘭の包みを、二十世紀に入ってこのかた届いた蘭や桜草にはしたことのない、ばかばかしいほど丁寧な手つきで開封し、中身を目にするや、氏はすぐさま摑みあげた。そして、見栄えのしない自宅の南側の、赤い塀沿いに建てた温室の〈観察区画〉と名づけた一角に、生来の愚直さをもって植えた。とくに興味をもった植物をその区画に植えていたのは、書斎との境の扉をガラス張りにしてあるので、その場にいながら温室の中を見ることができ、植物の調子が悪そうなときや弱っていそうなときには、慌てず騒がず的確な知識に基づいた処置ができるからだ。

しかし、この蘭にはその必要もなさそうだった。太く筋張った茎は、つやつやした暗緑色の葉を繁らせたかと思うや、四方八方に枝を伸ばしてたちまちその一角を占拠してしまい、それでも勢いは止まないので、先にあった植物をそっくり、庭の隅に設《しつら》えていた別の温室に移さなくてはならなかった。従妹《いとこ》のジェーンが、ホップの蔓みたい、と言った。枝先の、葉の付け根あたりから、気根《きこん》*が何本も伸びてきたが、何のためにという様子もなく、ただ垂れ下がるばかりだった。マナリング氏は、この株の原種が着生蘭なので、先祖返りしたのだろう、と考えた。だが、今は無用となった器官が、こんなにも太く、力強くなるものだろうか。

かなりの時がたって、繁った葉のあいだから、小さな蕾《つぼみ》がいくつも見えはじめた。花はすぐに開いたが、哀れなほどちっぽけで、蝿の頭に似た形をしていた。珍種なのだから、イソギンチャクや中国の提灯《ランタン》や、あるいは欠伸《あくび》する河馬《かば》のような、毒々しい大輪の妖花を咲かせそうなものだが。あるいは未分類の種らしく、息のつまるほど濃密な香りを振りまきそうなものだが——と、私は思ったものだ。

マーヴェル　イングランドの詩人、著述家、政治家、アンドルー・マーヴェル（一六二一—七八）。エピグラフは、死後に発表された詩「庭」（一六八一）からの引用。

気根　樹皮や岩肌に固着する着生植物によく見られる、枝や茎から生え空中に伸びる根。

マナリング氏は気にもとめなかった。発見者として新種の蘭に命名する栄誉を手にした今、花が小さくて蝿の頭そっくりに見えることなど、科学的な関心の一つの要素にすぎないのだろう。蝿を引き寄せて養分にするのだろうか。それにしても、なぜ頭だけなのか。

数日後、従妹ジェーンの猫がいなくなった。ジェーンはたいそう悲しんだが、マナリング氏は形ばかりの同情を見せるくらいで、たいして気にもしなかった。あの猫は好きではなかった。換気をするために温室の窓をごく細く開けると、日なたぼっこしたさにわずかな隙間から入りこみ、そのたびに柔らかい若枝を折ってしまうからだ。だが、従妹の嘆きも二日ばかりのうちに、マナリング氏が朝食の席で形ばかりに猫の行方を口にするのも忘れるようなことが起きた。あの蘭に新しい、これまでとは違う蕾がついたのだ。一つの株に、二種類のまったく異なる花が咲くことになるのは明らかで、不思議きわまりない植物の世界では起こりうることにしても、花の大きさからしてこれまでとは違っていた。新しい蕾はどんどん大きくなり、握り拳ほどにまでなった。

折も折――いや、折悪しく、と言うべきだろう――厄介事が起きて、マナリング氏はしぶしぶ町まで足を運ぶことになった。やくざな甥が何度目かの面倒を起こして、もはや許したくはなかったのだが、いかにのらくらな若者でも、放ってはおけなかった。だが、ことの次第を知った氏は、お前の不行儀と忘恩には愛想が尽きた、今まではお前の母親の思い出ゆえに手を差し伸べてきたが、これが最後と心得よ、この伯父はお前の悔悟も改心も信じはしないと、この放蕩者に言いきった。そのあと、従妹ジェーンに宛てた手紙に一部始終を書くと、もうあの甥とは義絶する、と締めくくった。

トーキーに帰ると、ジェーンがいなくなっていた。これもまた厄介なことだ。一人だけいる使用人の家政婦は、たいへんな年寄りで、いつもぼんやりしているし、耳も遠い。このばあさんは、マナリング氏から口をきくたび言われてきたせいで、厨房の大きな炉の火は料理をしていなくても、片時たりとも消してはならないもの、と信じきっていた。というのも、炉は沸かした湯を屋内に回し、主人がいちいち見てまわらなくても、温室の〈観察区域〉を温めるようになっていたからだ。かくて家政婦は自分の最も重要な職務は炉の番と心得て、誰に何を尋ねられても、まずは炉のことから話しはじめなければならなかったが、もとはといえば氏が要求したことだった。それでも、従妹の姿が見えなくなったのは三日前で、どこかへ出かけるようなことは言っていなかったとまでは聞き出せた。マナリング氏はとまどい、苛立ったが、気の重い旅から疲れて帰ってきたばかりなのだから、これ以上尋ねるのはあとにして、ひとまずは休もうと、生真面目な性分らしく考えた。老家政婦からさらに話を聞き出すには気力を要するし、ジェーンは書き置きくらいしていったことだろう。自分の部屋に入る前に、従妹の急な不在のあいだに蘭に何かあってはと、温室をのぞきに行ったのは、いたって当然なことだろう。温室に踏み込むや、氏の目はある蕾に向かった。それは形ばかりか大きさまで、人の頭さながらだった。驚きのあまり、蕾から目を離すまで五分を要した、というのは、誇張ではない。

床に落ちているジェーンの服に気づかなかったのか、とお考えの読者もいることだろう。以下は慎重を要する記述になるが、床に衣服は落ちていなかった。従妹ジェーンはあらゆる点で尊敬に値する女性で、齢《よわい》四十を過ぎても心身の鍛錬のため、最新の方法をつねに試みていた――時にスウェーデン式、時にドイツ式、さらには新ギリシャ式などを。そして、あの蘭のある温室は、この家ではもっとも温かい場所だったのだ。さて、このあとは順を追って語っていくことにしよう。

ようやく巨大な蕾から目を離したマナリング氏は、急を要するが気の重い日常のあれこれに気持ちを向けた。が、その体が階段を上っているときも、氏は心を、精神を、魂を、あの植物のそばに置いてきたままだった。最初のうちの、かわいそうなほど小さな花でいるあいだは意識の外に置くという、哲学的な対応をしていたが、巨大な蕾がついたら、あなたや私と同じように、氏も大いに喜んでいた。自分が発見し、命名した新種の植物が花を咲かせるときを思い、入浴中でさえ夢想を広げていたのも、無理からぬことだ。夢にしか現れないような複雑な形にしても、輝くばかりに単純なものにしても、すくなくとも誰も見たことのない大きさの花が咲くことだろう。蕾が開くさまは、さしずめ踊りだす舞姫か、あるいは昇る朝日か。待て、まさに今がそのときかもしれない！　マナリング氏は堪えきれず、浴槽から立ち上がると、風邪をひきやすいたちだというのに体を拭うのもそこそこに、タオル地のローブに身を包んで温室へと急いだ。

蕾は開いてはいなかった。光沢を帯びた肉厚の葉の陰で、まだほころびる様子もなく、目につくのはむしろ、盛大に繁っている葉のほうだった。だが、目の前にある蕾が家を空ける前に見たものとは違う、とようやく気づき、氏は驚いた。あの蕾はもっと下についていたはずだ。いったいどうなっているんだ。新たに繁った葉に隠れているのか。歩み寄って、ようやく見つけた。蕾は開いていた。マナリング氏は驚きのあまり茫然自失し、石になったかのようにその場に立ちつくしたまま、ほぼ十五分ものあいだ、花を見つめていた。その花は、従妹ジェーンのいなくなった猫の顔そのままの形をしていたのだ。十五分後に我に返った氏は、牡と聞いて引き取ったあと性別の誤りに気づいた猫の顔の前で、紳士らしくバスローブの前を合わせようとした。私がこんなふうに書くのも、その花が特徴も、印象も、外観も——他に言葉があれば足していただきたい——猫の顔そのままだったことを伝えたいからだ。さて、氏はローブを整えかけたが、遅かった。動けなくなっていた。てらてらした新たな葉に取り囲まれて身動きがとれなくなったところで、気根がすばやく体じゅうに絡みついたのだ。悲鳴は声にならず、マナリング氏はその場に倒れ、この物語の中で人生をいったん終えることになった。

昏睡してからは何も感じることなく、ただ闇の中にいるばかりだったが、次第に意識が脳に戻ってきた。その脳は、形づくられつつある新しい蕾の中核にあった。はっきりした形のない、有機質の原始的なかたまりは、二、三日たつと、すっかりマナリング氏らしくなった。そのあいだ、外の世界では何事もなく、時はただ穏やかに過ぎ、おぼろな意識は蕾の中で、人類に至る進化の劇的な過程を、要約したかのようにたどっていた。

胚の突然変異に類似した過程が進んでいった。「マナリング氏の成長の七段階」と題した、接写ばかりの教材用映画のような、馬鹿ばかしいほど短縮されたその過程は、時が至るや速度をゆるめた。そして、意識がふたたび明確になった。蕾が開いた。このときの氏の心境は、麻酔から覚めかけ、夢を振り払って「ここはどこだ？」と不安げに問う、入院患者にほど近いものだったことと、私は信じている。花が咲くと同時に、視界も開けた。

いるのは見慣れた温室の中だが、見ている目の位置は慣れないものだった。ガラス張りの扉越しに、書斎が見えた。自分の下には猫の、そして隣には従妹ジェーンの顔があった。マナリング氏は何も言えなかったが、ジェーンもまた同様だった。おそらく、それでよかったのだろう。従妹の長々しい、だが正しいお小言を聞かされずに済んだのだから。あんな気味の悪い花に血道をあげていたら、きっとろくなことになりませんよと、ことあるごとに言われていたのだった。

かくてマナリング氏の日常生活は信じがたくも激しく変化した、と書いておかなくてはならない。私が思うに、氏はその変身を自分一人のこととしてだけでなく、より広く、より普遍的な、言うなれば生物学的な視野をもって、興味深く観察していたのだろう。だが今は、その意識のほかは植物として周囲に反応していた。たとえば、手足や胴体がなくなったことも、移動できないこともまったく問題にならなかったし、五十余年にわたって口を楽しませてきた、ベーコンやお茶やビスケットや牛乳、昼食のカツレツなどの摂取がなくなったことも苦にならず、根元から気づかないほどゆるやかに栄養分が上ってくるのは心地よくさえあった。身体的な変化の大きさゆえにか、心はごく穏やかになっていた。身体がすべてではない。すでに人間ではないとはいえ、マナリング氏はマナリング氏のままだった。だが、この異常な状況への科学的な関心が一段落すると、胸のうちに懸念が湧き起こった。

残念なのは、自分ではこの蘭を命名できず、論文も書けないことで、さらに悪いことに、この苦境が見つかったら最後、マナリング氏の発見者はこの蘭に命名し、分類し、論文はもちろん、一般読者向けの記事を雑誌に書きもするだろうことで、もはや避けられないこととはいえ、氏には堪えがたかった。蘭の蒐集家の例に漏れず、彼もまた内気で、繊細で、このような姿を人に見られるくらいなら、いっそ枯れてしまいたいとさえ思った。さらに怖ろしいのは、見も知らぬ、あけっぴろげの、公園のようなところに移植されることだ。掘り出されるなんて！　まっぴらだ！　自分の花を囲む重い葉が、ひときわ荒々しく、ざわざわと揺れた。その震動が遠く、微《かす》かにではあるが茎を伝わってきた。その感覚に、氏は背骨や心臓や手足を思い出した。自分がドリュアス＊になったような気がした。

そう思う一方で、日差しの心地よさを感じてもいた。気温が上がり、土の香りが温室を満たした。作り付けの配管から温かい蒸気が噴き出し、室内の空気を潤《うるお》した。マナリング氏はようやく、解放された気持ちになれた。そのうち、ガラス張りの屋根の隅、換気口のあるあたりから、ぶんぶんいう音が聞こえてきた。はじめのうちはせわしなく、やがて楽しげに。蜂が換気口の狭い隙間をすり抜けて、温室に入ってきたのだ。この訪問者は静かな緑の空気の中を、水に潜るように下りてきたかと思うと、花弁にとまって羽根を休めたが、そこは氏の眉毛だった。蜂は花弁から花弁へと移動し、花を探索すると、下唇に腰を落ち着け、そのまま自分の重みで口の中に転がりこんだ。氏は驚きはしたが、予想していたような不快感は覚えなかった。奇妙に思われるかもしれないが、爽快というのが、もっともふさわしい言葉だった。

かくてマナリング氏はぼんやりと、この感覚にふさわしい言葉を探していたが、蜂が自分から飛び去り、一、二度のんびりと旋回してから、従妹ジェーンの唇にとまるのを見て、考えるのを止めた。植物の世界の単純な原則が、彼女の不運な従兄の心に、不安とともに閃《ひらめ》いた。もちろんジェーンもそのことは知ってはいたが、学んだのはずいぶん昔のことで、何年か前に従兄が――見栄っぱりで、おせっかいで、優柔不断な馬鹿者が――彼女にも興味をもってもらおうと、植物学の基礎を教えるまでは、幸いにも忘れていたのだった。当の本人の自責たるや！　従妹の花の真下で二枚の葉が震えはためき、

ドリュアス　ギリシャ神話の木の精霊。人間の前には緑の髪をした女性の姿で現れる。自分が宿った木が枯死するとともに、その命は尽きる。

痛々しげに上下するさまは、驚き抗《あらが》う両の手のようだった。従妹の顔の、やわらかく慎ましい花弁は、怒りと恥ずかしさに赤らんでわななき、やがて怖れと狼狽とで、くちなしほどに白くなった。だが、そのとき何ができたと言えるのだろう。高潔であるように長年の教育を受け、蘭の蒐集家である以上に騎士たらんとしてきたマナリング氏は、動けぬ身のうちで懸命に堪えているほかなかった。運命には逆らえないので、男としての悔恨を悲しみの表情に現し、高潔なる償いを示して、気持ちだけでも明るく慰めようとしたが、無駄な努力だった。神経が切れるほど力をこめても、左まぶたがぴくりとしたくらいだった——何もしないでいたほうがよかった。

この出来事は、マナリング氏が植物的な無気力から脱するきっかけになった。まだありつづけている人間としての意識で、変化した自分の体に抵抗した。人の心があれば、そこには希望も理想も意志もあり、この苦難にも立ち向かえるというものではないか。

日が沈むと、巨大な植物の禍々しくも堂々たる姿は、陽光の下で見たときよりもさらに大きく、力強くなり、温室の中はサクソフォンの音が郷愁を込めて響くように、熱帯の空気に満たされた。猫のひげが垂れ、従妹ジェーンが目をゆっくり閉じた頃も、不運なマナリング氏はまんじりともできず、深まる夜闇をただ見つめていた。突然、書斎に電灯がついた。男が二人、入ってきた。氏の弁護士のあとから着いてきたのは、あの甥だった。

「あんたも知ってるとおり、ここが書斎だ」と、やくざな甥が言った。「何もないよ。水曜に来たときにあちこち探してみたがな」

「それはそれは」弁護士が言った。「いったい何がどうしてしまったか、想像もつきません」何度も口にして言い慣れた様子なのは、ここに来る前に別室で話しあっていたからだろう。「ですが、希望は持ちつづけましょう。いずれにせよ、どのようなことが起きたとしても、最近親者であるあなたに、万事お願いすることになりますが。くれぐれも、希望は失わないように」

話を終え、弁護士が帰りかけたとき、若い男の顔が悪意のある笑みにゆがむのを、マナリング氏は見た。甥が入ってくるのを見たときから不安を覚えていたが、その笑顔を見たとき、不安は身震いするほどの恐怖に変わった。

弁護士を見送った甥は、書斎に戻ってくると、満足した様子で部屋をひとわたり見まわした。暖炉の前では小躍りした。伯父がいないというだけで、先の見込みもないくせに、この若僧は笑うばかりか、ねじけた喜びをこんなふうに表すものか。人間の世界から放逐された今でも、ここまで邪悪なものは見たことがないと、マナリング氏は思った。ろくでなしが有頂天になっている。見苦しいことこの上ない。逆恨みに凝り固まっていなければ、こんなふるまいもできないだろう。ふと、この甥がまだ幼い頃、捕まえた虫の羽根をもいだり、猫をいじめたりしていたことを思い出した。善良なる氏の額を汗ならぬ露が濡らした。明るい書斎から暗い温室はよく見えないはずだが、それでも甥がこちらに目を向け、自分に気づかれるのではないか、と案じたのだ。

炉棚の上には、引き延ばしたが額には入れていない、マナリング氏の写真が飾ってあった。甥は写真に目を止めると歩み寄り、さも愉快そうに嘲笑った。「なんだよ、口だけご立派な老いぼれが。ジェーンおばさんとブライトンにでも行ってるのかよ？　まあそんなところだろうさ。帰ってこなくて結構。崖から落ちるなり、波に呑まれるなりすりゃいいさ。どっちにしても、俺には好都合だね。くたばれ、けちんぼじじい！」そう言い放つや、手を伸ばして写真の鼻のあたりを弾いた。そして、電灯をつけっぱなしのまま書斎を出ていったが、学究肌とはもっとも縁遠いこの男には、書斎よりも棚にぎっしり酒瓶を並べた食堂のほうが居心地が良いことに、疑問の余地はない。

かくて、書斎の電灯は一晩じゅう、マナリング氏と従妹ジェーンを、太陽の安価な代用品よろしく照らしていた。読者のみなさんも、真夜中の公園で紫苑《しおん》が二、三輪、街灯の光の下に褪せたような色で咲いたまま、眠りも目覚めもせずにただ茎の先で揺れているのを見たことがあるだろうから、この不運な二人が一晩をどのように過ごしたかは、ご想像のとおりと言っておこう。

だが、明け方にちょっとした、だが哀れなジェーンには不運のだめ押しとなり、従兄には狼狽と悔悟をいや増すような出来事が起きた。蘭が植えてある大きな鉢に、小さな黒い鼠が走りこんできたのだ。鼠は邪悪な赤い目と、毛が抜けて剝き出しになったさもしい鼻面と、蝙蝠《こうもり》さながらの大きな、見苦しい耳をしていた。その獣は、ジェーンが咲いているあたりの葉の下に入っていった。ジェーンの怖れは察するにあまりあった。茎は炭火に落ちた髪の毛のように捩《よじ》れ、葉は燃え上がるミモザの枝のごとく嫌悪に震えた。恐怖のあまり、彼女は自ら根を引き抜いてしまいそうだった。鼠がそのまま通り過ぎなかったら、本当にそうしてしまったかもしれない。

だが、通り過ぎたとはいえ、鼠はほんの一フィートほど先で立ち止まり、かつてはティブという名の猫だった花が息をひそめ、ひげを震わせて見下ろしているのに気づき、動かなくなった。息さえ止めているようだ。猫はただ見ているだけなのに、鼠は恐怖のあまり竦《すく》んでしまっていた。かつては人間だった二輪の花は、身動きのとれない小さな獣の背後から、葉がそろそろと迫ってくるのを見た。

「さあ、もう行っておしまい。もう戻ってくるんじゃありませんよ」と喜んで見送りかけた従妹ジェーンは、怖ろしいことになるかもしれない、と気づいた。懸命に力を集め、茎を震わせると、鼠は我に返り、ぜんまい仕掛けの玩具《おもちゃ》のように向きを変えて駆け出した。だが、気根が下りて行く手をふさいだ。鼠はその中に飛びこんだ。五本の気根に捕らえられたかと思うと、鼠は見る間に縮み、消えた。ジェーンは恐怖のあまり身の縮む思いで、新たな蕾がどこに出るか不安を抱きながら、痛々しいほどゆっくりと、自分のそばの一方を、そしてもう一方を見やった。緑も鮮やかな、新しい蔓のようなものが伸びてきて、ジェーンの茎にゆるく巻きつき、アスパラガスにも似た太い先端をもたげると、彼女の目の前で怪しげに蠢《うごめ》いた。ジェーンはぞっとしながらも、目を離せずその動きに見入った。もし、想像どおりになったら？　そうではありませんように——。

翌日の夕方、またも扉が開き、またも甥が書斎に踏みこんできた。今度は一人だったが、来る前に一杯ひっかけていた。グラスで蓋をしたウィスキーのデカンターを持っている。小脇にはソーダサイフォンまで抱えて。あからさまに酒気を帯びた顔をし、酒場でよく見かける笑いに唇をゆがめている。持ちこんだものを置き、マナリング氏のシガー・キャビネットに向かうと、手にした鍵束の鍵を順番に試し、開かないと知るたびに小声で悪態をつき、ようやく開けるとひときわ上等の一本を味わいはじめた。自分の持ち物を勝手に扱われるのは腹立たしく、まして秘蔵の葉巻をぞんざいに吹かすさまは正視に耐えないが、ろくでなしの甥がこの屋敷の鍵を手中におさめたとなれば、どこもかしこも好き放題に開けてまわるのだろうと思うと、この善良な紳士は不安を覚えるばかりだった。

だが、略奪者は探しものをするつもりはまだなさそうだった。ウィスキーを大ぶりのグラスになみなみと注ぎ、贅沢を堪能するのに忙しいようだ。だが、そのうちに一人で飲むのに飽きたらしい。飲み仲間を伯父の屋敷に呼びつける気もなく、飲みながらできるひまつぶしを探しはじめた。その目が温室に向いた。遅かれ早かれ、あの男は気づくだろう。運命のノックは果たして不運なマナリング氏を救うだろうか。いや、それはあるまい。書斎から射す光を怖れて、温室の二輪の花は震えていた。

甥が温室につながるガラス戸のノブに手をかけたのを見て、従妹ジェーンは左右の葉を掲げ、顔を隠すように花を茎に寄せた。マナリング氏はそれを見て、こうすれば目につくこともあるまいと、希望を抱いた。急いで従妹がしたように、葉を上げようとした。残念なことに、氏は両手――と言っていいものかどうか――をそこまで上げることができず、なんとか動かそうと苦闘したものの、水平にまで持ち上げるのが精一杯だった。甥はガラス戸を開け、入ってすぐのところにある電灯のスイッチを手探りしていた。絶体絶命とはこのことか。マナリング氏は腹をくくった。急に、筆舌に尽くしがたい努力のおかげか、右側の葉が上がった。真上にではなかったが、震えながらも外に、後ろにと何度も揺らぐうちに、ゆっくり上がっていくと、腕を頭の後ろから顔の前に下ろすような格好に落ち着いた。明かりが点いたときには、マロニエに似た扇形の葉を広げ、不安を浮かべた顔を隠していた。これで一安心だ！　甥が温室に踏みこんできたとき、隠れおおせた二人は同時に、猫がいたことを思い出した。そして同時に、血の気が引く思いがした。甥は蘭のほうに歩み寄ってきた。猫は賢い獣だったので、この怠け者は人を見れば遊ぶ金をたかり、下劣で乱暴きわまりなく、老人を敬わず、弱い者には嵩《かさ》にかかり、猫を見ればいじめると直感で知った。そこで、植物の一部として株の下のほうで目立たないようにじっとして、酔いどれに見つかるまいとした。だが、思うようにはいかなかった。

「なんだ？」甥は言った。「猫かよ」そして、この無害な生き物を叩こうと手を上げた。だが、猫の頭があまりに毅然として怯む様子もないのを酔眼でも見てとったか、手を下ろすことはなく、乱暴者のご多分に漏れないこの臆病者は、軽蔑を湛えた猫の揺るがぬ視線から逃れようと、目を泳がせた。なんたる不運！　甥は暗い葉陰に白く浮かぶものに目を留めた。葉をかき分けて、それが何かを確かめた。従妹ジェーンがそこにいた。

「おやおや！」若者は困惑した様子だった。「帰っていたのか。でも、どうしてこんなところに？」

自分が何を見ているのかわからず、口を開いたまま、とまどった目をただ向けていた。だが、ことの次第を察したようだった。こういうとき、私たちのほとんどは、まず話しかけるか、なんらかの手助けを試みるか、あるいは、自分が同じ目に遭わないでいることへの感謝の祈りを造物主に捧げ、これから遭うことのないよう温室からすぐに出ていくことだろう。だが、怖れも感謝も酔いに圧されていた。甥は満面に邪悪な笑みを浮かべた。

「こいつぁ面白い！　なら、じいさんはどこだ？」

彼は枝葉のあいだをのぞきこみ、伯父を探した。すぐに見つけ、花を隠しきれなかった葉をよけると、苦りきった顔に目を向けた。

「やあ、ナルキッソス！＊」甥は大声をあげた。

ナルキッソス　ギリシャ神話に登場する美少年。女神ネメシスに課せられた罰ゆえに、泉に映った自分の姿に恋したのち、死んで水仙と化した。ここでは、花になった伯父への甥の揶揄か。

しばしの沈黙。伯父がものを言わないのは、甥には好都合だった。両手を擦りあわせ、舌なめずりをして、新しい玩具を前にした子供のように、花に目を向けた。

「こりゃまた、たいへんなことになったもんだ。これが形勢逆転ってものか。面白えや。このあいだのことは忘れちゃいまいな」

花に苦しげな表情めいたものが閃くのを見て、意識があることを彼は気づいた。

「俺の言うことが聞こえてるなら」拷問者は続けた。「感覚があるんだろう。どうなんだ?」などと言いながら手を伸ばし、ひげのように細長く下向きに伸びた、銀色の繊細な花弁をつまむと、ぐいと引っぱった。科学的な関心がないのでノートを取る気もないが、伯父の微妙な反応に、花も痛みを感じると知って納得すると、かの不良青年は満足げに笑い、くすねた葉巻を深々と吸うと、花のまんなかに煙を長々と吹きかけた。なんたる無礼!

「どうだい、洗礼者ヨハネ*」ちらりと目を向けながら、甥は尋ねた。「胴枯れ病には煙草がいいんだってよ。ちょうどよかったな」

何かが上着の袖を這っていた。長い枝が気根を何本も伸ばして、取りつくところはないかと探っていた。手首を見つけて巻きつこうとしたが、甥はその前に気づいて、吸いつこうとする蛭を払うように避けた。

「げっ!」彼は言った。「そういうことだったのか。こいつをどうにか片付けるまで、ここには入らないでおくのがいいな。獲物になるのはまっぴらだ。服を着てりゃ捕まらないようだが」自分のひらめきに面くらった様子で、伯父と従妹ジェーンの顔を交互に見やった。床を透かし見て、物陰にバスローブがわだかまっているのに気づいた。

「そうか!」彼は言った。「わかった!――まったく、なんてこった」怯えた一瞥を向けると、そのまま温室を出ていった。

今日の苦しみはもうあるまい、とマナリング氏は思った。不安なのは明日だ。夢を見ることもないのに、一晩じゅう屈辱と苦痛の幻視にさいなまれた。苦痛! あの甥のことである、冷血そのものの残虐行為など心配するだけ馬鹿ばかしいが、酔った勢いで思いついた悪ふざけがどれほど常軌を逸したものになるか、わからないだけに怖ろしかった。ナメクジやカタツムリを放して葉を食わせるとか、刈り込んで垣根に仕立てるとか、しかねない。あの怪物めに、度を超した悪ふざけをされ、財産を無駄遣いされ、大切にしてきたものを目の前で壊されるくらいなら、花弁《ひげ》を引っぱるくらい許してやる! そのうち、残っている人間らしさも次第に薄れて感情も消え、愛着も欲求もなくなり、ごく自然に植物の涅槃へと向かうのだろうから。だが、朝がくると、そう簡単にはいくまい、という気がしてきた。

次に来たとき、甥は温室にいる親戚をからかいもせず、書斎の机に向かうと、いちばん上の引き出しの錠を開けた。金を探しているようだった。伯父の上着のポケットからかっさらったぶんはすでに使い果たしたが、銀行口座に手を出そうにもまだやり方を知らされていないのだ。どうやら、引き出しにあった金で用は足りたようで、満足げに手を擦りあわせると、耳の遠い家政婦に向かい、酒を買っ

洗礼者ヨハネ 『新訳聖書』に登場する預言者。イエスに洗礼を施す。領主ヘロデの結婚をとがめて投獄され、斬首された。ここでは伯父が首だけになったさまを指している。

てこいと大声で命令した。

「出ていきゃあがれ！」と怒鳴ってようやく、家政婦には彼の声が聞こえたようだった。「もうちょっと使える使用人が要るんだ。悪く思うな」新参の主人の柄の悪さに辟易《へきえき》した哀れな老婦人が、おぼつかない足取りで去っていくのを見送りながら、彼は言い足した。「そうだ、気のきくメイドがいればいい——かわいいメイドが」

電話帳を開いて、地元の職業紹介所の番号を調べた。その午後はずっと、伯父の書斎で応募者の面接をした。見た目がぱっとしなかったり、真面目そうだったりする相手は、面接を手短に済ませて帰ってもらい、次から次へと捌《さば》いていった。若くて器量がよく（この青年の好みに合う、という意味だが）、彼が多少は不躾《ぶしつけ》なふるまいをしても気にしない様子だと、面接時間は長くなった。その場合、最後には真意を相手にもあからさまにした。たとえば、机ごしに手を伸ばして顎に触れ、好色そうな薄笑いとともに「ねえ、きみ、この家にはぼく一人しかいないから、家族のつもりでいてくれればいいんだよ」などと言いもした。腰に手をまわして「ぼくたち、仲良くやっていけそうだね」とも。

かくて応募者が二、三人逃げていったあとに入ってきたのは、ここに書くのをためらうような若い女性で、身なりは妙に派手で化粧も濃く髪は染めていて、やたらにしなを作っては笑いかけてきた。甥は躊躇なく採用を決めた。実際、見たとおりの女だったので、この放蕩者も形ばかりは真面目な面接のあいだ、不真面目な視線を交わして楽しんでいた。彼女は翌日からこの屋敷に来ることになった。マナリング氏は自分ではなく、従妹を案じた。「ジェーンは見たくもないものを見せられるかもしれない」と氏は思った。「見ているほうが赤面するようなものを」こんなとき、一言でも何か言えるのなら。

だが、その夜また、甥は見た目にもひどく酔った様子で、書斎にこっそり入りこんだ。まだらに赤くなった顔を笑いともなんともつかない表情にゆがめ、よどんだ目は不穏にぎらついていて、切れぎれの息の合間に何かつぶやいていた。人間の姿をしたこの悪鬼は、仲間内でも酒乱として知られていた。今晩も些細なことでかっとなったのが一目でわかった。

興味深いことに、このような状況で、マナリング氏には急に変化が訪れていた。直接の物理的な刺激がないかぎり、何の反応もしなくなっていたのだ。甥は網戸を蹴破り、ちびた葉巻を火のついたまま絨毯《じゅうたん》に投げ捨て、ぴかぴかに磨いたテーブルでマッチを擦った。伯父は価値や尊厳というものに無感覚になってしまったかのように、ただ見ているだけで、怒りも悔しさも感じなかった。発達の過程で急な変化が起きたように、完全な植物化が間近なのだろうか。ほんの数時間前に、慎み深い従妹ジェーンを気がかりに思ったのは、消えるまぎわの最後の思いやりだったのかもしれない。マナリング氏からは、人間らしさほとんど消えてしまっていた。だがこの変化は、今の段階では祝福されたものとして、そのまま受け入れられるものではなかった。氏の人間としての意識の領域は狭まっていき、これまで悲しみの原因となっていた誇りや思いやりばかりか、苦境に立つたびにギリシャ古典文学の名言の数々とともに心の支えにしてきた、不屈の精神と冷静さも、ぼやけていった。さらに、その狭まる意識の中で、自我は縮小するのではなく濃縮されていき、家財が乱雑に扱われることには無関心になっても、そのぶん自分に危害が加えられることを、植物らしくことさらに怖れていた。

甥はまだ書斎で、葉巻の煙と悪態を吐き散らしていた。炉棚の上には、従妹ジェーンに宛てたマナリング氏の封書が立てかけてあった。前に町に出向いたときに手書きした、甥の信じがたいほど悪い素行を伝える手紙だった。青年はそれに目を留め、無遠慮な好奇心に動かされ、無節操にも手に取って中の便箋を取り出した。読むうちに、彼の顔は黒ずんで見えるほどに怒りの色を浮かべた。

「なんだこりゃ」甥はつぶやいた。「『競馬狂い……救いがたい放蕩者……人目を盗んで悪事をはたらき……』それから何だ？」彼はひどい悪態をついた。「義絶するだと？　くそじじい、そっちがその気なら、俺にも考えがあるぜ！」

彼は机の上にあった大きな鋏《はさみ》を摑むと、温室に駆け込んだ――

魚類の中では、マトウダイが釣り上げられたとき声をあげるという。昆虫では、メンガタスズメの幼虫が、危険を感じると小さな声で鳴くのだとか。植物で苦痛に悲鳴を上げるのは、伝説のマンドラゴラ*だけだった――このときまでは。

マンドラゴラ　ナス科の多年草。和名コイナス、英名マンドレーク（Mandrake）。強い毒性をもつ。地下茎は複雑な形となり、ときに人間の姿に似て、引き抜くと悲鳴をあげる、という伝説がある。

ヤンドロの小屋

マンリー・ウェイド・ウェルマン

植草昌実 訳

The Desrick of Yandro

by Manly Wade Wellman

パーティの客たちがアンコールを求めて拍手を続けたから、俺はあの唄を歌った。

銀の弦のギターを抱え、道端で親指を上げている俺に気づいて、その御婦人は車を停めた。名前を訊かれて、ジョンと名乗った。行く先を訊かれて、とくに決めてはいない、と答えた。ギターを弾いてみせて、と言われたから、しばらく聞いてもらった。彼女はなんとも親切なことに、自分の家に来て友達に唄を聞かせてほしい、みんな喜ぶだろう、と言ってくれた。俺は車に乗った。

贅沢な身なりの御婦人がたや男の衆が、酒を飲んでは座を盛り上げていて、俺はつられて飲みすぎないように気をつけた。でも、嬉しいことに、みんな俺のギターと唄を気に入ってくれた。おなじみのは出さずに、客たちが知らなそうな曲――『荒野の魔女』とか『反乱軍の兵士』、『ヴァンディ、ヴァンディ』とか『結婚しようと言いにきた』で通したからだろう。拍手と歓声がさらに続けるよう求めてきたから、俺はヤンドロの唄を歌った。こんな唄だ。

ヤンドロの山の頂《いただき》に　わたしは小屋《デスリック》を建てた
けものが来ても近寄れず　泣いても誰も聞かぬよう

きっと帰ると言いのこし　愛しい人は旅に出た
わたしは信じて待っている　たとえ幾年《いくとせ》過ぎようと

歌い終えると、客たちがまわりに集まってきて、余所者の俺は身に余る歓待を受け、ここに連れてきてくれた女主人も、ここで夕食をとって泊まっていくようにと言ってくれた。だがそのとき、誰もがさっと引いていき、男が一人現れて、そばに座った。

その男がここに来たら、遊んでいるところに体の大きながき大将に来たときの小さな子供たちみたいに、客たちが静かになりだしたのには、気づいていた。男は小柄だが体つきはいかつく、仕立てのいい目立つ身なりをしていた。茶色がかった髪を、きちんと横に撫でつけているのは、てっぺんが禿げはじめているのを気づかれたくないからだろう。血色のいい丸顔は、人当たりが良さそうには見えないし、にこやかなつもりの笑顔も、その下にある頭蓋骨を思い起こさせるばかりだ。小石みたいに小さい、青い目を向けられると、散髪に行って靴を磨かないと、なんて、俺でさえ思ってしまう。

「お若いの、今ヤンドロと歌ってたな」その男が言った。裁判所で被告人にかけるような口調だ。

「はい。グレート・スモーキー*からそんなに遠くないあたりの唄です。俺はこの唄をある谷で聞いて、

道端で親指を上げている　ヒッチハイク（通りかかった車に無料で乗せてもらう移動手段）の合図。
グレート・スモーキー　テネシー州からノースカロライナ州にまたがるアパラチア山脈の一部。

そのあたりでいちばん高い山が、ヤンドロという名でした」俺は続けた。「あとで学者さんたちに、ヤンドロの意味は『向こうの《ヨンダー》』で、『向こうの高い山』と呼んでいたのが訛《なま》ったんだろう、と教えてもらいました。それがヤンドロという名前になった、と。山の名前にしても、あんまりないでしょうね」

「たしかにな、ジョン」歯を剝き出すようにして、彼は笑った。「あまりない名前だ。私と同じとは。私もヤンドロだ」

「ミスター・ヤンドロとおっしゃるんですか」

「その山や谷のことは聞いたことがないし、父も知らなかったことだろう。だが、祖父のジョリス・ヤンドロは、南部の山の生まれだった。学はなかったが、若い頃から気力と野心は人一倍あった」ミスター・ヤンドロはご立派な身なりの胸を張った。「ジョリスはまずニューヨークに行き、そこからシカゴに移った。一代で財をなした。それを息子――私の父だ――が、そのあとで私が、大きく育てていった、というわけさ」

「見上げたものです」俺はできるだけ礼儀正しく言った。だが、はっきりした理由《わけ》はないが、財をなすのも遣うのも、見上げたとは言われそうもないやりかたをしてきたんだろう、と思った。この男が来たら客たちの様子が変わったが、それは怖いからだろうし、ここにいるような人たちが何より怖がるのは、金銭がらみのことだ。

「人からそう言われるだけのことはしてきた」自分のもの言いが人にどう聞こえるか、気にもしないようだ。「ここから百マイルのうちで、私に黙って取引をしたり、契約を交わしたりする者はいないくらいだからな。なあ、ジョン、このあたり一帯はほとんど私のものだと言ってもいいほどだ」

そして、また歯を剝き出して笑った。「わが祖父がどこから来たのか、手掛かりをくれたのは、きみが初めてだ。ヤンドロの山と言ったな。どう行けばいい？」

広い道から脇道へ、脇道から山道に、それからさらに分け入ったり回りこんだりする道のりを思い出してみた。「たぶん」俺は言った。「口で言うより、御一緒したほうがいいでしょう」

「よし、ならば案内してもらおう」こっちの都合など知ったことじゃない、と言ったも同じだった。「思い立ったときにすぐ決められるくらいの余裕はあるものでね。空港に電話して、飛行機の用意をさせる。さあ、行こう」

「ジョンは今晩、ここに泊まっていくの」女主人が言った。

「いや、行くんだ」ミスター・ヤンドロが言うと、彼女は黙りこんだので、自分の勘がまちがっていなかったとわかった。誰もがこの男を怖れている。ほんの一時でも、俺が連れ出してしまえば、みんな安心することだろう。

「飛行機をお願いします」俺は言った。「行きましょう」

口先だけではなかった。何時間もたたないうちに、飛行機はアッシュヴィルとヘンダースンヴィルのあいだにある空港まで、俺たちを運んだ。そこからヘンダースンヴィルまでタクシーで行った。ミスター・ヤンドロはまだ閉めないでいた中古車屋で、まずまず乗れそうな車を買った。そこからは俺の案内で、唄に出てきた山に向かって、夜道を走りだした。

夜空に月は出ていなかったが、星は一面にきらめき、黒いキルトに光る糸でした刺繡のようだった。他の光は、車のヘッドライトだけだった——舗装道路が丘を二つ三つ登り下りしたあとは砂利道になり、そこまではまだよかったが、じきに砂利もない泥道になった。

「胸くその悪い土地だ！」肉屋の包丁よろしく切り立った尾根を乗り越えたとき、ミスター・ヤンドロは言った。

ほかとは比べようのないほど美しい土地に、そんなことを言ってほしくはなかったが、俺は黙っていた。「明るくなるまで待ったほうがよかったようですね」とだけ言った。

「待てない性分でね」と、人を見下した口調が返ってきた。「町は近いのか？」

「町はありません。ずっと谷です。もう三、四時間も走れば着きますよ。真夜中頃に」

「まいったね。じゃあ、ウィスキーでも飲《や》るか」ミスター・ヤンドロがグローブボックスに伸ばした手を、俺は払いのけた。

「山道を運転しているのをお忘れなく、ミスター・ヤンドロ」

「私は飲むんだ、運転を代わってくれ」

「運転はできないんです」

「まいったね」ミスター・ヤンドロはまた言った。俺が自分の顔の洗い方を知らない、と言ったとしても、これほど馬鹿にしたもの言いはしないものだ。「唄にあった『デスリック』というのは、何だ？」

「今はよほどの年寄りでないと使わない言葉です。丸太を組んで作る頑丈な小屋で、戸にはちゃんと閂《かんぬき》が掛けられるし、窓は銃眼にもなります。インディアンに襲われても持ちこたえられるでしょう」

「けものが来ても近寄れず、か」唄の文句を口にしてミスター・ヤンドロは笑った。「人跡希なこの地には、いったいどんなけものがいることやら」

「どうなんでしょうね。熊とか、山猫とかはいるでしょう。昔は狼もいて、仕留めると報奨金が出たそうです。ほかに何がいるかは、俺にもわかりません」

実を言うと、どんなものがいるか、話には聞いている。が、俺はそっくり信じているわけでもない。それをミスター・ヤンドロに聞かせたところで、馬鹿ばかしいと笑い飛ばされるだけだろう。

狭い道は岩だらけの斜面を曲がりくねり、折り返してはまた登り、やがて二本の轍《わだち》だけになり、すぐ横は切り立った断崖で、そこから下は何千フィートもの虚空という、生きた心地もしないようなところまで来た。ミスター・ヤンドロは、崖下のくぼみを見つけると、車を寄せてエンジンを停めた。震えていた。ここまでの怖い思いは、新しい経験だったことだろう。

「一杯やらないか、ジョン」彼は声をかけると、先に自分で一口飲んだ。

「結構です。ここからは歩くほかありません。谷はこの先です」

ミスター・ヤンドロはうめき、悪態をつきはしたが、車を降りた。懐中電灯を摑み、銀の弦のギターを引き出すと、俺も車から出た。そこからの下り道は、騾馬《らば》さえ用心しそうなほど狭かった。そのうえ、落ち着いて歩くには、まわりがざわついていた。

山は夜になると音がするもので、たとえ山に生まれ育ち、生涯暮らしつづけたとしても、慣れることはない。ここではまず、つぶやくような、低く忍びやかな音がした。それから、時に遠く、時には近くに聞こえる、羽ばたきのような音。行く道の前や後ろで歩調を合わせているような、二本足や四本足の、もっとたくさんのこともある、大きなけものの柔らかな足音。その足音は夜旅《よたび》のあいだじゅう、どれだけ谷を下ったとしても、つきまとって離れようとはしないもので、聞いてしまったときは、人家の明かりが見えるよう心から祈りつづけるほかないし、そんなときに見つけた明かりがどれほど粗末な小屋のものであっても、そこに身を寄せたくてたまらなくなる。

ミスター・ヤンドロはしきりにつぶやいているが、悪態をついているのか、祈っているのか、俺にはわからなかった。

ようやく目にした光は、音をたてて谷底を流れる小川のほとりに建つ、こぢんまりした小屋の中で、松の枝に灯した火の明かりだった。開いた戸口に、座っている人の影が見えた。

「ここがその小屋《デスリック》か?」ミスター・ヤンドロが息を切らせて言った。

「いや、ここは新しい小屋です。ミス・タリーが戸口に座って考えごとをしているんでしょう」

ミス・タリーは俺を覚えていて、歓迎してくれた。八十歳か、いや九十歳にはなろうか、歯のない口に石のパイプをくわえ、厚板の床に松の木のようにまっすぐ立ち、丁寧に梳《くしけず》った髪は黒々として一本も白くないのが、火明かりでもはっきり見えた。「ゆっくりしておいき」ミス・タリーは言った。「この方はミスター・ヤンドロとおっしゃるのかい。今ここに来たとは奇遇だね。ヤンドロの小屋を探してるんなら、すぐそこさ」そして、谷の向こうに斜面があるはずの、暗いばかりで何も見えないほうに、パイプの吸い口を向けた。

小屋の中で、杜松《ねず》の皮を張った椅子を俺たちに勧めると、ミス・タリーはたくさんの薬草の瓶と、少しばかりの古い本を収めた棚のそばの椅子に座った。棚にある『別れて久しき友』『エジプトの秘密』『偉大なるアルバート』などといった本は、捨てたり人にやったりはできず、手放さなくてはならないときは、死んだ人にするように、祈ってから埋めなくてはならないのだという。「奇遇だね。あれからちょうど七十五年のこの日に、あんたがここに来るとは」

それはどういうことかと尋ねると、ミス・タリーが語りだしたのは、まさに俺たちが聞こうとここに来た話だった。「ジョリス・ヤンドロが、若い魔女のポリー・ウィルツに結婚を申し込んだのは、わたしがまだおさげ髪の子供の頃だった。ミスター・ヤンドロ、あんた、お祖父《じい》さんにそっくりだね。ジョリスはずっと細身で、出ていったときはもっと若かったけれど」

この話を聞くのは二度目だが、それでも俺は聞き流しはしなかった。始まりはありふれた話のように思える。ポリー・ウィルツは生まれながらの魔女で、ミス・タリーのように勉強してなった魔女とは違っていたし、ポリーの美しさは生きるものすべての心を捉え、口のきけない者が「彼女を創りたもうた神を称えよ！」と叫びだすくらいだった。だが、結婚を申し込む度胸のある男は、美しい彼女に釣り合う男っぷりの、ジョリス・ヤンドロただ一人だった。だが、なぜ結婚しようとしたかといえば、自分の一族と同じ名をもつ山にある、と昔から言われている金脈のありかを知るためで、そこを見つける手立ては、ポリー・ウィルツの魔法の力のほかになかったからだ。

「たしかに、このあたりの山には金脈があります」ミスター・ヤンドロが口をはさんで尋ねたので、俺は答えた。「カリフォルニアのゴールドラッシュ*が始まる前に、このあたりの住民たちは金を採掘し、

カリフォルニアのゴールドラッシュ　一八四八年、カリフォルニアで開拓者ジェイムズ・マーシャルが金を発見したことを機に、三十万人以上が採掘のため流入。経済向上と人口増加で、五〇年にはカリフォルニアは合衆国三十一番目の州となった。

金貨を鋳造していたと、地方史家たちは言っています」

「金脈だと」怖れいったようにも欲に駆られたようにも聞こえる声で、ミスター・ヤンドロはつぶやいた。「ここには来るべくして来たということか」

ジョリス・ヤンドロがポリー・ウィルツを言いくるめて、彼女が見つけた金を出させ、それを持って出ていき、帰ってこなかったところまで、ミス・タリーは話した。彼のことを忘れられず、病気の鳥のように痩せ衰えたポリー・ウィルツは、ヤンドロ山のてっぺんに小屋を建てた。彼女はそこで長い呪文を唄にして歌いつづけた。俺が歌ったのは、その唄のほんの一節だった。一世紀の四分の三が過ぎたとき、愛しい人が帰ってくる、という呪文だった。

「だが、ジョリスは帰らなかった」ミスター・ヤンドロが言った。「北部で死んでしまったからな」

「だから、自分によく似た孫をよこした」ミス・タリーが言った。「その唄が、ちょうどこの日に、あんたをここまで連れてきた」彼女はパイプに煙草を詰めた。「ヤンドロの一族はみな、ポリー・ウィルツの唄を怖がって、この土地を出ていったがね」

「けものが来ても近寄れない小屋、か」ミスター・ヤンドロは唄の文句を口にし、笑った。「ジョンの話では、このあたりには熊か山猫くらいしかいないそうだが」俺の話は間違いだ、とミス・タリーが言うのを期待するように、つけ加えた。

「いや、いろいろいるよ。このあたりでしか見ないようなけものがね。カネナラシみたいなのとか」

「カネナラシとは？」ミスター・ヤンドロが言った。

「このあたりの空を飛ぶもののうちで、いちばん大きなやつさ」ミス・タリーが言った。「獲物が近くにいるのを、ほかのけものに知らせるとき、鐘を鳴らすような声で鳴く。ペッタラコもいる。地面に平たくはりついていて、ちょっと見たくらいじゃ気づかない。踏んだら毛布みたいに包みこんでくる」パイプに火を入れると、続けた。「バマットもいる。バマットはでかいよ」

「ベヘモット*のことか？」ミスター・ヤンドロが訊いた。

「いや、ベヘモットは聖書に出てくるやつだろう。バマットは毛むくじゃらで、大きな耳と長い鼻があって、口からは曲がった白い牙が伸びてて――」

「なんだ」ミスター・ヤンドロは声をあげて笑った。「ばあさん、そいつはマンモスだ。でも、とうに滅びてしまってる。何千年も昔に死んでしまって、今はもういないやつさ」

「わたしが聞いたかぎりじゃ、そんなに昔のことでもないがね」ミス・タリーは煙を吐いた。

「どっちにせよ」ミスター・ヤンドロは食いさがった。「マンモスは――あんたの言うバマットは、象の仲間だ。象がこんな高いところにまで来るものか？」

「人に追われてきたんだろう」ミス・タリーは言った。「そのままこのあたりに棲みついて、人のほうが勝手に、もう大昔に滅びてしまったんだと思いこんだのかもね。アトツケもいる」

「本当かい」と、ミスター・ヤンドロ。「そのアトツケってやつは、どんな見た目なんだ」

「見た者がいないのさ。男でも女でも、狙った相手の後ろから来るからね。ウカビは凧みたいに空に

ベヘモット　旧約聖書で言及される巨獣。カバあるいはサイに似る。「見よ、ベヘモットを。お前を造ったわたしはこの獣をも造った。これは牛のように草を食べる」新共同訳「ヨブ記」四十章十五節。

浮かんでるし、イシヅツもいる。大砲《おおづつ》みたいに口から石を撃ち出すんだ」

「そんなやつらがいると、本気で思っているのか」ミスター・ヤンドロは笑ったが、これまでどこで何を見ても、同じように笑い飛ばしてきたのだろう。

「いないものをわざわざ話しはしないよ」ミス・タリーは答えた。「まあいいさ。あんたはご先祖が暮らした土地の、自分たちの名前がついた山の麓《ふもと》に帰ってきたんだ。軒に寝床を作るから、今夜は泊まっていくといい」

「山に登って小屋まで行くんだ」ミスター・ヤンドロがやけに急いでいるようなのが、俺にはどうも気になった。

「山には明るくなるまで登れやしない」ミス・タリーはそう言うと、軒下にキルトの寝床を二つ延べてくれた。

俺は疲れていたから、体を横にできるのがありがたかったが、ミスター・ヤンドロは寝る間も無駄に思ったか、しきりに文句を言っていた。朝が来て、ミス・タリーは焼いたベーコンとポリッジ*の朝食を作ってくれたうえに、出る前には山登りの途中で使う弁当と、飲み水を詰めたひょうたんを渡してくれた。ミスター・ヤンドロは十ドル札を差し出した。

「結構よ」ミス・タリーは言った。「わたしが泊まるように言ったんだし、受け取る理由もないね」

「私が出すものを受け取らなかった者はいない」ミスター・ヤンドロは笑うと、彼女の足元に札を投げた。「取っておきな」

鼬《いたち》さながらの素早さで、ミス・タリーは薪《まき》を摑んだ。

「お札を拾って、しまいなさい、ミスター」

ミスター・ヤンドロは言われたとおりにした。ミス・タリーは、目の前を流れる小川の向こうの山を薪で示すと、その先をさらに上げた。つい今しがたのやりとりなど、なかったかのように。

「あれがヤンドロの山だよ。てっぺんの、木がこんもり繁って帽子をかぶってるみたいな、あのあたりにポリー・ウィルツが建てた小屋がある。今も見えるが、日がもっと高くなれば、あんたにもはっきり見えるだろう」

俺は目を凝らした。遠く、高いところに、小さな小屋がたしかに見えた。小屋は傾きかけているようだった。

「あそこまでの道はあるんですか」俺は尋ねた。

「けもの道みたいなのならね、ジョン。誰も行きやしないから」

「おいおい」ミスター・ヤンドロが言った。「道があるんなら、誰かが行き来しているだろう」

「ごもっともだけど、この谷の衆は、道があってもあの山には行かないね。わざわざ踏みこんだりはしないさ」

俺ならその言葉に従うところだが、ミスター・ヤンドロは笑い飛ばした。「バマットが怖いからか。それともペッタラコやウカビや、イシヅツが出るからか」

「カネナラシもいる」ミス・タリーは続けた。「アトツケだってね。あの山に登りたがるのは大馬鹿者

ポリッジ　オートミールの粥。

だけさ」

俺たちは小川まで下り、岩に渡した丸木橋を渡った。細い道は対岸から始まって、一時間も歩いて日も高くなった頃、ようやくヤンドロ山の麓にたどり着いたが、そこからさらに先へと続いていた。

俺たちは休憩をとった。ミスター・ヤンドロは俺より長く休んだほうがよさそうだった。昨日は一晩じゅう移動していたうえ、もとより山道を、こと登り坂を歩きつづけるのには慣れていないので、いかつい顔には疲れが浮かんでいたし、着ているものは汗びっしょり、靴は土埃にまみれていた。だが、俺に目を向けると、彼は笑った。

「その女は七十五年も待ってるのか。さらに、この私が待ち人にそっくりだときた。おまけに、この山には金脈がある。わが祖父が持って出たよりも、さらにたくさんの金が取れる」

「あの話を真に受けてるんですか」俺には理解できなかった。

「なあジョン、賢明な男は、たとえ信じがたいことでも、自分が信じるに値すると思えば、それを信じるものさ。私を待っているのは小屋の女だけじゃない、この山の金もだ」

「で、金を見つけたら、どうする気ですか」

「わが祖父は金を取って、女は置いていった。私には良き手本だ」ミスター・ヤンドロは歯を剝き出して笑った。「もちろん、分け前はやるさ」

「結構です、ミスター・ヤンドロ」

「いらないというのか？　なら、なぜ連れてきたんだ」

「あなたと同じですよ。ここに来ると決めただけです」

ミスター・ヤンドロは渋い顔で山道を見上げた。「あとどれだけ登れば着くんだ？」

「どれだけの速さで、どれだけ歩調を安定させて登れるかによります」

「行こう」ミスター・ヤンドロは歩きだした。

道には人のものではなかったが、足跡が連なっていた。蹄《ひづめ》の跡があった。

「鹿か」とミスター・ヤンドロはうめき、俺は「たぶんね」と答えた。

道は右に延び、登りきると左に折れた。木は道を狭めるように左右から枝を伸ばし、日の光は葉を通して弱まり、緑に染まった。かさかさという音のするほうに目をやると、大きめの猫よりさらに大きな、毛むくじゃらの茶色いものが、あわてて姿を隠した。

「ウッドチャックか」ミスター・ヤンドロは息を切らせ、俺はまた「たぶんね」と答えた。

一時間歩いて休憩をとり、そのあと二時間歩いてから、また休憩した。十一時をまわった頃、日当たりのいい開けたところに来たので、俺たちは切り株に座って、ミス・タリーが持たせてくれたコーンブレッドと燻製肉の弁当を開いた。ミスター・ヤンドロは洒落《しゃれ》たハンカチで顔をぬぐうと、がつがつ食ったあとで、怒りのこもった目で俺を見た。「何を黙りこんでいる？　私のことが怖くなかったら、悪態でもつきたいんじゃないのか」

「黙っているのは」俺は言った。「怖いからじゃなくて、礼儀を守りたいからです。今は、こんなに急いで、こんな遠くまで来たのはなぜかを考えていただけです」

「きみの唄を聞いて、私は父祖の地に行きたいと思った。儲けになりそうな話には勘もはたらくしな。答えはこれで十分だろう」

「理由はそれだけじゃないでしょう。欲しいものはすでにみなお持ちだろうし」

「本当のことを聞かせてやろう」ミスター・ヤンドロは言った。「私が行くのは、谷のばあさんも言っていたが、その小屋を怖れて誰も近づかないというからだ。きみも、行くと決めたと言ってたな」

「頂上までは付き合いますよ」

そのとき、ミスター・ヤンドロの後ろから、木の間《こま》越しにこちらを見たものがいたのを、俺は言わないでおいた。幅のある大きな頭の左右に、象そっくりの耳があって、螺旋階段の手すりのように曲がった白い牙を突き出していた。牡の野牛《バイソン》みたいな毛が生えていた。バマットだ。あの大きな体で、どうすればあんなに静かに動けるのだろう。

ミスター・ヤンドロはウィスキーを一口飲み、俺たちはまた登りはじめた。木々のあいだや藪から、岩陰や小さな雨裂《うれつ》*から、猟犬にたかっている蚤《のみ》よろしくひしめいているように、さまざまな生きものが山の斜面をざわめかせていた。俺一人の気のせいではない。

「何を歌ってるんだ？」少しして、ミスター・ヤンドロが言った。

「歌っちゃいません」俺は言った。「登りがきつくて、それどころじゃない」

「いや、たしかに聞いた！」法廷の弁護士よろしく、彼は言いつのった。

足を止めて耳をすますと、俺にもその声が聞こえた。

かすかに、忘れかけた唄を思い出すように、その唄は聞こえてきた。ヤンドロの唄だ。

見上げてごらん　ヤンドロの山を

空をよぎるは　けものたちの影
連れ合いを求め　枝を飛び交う
わたしは一人　あの人を待つ

「上から聞こえますね」と、俺は言った。

「ということは」ミスター・ヤンドロが言った。「頂上はもうすぐだ」

森のざわめきは、俺たちが先に進むとひときわ大きくなり、足を停めると止んだ。俺たちが動くと、隠れている何かも動き、止まれば動きだすまで待っている。大勢いる。息をひそめてはいるが、とんでもない数が。

ミスター・ヤンドロも気づいたようで、そこから先は休むことなく登りつづけ、岩が剥き出しのところは手をついて這って進んだ。正午を一時間近くまわった頃、頂上に着いた。

頂上はほぼ円形の空き地で、道に通じるところを残して、まわりは木に囲まれていた。木々のあいだには、蜘蛛の糸のような霞《かすみ》が、ゆるゆると流れていた。その小屋は空き地の端に、ひっかかるように建っていた。

見るからに年古りた小屋だった。実際に高さもあるのだが、なおさら高く見えるのは、切れ目を入れない丸太を四角に並べて積み上げていく、豚小屋に似た造りだからで、間口が狭いのもあって、煙

雨裂《うれつ》　雨水の浸食で地表にできた溝。

草乾燥小屋ほども高さがあるようだった。丸太の隙間は粘土でふさいであった。勾配《こうばい》の急な屋根は、一見は藁葺《わらぶ》きのようだが、細長い板で葺かれていた。扉は斧で切り出した大きな板で、蝶番《ちょうつがい》が見えないのは、内側にあるからだろう。窓には薄く剝いだ生皮のようなものが張られていて、家の中の明かりをぼんやりと透かしていた。

「ここだ」ミスター・ヤンドロが息を切らせた。「小屋《デズリック》に着いたぞ」

その顔を見て、この男がいちばん欲しがっているものが何か、わかった。人の上に立つことだ。財産はそのための道具でしかない。この男にとって大事なのは、相手を見下すことだ。話すときも自分だけ、まわりの連中はただ聞くだけでないと満足しない。小屋を見て舌なめずりするさまは、クリームの皿を前にした猫のようだった。

「入るぞ」ミスター・ヤンドロは言った。

「遠慮しておきます。家の主《あるじ》が入るように言わないかぎり」こんなとき誰もが言うように、俺はきっぱりと言った。「頂上までは付き合う、と言いました。だから、ここまでです」

「一緒に来い。私はヤンドロだ。この山の名もヤンドロだ。私の名前の土地にあるものも、そこに住んでいる男も女も子供も、みな私のものだ。入ると決めたら、どんな家にだって私は入る」

ミスター・ヤンドロは本気で言っているようだった。世界のすべては自分の意のままになる、と。彼は小屋に一歩踏み出した。誰かが中で歌っていたが、歌詞はなく、ハミングだけだった。ここまで来たのに先に行けないとは度胸のないやつだ、と言いたげに、俺を見て鼻を鳴らすと、彼は大きな扉に向かった。

「その女がいるなら、金にもお目にかかれるさ」ミスター・ヤンドロは言った。

空き地の端《へち》に立ったまま、俺は動けなかった。まわりの木々のあいだや藪の中から、何かがじわじわと間合いを詰めているのがわかった。姿は見えないが、獲物が来たのを知らせるカネナラシの声が、ごーん、ごーんと聞こえてきた。梢《こずえ》の先に、皿を高く投げ上げたように、丸く平たいものが飛んでいた。ウカビだ。そこにもう一匹のウカビが飛んできた。俺は血が体の中で凍りつき、喉に砂が詰まってしまったみたいになって、声も出せなかった。

脚がいうことをきかなくて、退がろうとしても、向きを変えようとしても、動けばその場に倒れそうだった。霙《みぞれ》に凍てついた枝のような指で、ギターを引き寄せた。悪しきものから身を守るため、銀の弦を鳴らそうとした。

だが、できなかった。すぐそばの藪からバマットが毛むくじゃらのでかい頭を突き出して、静かにしていろと言うように、首を横に振ってみせたからだ。けものが人を見る目つきではなかった。まっすぐ俺を見て、首を振ったのだ。俺は物音ひとつたてまいとした。そのまま静かにしていた。すると、バマットは俺がいることを忘れてしまったようになり、自分はこれから起きることには関係ないのだ、と俺は気づいた。

ミスター・ヤンドロは荒削りの木の扉を叩いた。しばらく待ち、もう一度叩いた。待たされるのには慣れていない、というようなことをつぶやいているのが聞こえた。

ハミングは止んでいた。ミスター・ヤンドロは窓辺に向かい、皮のカーテンを上げようとした。

小屋の裏手から何かが流れてきたのに気づいたのは、俺だけだった。広くて黒い、毛足の短い絨毯《じゅうたん》のようなものだ。だが、尺取り虫のような動きをしていた。それは素早くミスター・ヤンドロの背後に迫った。カネナラシの、ごーん、ごーん、ごーんと鳴く声が、すぐ近くで聞こえた。

「誰かいるか?」ミスター・ヤンドロが怒鳴った。「入れろ!」

動く絨毯がその足をかすめた。見下ろしたとき、彼は両目を左右に並べたドアノブほどに見開いた。それが何か気づいて、彼は大声で叫んだ。

「ペッタラコだ!」

背中を持ち上げた怪物は、ミスター・ヤンドロの脚を包みこもうとした。彼は、俺が死んでも口にできないような言葉を叫んで飛びすさり、小屋から離れようと駆けだした。

ごーん、ごーんとカネナラシが鳴き、ミスター・ヤンドロは近くの木に身を寄せようとした。だが、イシヅツがたくさんの肢《あし》で這いだしてきて、行く手をさえぎった。イシヅツは細長い口先から石を吐きだした。石がミスター・ヤンドロの頭を直撃する音を俺は聞いた。彼はよろよろと倒れかけた。俺はそのとき、誰も見たことがないと言われているものを見た。

アトツケがミスター・ヤンドロの肩に飛びかかったのだ。誰も見たことがないと言われている、その理由がわかった。見なければよかった。どれだけ年月がたっても、そのときの光景は目に焼きついたままで、死ぬまで忘れることはないだろう。どんなものかは口には出せない。悪いが、話すのだけは御免《ごめん》こうむる。

みながみな、姿を現していた。バマットもイシヅツも、ほかの怪物たちも。そろってミスター・ヤンドロを取り囲み、小屋のほうに追い立ててると、小屋の扉はゆっくりと、静かに、彼を招き入れるように開いた。

やつらがこっちに目を向けないよう、山道を力のかぎり駆け下りても放っておいてくれるよう、俺はただ祈るほかなかった。

無我夢中で駆け下りたが、追ってくる足音はなかった。この出来事で、何かの役割を果たしていたのだろうかと、俺は走りながら考えた。七十五年の年月が過ぎようというそのとき、ミスター・ヤンドロがあの小屋を訪れなければならない。祖父《じい》ちゃんがポリー・ウィルツに求婚したところに行ってみたいと思わせるために、あの唄を歌ってあの男に聞かせるやつが、いなくてはならなかったのだろうか、と。

いや、まさか。自分を愛していたポリー・ウィルツを無下《むげ》に捨てていったのは、ミスター・ヤンドロ本人ではない。だが、彼はその男の孫で、富と権力ばかりを求める見下げはてた気質を、血と一緒に受け継いだ、人を傷つけ苦しめても何とも思わないようなやつだった。それに、ジョリス・ヤンドロによく似ていた。ポリー・ウィルツも見てわかるだろう。

一世紀の四分の三ものあいだ、ヤンドロの小屋で待ちつづけていたポリー・ウィルツが、どんな姿になっていて、どんな歓迎をしたのかはわからない。だが、ミスター・ヤンドロが逃げる足音は、俺は聞かなかった。あの男がいなくなって、淋しがる人もいることだろう。でも、死んでも悲しむ人がいないことには、いくら賭けたってかまわない。

怪物、あるいは分類不能なもの

武田悠一

＊収録作品の内容に触れています。（編集部）

メアリ・シェリーの『フランケンシュタイン』（一八一八年）は今日に至るまで多種多様な翻案や改作《アダプテーション》を生み出してきた。フランケンシュタインの物語が一般的に知られるようになったのは、メアリ・シェリーの原作小説によってというより、むしろそのアダプテーションとして上演された舞台や、製作された映画によってである。とりわけ映画が、その視覚的なイメージ形成に大きな役割を果たした。メアリ・シェリーの原作を読んでいなくても、「フランケンシュタイン」といえば、ボリス・カーロフが扮したあの怪物の顔を思い浮かべてしまう。映画が与えた影響はそれほど大きかったのだ。

その一方で、原作小説の方は、長い間批評的に評価されなかった。有名なロマン派詩人パーシー・シェリーの愛人（後に妻になった）が書いたゴシック小説として取り上げられる程度だった。その小説が、なぜ数多くのアダプテーションを生み出すことになったのか？　いくつかの答えが考えられるだろうが、その一つとして、この小説が孕《はら》む怪物性を挙げることができるだろう。

フランケンシュタインの物語は、翻案や改作されて増殖していく過程で、原作の小説からずれていく、というより、アダプテーションによってどんどん独り歩きしてしまう。そうした「独り歩き」のうちでもっとも顕著なのが、怪物という存在、あるいは怪物的な身体の前景化だ。それがあまりにも強調されたために、怪物がほとんど物語の中心を占めるようになって、「フランケンシュタイン」という名前そのものが、怪物を創造した若い科学者ヴィクター・フランケンシュタインその人ではなく、彼が創り出した「被造物《クリーチャー》」である怪物のほうを指す、といった混乱が生じたほどである（原作では、怪物には名前が与えられていない）。

大衆文化を通じて――とりわけ映画というメディアを通じて――怪物が大きな存在になっていったということ、怪物がその創造主であるフランケンシュタインよりも、あるいはこの物語を創造した作者メアリ・シェリーよりも、よく知られた存在になっていったということ、これはある意味では当然と言えるかもしれない。「怪物（monster）」という語は、語源的には「警告としての見せしめ」を意味するラテン語の *monstrum* から派生したと言われている。つまり、怪物とは神が創造した理性的な世界に出現した非理性的で反自然的なおぞましいものであり、神の教えに背いた罰として、人々に警告を与えるために「見せしめ」にされなければならないものであり、何らかの悪徳、愚行、非理性を、目に見える形で警告する奇形《フリーク》として存在すると考えられていたのだ。

「見る」という行為によって成り立っている映画というメディアが、「見られる」存在としての怪物に視線を惹きつけられたのは当然の成り行きだった。そして、「見られる」存在としての怪物という点に関して言えば、原作の小説においてもそれなりの強調が置かれているのだから、その意味では映画も必ずしも原作から逸脱しているとは言えない。メアリ・シェリーの小説にあっても、怪物はまず何よりも「見られる」ものである。怪物は、その異形な姿によって見る者を嫌悪させ、忌み嫌われる。この小説のなかで怪物を忌み嫌うことなく、人間並みに扱ってくれる唯一の人物は盲目の老人だけだ。ということは、怪物は「見られ」、忌み嫌われる限りにおいて「怪物」なのである。

映画のなかのフランケンシュタイン物語は、この「見せしめ」としての怪物の怪物性を誇張し、前景化している。それがあまりにも誇張されているという点では原作から逸脱しているが、「見られる」存在としての怪物という趣旨においては、必ずしも逸脱ではない。原作からの逸脱という点に関して言えば、問題はもっと別のところにある。確かにフランケンシュタインの怪物も「見られる」存在であるのだが、同時に、この怪物にはみずからの怪物性、見られ、忌み嫌われるという自らの存在の条件に対する自己省察がある。しかも、それを雄弁に語る言語を獲得する。メアリ・シェリーの原作では、怪物が自らの怪物性を呪い、それを乗り越えようとしてもがき苦しむ過程が重要なテーマとして描かれているのだ。

〈異形のもの〉として創造された被造物が人間的な意識をもつということ、人間でありながら人間ではないもの、人間ではないのに人間であるもの、これがフランケンシュタインの怪物が生きなければならない条件である。彼が人間たちの間にあれほど激しい憎悪と恐怖を呼び起こすのは、〈分類不能なもの〉がもたらす不快感を生じさせるからだ。怪物は人間と人間ではないものの区別を混乱させる。怪物とは、〈人間〉／〈人間ではないもの〉という二項対立的な区分を拒む存在なのである。

本巻に収録された作品に登場する怪物たちもまた〈分類不能な〉存在である。メアリ・シェリーの「変化《へんげ》」は、財宝を手に入れるために小人の怪物と身体を交換してしまうイタリア人の男の物語である。『フランケンシュタイン』のような悲劇性はなく、最後に男は自分の身体を取り戻すのだが、この物語を成り立たせているのは、人間と怪物の交換可能性という前提であることにわたしたちは気づかされる。

エルクマン゠シャトリアンの「狼ヒューグ」は、ドイツのシュヴァルツヴァルト地方の狼男にまつわる物語だ。狼男とは、ジョルジョ・アガンベンが言うように、「動物と人間、ピュシスとノモス、排除と包含のあいだの不分明な境界線、一方から他方へと移行する境界線」であり、「人間でも野獣でもない狼男《ルー・ガルー》はまさしく、その二つの世界のいずれにも属することなく、とはいえ逆説的に両方の世界に住みついている」(『ホモ・サケル』)。

ウィリアム・ホープ・ホジスンの「夜の声」で語られているのは、難破した船から筏で脱出したカップルが漂着した小島でキノコに変身してしまうという怪奇である。二人は、生き延びようとする本能的な欲求に駆られて食べたキノコになり果てるのだが、この物語の恐怖はキノコ状の怪物の視覚的描写によってではなく、そのような怪物と化してしまう恐怖を夜の闇にまぎれて語る男の「声」によって伝えられる。M・P・シールの「青白い猿」では、猿から人間への「進化」の過程を逆戻りし、猿に「退化」してしまうことの恐怖が語られる。人間の内部に「隠れて《ハイド》」いる「猿」という表象は、「青白い顔をした小人のような男」で「不愉快な笑い方をする」猿として描写されている『ジキル博士とハイド氏』(一八八六年)のハイドを想起させる。この物語を語るのは、「青白い猿」に変身したイギリス人貴族によって自分の恋人を殺されてしまった女性である。ここでは、人間に潜む獣性を呼び覚ますのが性的欲望であることが暗示されているのだ。

H・P・ラヴクラフト「壁の中の鼠」の舞台であるイングランドの古い館には、地下室の下にさらなる地下空間が広がっている。それは、先史時代にまで遡る歴史の古層というべきものだ。古代ケルト人のドルイド教をめぐる伝説を背景にして、この地下世界で繰り広げられる人身供犠、カニバリズム、動物への化身が語られるのだが、それを語るのは恐怖に駆られて先祖返りしてしまった主人公である。ここには、退化への恐怖が狂気と隔世遺伝という形をとって現れている。ヘンリー・S・ホワイトヘッド「黒いけだもの」の舞台は西インド諸島のアメリカ領サンタ・クルス島。ヴードゥー教の呪術《オビ》によって牡牛と「魂の交換」をした混血男性をめぐる物語だ。カリブ海に住む黒人の民間信仰——生贄の儀式や霊的存在の人間への憑依——への関心と知識に裏打ちされた黒魔術小説である。

ジョン・コリア「みどりの想い」では、新種の蘭に魅せられた男が、その蘭に変身してしまう。身体は植物化しても、意識は人間のままであった男が、次第に人間の意識を失い、完全に植物化していく恐怖が語られる。この物語の背後に、蘭に魅せられたもう一人の男、チャールズ・ダーウィンの影を見ることができる。ダーウィンは、昆虫をおびき寄せるために独特な形に進化した蘭について『蘭の受精』(一八六二年)を書いた。

マンリー・ウェイド・ウェルマンの「ヤンドロの小屋」は、アパラチアの山岳地帯を舞台に、放浪のバラード歌手ジョンが行く先々で出遭った怪奇を語って聞かせる物語の一つである。険しい峡谷によって外部世界と遮断されたアパラチアの山奥は、古い伝承や民話が息づく一種の異界であり、そこに登場する伝説の怪物たちには、『もののけ姫』の「タタリ神」をはじめとする、宮崎アニメの怪物たちを思い起こさせるところがある。

アンブローズ・ビアスの「怪物」は、正体不明の怪物に殺された男をめぐる物語だ。その怪物は、人間の目には見えない色をしており、人間の耳には聞こえない音しか発しないので、「あの忌まわしいもの（that damned thing）」と呼ぶしかない何かであり、形があるのかないのかさえ分からない、まさに正体不明の怪物である。E・F・ベンスン「〝かくてさえずる鳥はなく〟」の語り手は、広大な地所に住む旧友を訪れ、鳥の鳴き声も聞こえず、その姿も見えない森に足を踏み入れる。そこに潜んでいる何か得体の知れぬ怪物めいたもの、形のある生物なのか霊的な存在なのかさえ分からない、「それ（it）」と呼ぶほかない何かが掻き立てる恐怖が語られる。ジョン・マーティン・リーイの「アムンセンのテント」は、ノルウェーの探検家ローアル・アムンセンの南極点到達という歴史的出来事をもとにして書かれた恐怖小説だ。アムンセンの探検隊が残したテントに潜んでいた謎めいた怪物の恐怖が、その犠牲になった探検隊の一人の手記という形で語られる。怪物は、ここでも「あいつ（that thing）」「あれ（it）」と呼ばれる正体不明の存在である。

ここに集められた作品群が示しているのは、怪物はおぞましいものとして忌避され、最終的には追放あるいは破壊されるが、にもかかわらず何度も姿を変えて繰り返し物語に回帰する、ということである。怪物は、なぜ根絶されないのか。それは、怪物が恐怖の対象であると同時に、欲望の対象でもあるからだ。怪物は、抑圧された欲望——自分の内部にあるにもかかわらず、自分のものと認めることができない欲望——を呼び覚ます媒体として機能する。怪物は、わたしたちの禁じられた欲望を表象し、物語のなかで願望充足的なドラマを演じる。生贄にされた怪物は、儀式的に殺され、悪魔祓いとして機能する。怪物とは、わたしたちの内にある〈他者化された自己〉の物語的表象なのだ。フロイトの精神分析に倣って言えば、怪物とは「抑圧されたものの回帰」である。

怪物は、望ましいとされるアイデンティティ――個人的、性的、国家的、文化的……――を形成するために棄却されなければならないもの、わたしたちの内なる「外部」の表象である。わたしたちのアイデンティティは、この「外部」を否認し、排除することによって形成されるのだが、まさにそのことによってこの「外部」に依存し、取り憑かれている。この「外部」すなわち怪物とは、わたしたちがそうなってはいけないものなのだが、そうなってはいけないという禁止は、そうなってしまいたいという願望があるからこそ課されるのだから、怪物とは要するに、そうなってはいけないにもかかわらず――というより、そうなってはいけない、いいか、い、い、いからこそ――そうなってしまいたいものにほかならない。

解題

『怪物の時代』と『怪物』

牧原勝志

本アンソロジーは、紀田順一郎・荒俣宏編『怪奇幻想の文学』全七巻（新人物往来社　一九七七完結）の企画を踏襲し、新たに全六巻に編纂するものである。ただし、復刊や、収録作品をそのままに、翻訳のみ新たにしたリニューアルではない。古典、準古典と呼ぶべき作品から、特に現在の読者に届けたいものを新たに選び、新訳で収録する——オリジナルの『怪奇幻想の文学』の編者である監修者と、本アンソロジーの編者の三人で、まずその基本姿勢を決めた。いわば「再構築」である。

オリジナルの収録作品は、刊行当時ほとんどが初訳作であり、「他では読めない」ことが本そのものの価値を増していた。が、刊行から四十五年、多くが再録や新訳で他書でも読めるようになった。残念なことに、それらを含むさらに多くの本が書店から消えていき、里程標的名作さえもが手軽には読めなくなりつつある。このような現状を踏まえ、オリジナルの枠組を活かしつつ、新たな観点を示すアンソロジーを目指した。

本巻は、第五巻『怪物の時代』（一九七七）に基づいて編纂した。同書の収録作品を左に挙げる。

「恐怖の山」"The Horror Horn"　E・F・ベンスン　鈴木克昌訳
「青白い猿」"The Pale Ape"　M・P・シール　小宮卓訳
「ウイリアムスン」"Williamson"　H・S・ホワイトヘッド　高木国寿訳
「換魂譚」"The Transformation"　メアリ・シェリー　日夏響訳
「レッド・フック街怪事件」"The Horror at the Red Hook"　H・P・ラヴクラフト　赤井敏夫訳
「ゴーレム」"The Golem"　エイブラム・デイヴィッドスン　竹上昭訳
「緑色の怪物」"Le Monstre Vert"　ジェラール・ド・ネルヴァル　秋山和夫訳
「ヤンドロの山小屋」"Deserick of Yondoro"　マンリー・ウェイド・ウェルマン　赤井敏夫訳
「セイレーンの歌」"The Song of Siren"　E・L・ホワイト　森美樹和訳
「難破船」"Derelict"　ウィリアム・ホープ・ホジスン　鈴木説子訳
「沼の怪《スライム》」"Slime"　J・P・ブレナン　日夏響訳
「ワンダースミス」"The Wondersmith"　フィッツ＝ジェイムズ・オブライエン　森美樹和訳
「海魔」"The Sea Monster"（原題"Das Heerwunder"）　ゲアハルト・ハウプトマン　桂千穂訳

以上に加え、序論として小宮卓「想像の見世物箱」と、荒俣宏「解題」が収録されている。小宮の序論は、諸国の伝承や神話に現れる怪物に始まり、百科全書での怪物の定義づけを経て、人狼をはじめとする獣人、フランケンシュタインの怪物からロボットに至る人造物にも言及した、秀逸な怪物論である。収録作品に登場する怪物は、山中に潜む獣人にはじまり、黒魔術の儀式で召喚された妖物の群、ゴーレムをはじめとする人造物、セイレーンなど伝説上の存在、不定形の巨大怪獣など、序論に挙げられた例に増して多彩だ。このように、同書は「怪物」という非常に広いテーマを一冊に凝集しようとしたことがうかがえる。

本書を新たに編纂するにあたって懸念したのは、同じようにテーマを広く捉えては、収録作品がさほど変わりのない、新編するほどでもない内容になってしまうことだった。さらに、同じ作家であれば別のものを入れたい、という作もあるし、他書で現在も入手しやすい作よりは珍しい作を優先して収録したい。

そこで、作品のモチーフとしての「怪物」を、大きく三つに分類した。

1：人間でないもの。人間を非人間化する獣化、病変などを含む。

2：伝説上の存在。神話や伝承でのみ知られ、怖れられるもの。

3：未知のもの。理解や認識を超えた正体不明の存在。

一見、絞りすぎているように思われるかもしれない。が、この三項の組み合わせで「怪物」の概念のうちかなりの広範囲を包摂することができるはずだ。この三項に則し、以下の作を選んだ。なお、特記ないかぎり、収録作品はすべて本書のために訳したものであり、他媒体からの再録はないことを、ここに明記しておく。

収録作品解題

「変化《へんげ》」"Transformation"（『怪物の時代』所収「換魂譚」新訳）

メアリ・シェリー（一七九七—一八五一）は、イギリスの小説家で、詩人パーシー・ビッシュ・シェリーの妻。怪物小説の古典『フランケンシュタイン』（初刊一八一八、改訂一八三一）は、それを書くきっかけとなった一八一六年の「ディオダティ荘の怪奇談義」とともに知られている。

シェリーは他にも怪奇幻想の範疇に入る作品を著しており、中でも本作は英米のアンソロジーによく選ばれている。初出は年刊文芸アンソロジー *The Keepsake 1831*（一八三〇）。本作に登場する「悪魔」または「魔法使い」は、その異相といい、財宝のつまった船簞笥に乗って浜辺に流れつくさまといい、「えびす」のような蕃神《ばんしん》を連想させる。また、夫の盟友であったジョージ・ゴードン・バイロンの最晩年の作『不具の変身』*Deformed Transformed*（一八二四　未訳）は、傴僂《くる》の少年が魔術を用いる者に自分の体を与え、かわりに伝説の英雄アキレスの体を得ることから始まる詩劇である。夫の死後も彼との交友を続けたシェリーは、この作に触発されたのかもしれない。

「狼ヒューグ」"Hugues-le-Loup"

エルクマン＝シャトリアンは、フランスの小説家エミール・エルクマン（一八二二—九九）とアレクサンドル・シャトリアン（一八二六―九〇）の合作ペンネーム。フランスとドイツの国境に位置するアルザス・ロレーヌ地方の風物を背景とした作品を多く手がけている。歴史小説の大作『民衆のフランス革命』（一八六八）などの邦訳があるほか、怪奇小説の短編はアンソロジーなどでしばしば紹介されている。

本邦初訳の本作は、作品集 *Contes et romans populaires*（一八六七）に収録された中編。人狼の呪いをかけられた領主を救わんとする青年医師らの奮闘を描き、フランス語で発表された十九世紀の人狼小説として、アレクサンドル・デュマの長編『狼の首領』*Le Meneur de loups*（一八六八　未訳）と並び称されている。舞台となるシュヴァルツヴァルトは、作者たちのホームグラウンドであるアルザス・ロレーヌ地方とも接しているが、ジョージ・W・M・レナルズ『人狼ヴァグナー』（一八四七）の発端の地でもある。

「怪物」"The Damned Thing"

アメリカの小説家、ジャーナリスト、アンブローズ・ビアス（一八四二―一九一三？）は邦訳書も数多く、多言を要する必要はないだろう。もっとも、革命のさなかのメキシコで消息を絶ったことを含め、作品にも生涯にも興味のつきない人物であることはまちがいない。

本作に現れる怪物は不可視かつ凶暴なうえ、何ものなのか、なぜ現れたのかもまったく明らかにされない。そんな未知の存在を描いても、ビアスらしい皮肉な味わいを減じない本作は、ニューヨークで発行されていた雑誌 *Town Topics* の一八九三年一二月七日号に発表された。

「夜の声」"The Voice in the Night"

イギリスの小説家ウィリアム・ホープ・ホジスン（一八七七―一九一八）が、船員時代の経験を活かして書いた海洋奇談は数多い。短編集『海ふかく』（一九六七）に収録された本作は、数々のアンソロジーに選ばれているうえ、映画『マタンゴ』（一九六三）の原案となったこともあり、彼の作の中でもことに有名だろう。徐々に人間でなくなっていく恐怖を語る、姿を見せない語り手の悲痛な声は忘れがたい。初出はアメリカの小説誌 *The Blue Book Magazine* の一九〇七年一一月号。

本作でホジスンの海洋奇談に興味を持たれた読者には、日本独自編集の短編集『夜の声』（一九八五）や、長編『〈グレン・キャリグ号〉のボート』（一九〇七）『幽霊海賊』（一九〇九）をお薦めしたい。

「青白い猿」"The Pale Ape"（『怪物の時代』所収　同題　新訳）

世紀末イギリスの大衆作家M・P・シール（一八六五―一九四七）の作品は邦訳が少ないが、その特異さは、北極から発生した有毒の雲で地上が死に絶え、生き残った一人の男が生存者を探して世界中を旅する物語『紫の雲』（一九〇一）ひとつからでも明らかだろう。

滝が轟く邸宅に青白い巨猿が出没する本作は、人間と非人間＝獣の境界の危うさを描いた、怪作ともいえる一編だろう。初出は本作を表題作とする短編集 *The Pale Ape and Other Pulses*（一九一一）。

「壁の中の鼠」"The Rats in the Walls"

アメリカ最大の幻想文学者、H・P・ラヴクラフト（一八九〇―一九三七）をあらためて紹介する必要はないだろう。怪物をテーマとした彼の作となると、いわゆる《クトゥルー神話》を選びたくなるところだが、「忘却」（一九一九）や「アーサー・ジャーミン卿の秘密」（一九二一）などで描いたように、彼は人間の内奥に潜む獣と、それを露呈する「退化」に目を向け、その視点は神話よりさらに深いところで作品世界を支えているように思える。

『ウィアード・テールズ』一九二四年三月号に発表された本作は、人間の獣性を掘り下げ、内なる怪物を躍り出させたものといえるだろう。それゆえに、ラヴクラフトの作品の中でも屈指の恐怖編となっている。

「〝かくてさえずる鳥はなく〟」"And No Bird Sings"

イギリスの小説家E・F・ベンスン（一八六七―一九四〇）は、短編では多彩な題材の怪談を得意とした。怪物ものには、第一短編集『塔の中の部屋』（一九一二）所収の「芋虫」「広間のあいつ」、第二短編集『見えるもの見えざるもの』（一九二三）所収の「恐怖の峰」「幽暗《くらき》に歩む疫病《えやみ》あり」などがあり、獣人から異次元生物までさまざまなものが登場する。一九二八年の第三短編集*Spook Stories*（抄訳『ベンスン怪奇小説集』一九七九）に収録された本作の怪物は正体不明。捕食性の生物であることはたしかなのだが。

「アムンセンのテント」"In Amundsen's Tent"

ジョン・マーティン・リーイ（一八八六―一九六七）はアメリカの小説家だが、ワシントン州に在住した以外の詳細は不明。一九二〇年代のパルプマガジンに三長編と四短編を発表。『ウィアード・テールズ』一九二八年一月号に発表された本作は題名どおり、一九一一年のアムンセン隊の南極探検を背景にしているが、極限の環境を舞台に未知の恐怖を描くさまは無類で、本作一篇だけでも記憶に値する作家である。なお、南極で発見された怪物の恐怖を描く傑作、ジョン・W・キャンベル・ジュニアの「影が行く」が発表されたのは、本作の十年後、一九三八年である。

「黒いけだもの」"The Black Beast"

アメリカの小説家、ヘンリー・S・ホワイトヘッド（一八八二―一九三二）は聖職者でもあり、一九二〇年代は米領ヴァージン諸島の聖公会大執事を務め、セント・クロイ島に居を構えた。その創作には島々での生活体験を題材にしたものが多く、日本でも短編選集『ジャンビー』（一九七七）が出版されている。彼はH・P・ラヴクラフトと親交が深く、『ウィアード・テールズ』などのパルプマガジンを主な作品発表の場とした。

本作が発表されたのは娯楽小説誌*Adventure*の一九三一年七月一五日号。作中、白人が現地人に向ける優越的な視線や、警察官が呪術師にくわえる拷問の場面は、現在の目からは時代を記録したものとして読むべきだろう。重点は、土着の呪術が破った人と獣の境界にある。

「みどりの想い」"Green Thoughts"

短編小説の名手として知られるイギリスの作家、ジョン・コリア（一九〇一―八〇）は、日本でもなじみ深いことだろう。本作は植物怪談の名作として、『怪奇小説傑作集2』はじめ多くのアンソロジーに収録されている。植物化し、人間から遠ざかっていく語り手の独白は、「夜の声」と比較するとさらに興味深い。なお、結末で挙げられる植物の種名を正確に訳している既訳の例を、編者はほとんど見ていない。「悲鳴をあげる植物」といえば、《ハリー・ポッター》シリーズにも登場した、魔法と縁の深いあの種である。

本作の初出はHarper's Magazine 一九三一年五月号。本書収録にあたり、従来テキストにされたと思われる *Fancies and Goodnights*（1951）所収のものでなく、同書以前の複数の刊本を参照のうえ、最初に書籍に収録したダシール・ハメット編のアンソロジー *Creeps by Night*（1931）を主なテキストとした。これまでの邦訳とは会話などに若干の異同があることを記しておく。

「ヤンドロの小屋」"The Desrick on Yandro"（『怪物の時代』所収「ヤンドロの山小屋」新訳）

アメリカの小説家マンリー・ウェイド・ウェルマン（一九〇三―八六）は、一九二七年から六十年あまりのあいだ、ＳＦや怪奇幻想小説を中心に幅広い分野で創作活動をし、数多くの作品を残した。放浪の歌手《銀のギターのジョン》は、ウェルマンが創造したキャラクターの中で最もよく知られ、連作短編集『悪魔なんか怖くない』（一九六三）が邦訳されている。本作も同書に収録されているが、本書では初出の *The Magazine of Fantasy and Science Fiction* 一九五二年六月号と、初出に準拠した短編集

John the Balladeer（1988）をテキストとした。なお、山中の妖怪たちがまったくの創作なのか、実際の伝承とどこかつながりがあるのかは、突き止めきれなかった。

巻末の解説は、『フランケンシュタインとは何か　怪物の倫理学』の著者、武田悠一氏による、『フランケンシュタイン』に準ずる怪物＝人造物を含めた怪物論である。

人造物を扱った作は、主立った作がロボットを介してさらにSFに近づいており、怪奇幻想の傑作として推せる作は比較的入手しやすい他書に収録されているため、収録を見送った。また、怪獣や異生物が登場する作は、他の収録作とのバランスを考慮し、やはり見送った。なお、このテーマでは、中村融氏による優れたアンソロジー『千の脚を持つ男　怪物ホラー傑作選』（二〇〇七）がある。いずれのテーマの作も、別の観点から続巻に収録する可能性はある。

怪物に向ける私たちの目は、時代とともに変わっていく。メディアの多様化の中、怪物はこれまでの恐怖の対象にとどまらず、異形のヒーローにもなっている。新編と題する以上、そのような変化を反映した作の収録も当初は考えた。すると、ディーン・クーンツやクライヴ・バーカーらを外すわけにはいかなくなるが、著名作家との版権契約は容易ではなく、スティーヴン・キング以降のホラー作家を取り上げるのは尚早なようにも考えられるため、場をあらためて紹介することにしたい。ご理解のほどを。

今日の人権意識に照らして不適切と思われる表現や語句につきましては、発表時の時代的背景を考慮し、作品を尊重する立場から、原文を逸脱することなく翻訳・収録しておりますことを、ご了承下さい。（編集部）

新編 怪奇幻想の文学１　怪物
2022年7月4日　初版発行

【監修】紀田順一郎・荒俣 宏
【 編 】牧原勝志（『幻想と怪奇』編集室）

【発行人】福本皇祐
【発行所】株式会社新紀元社
〒101-0054
東京都千代田区神田錦町1-7 錦町一丁目ビル 2F
Tel.03-3219-0921　Fax.03-3219-0922
http://www.shinkigensha.co.jp/
郵便振替　00110-4-27618

【装幀・装画】YOUCHAN（トゴルアートワークス）
【印刷・製本】中央精版印刷株式会社

ISBN978-4-7753-2022-8
Printed in Japan